buzz BOOKS

Cărțile despre care toată lumea vorbește!

O colecție cosmopolită, locul de întâlnire a celor mai noi
opere de ficțiune contemporană – romane aflate în topurile
internaționale, premiate, ecranizate sau în curs de ecranizare,
traduse în zeci de limbi – cărți provocatoare,
pe care abia aștepți să le citești

J.P. Delaney a publicat anterior ficțiune de succes sub diferite alte nume. *Fata dinainte* (*The Girl Before*) este primul său thriller psihologic scris sub acest pseudonim. Romanul este în curs de apariție în peste 40 de țări și urmează să fie ecranizat de regizorul Ron Howard, câștigător al Premiului Oscar.

J.P. DELANEY

FATA DINAINTE

Traducere din limba engleză şi note
MIHAELA BURUIANĂ

LITERA®

Editura Litera
O.P. 53; C.P. 212, sector 4, București, România
tel: 021 319 6390; 031 425 1619; 0752 548 372;
e-mail: comenzi@litera.ro

Ne puteți vizita pe

Editor: Vidrașcu și fiii
Redactor: Aloma Ciomîzgă-Mărgărit
Copertă: Flori Zahiu
Tehnoredactare și prepress: Ofelia Coșman

Seria de ficțiune a Editurii Litera este coordonată
de Cristina Vidrașcu Sturza.

Descrierea CIP a Bibliotecii Naționale a României
DELANEY, J.P.
   Fata dinainte / J.P. Delaney;
trad.: Mihaela Buruiană – București: Litera, 2017
   ISBN 978-606-33-1425-4

I. Buruiană, Mihaela (trad.)

821.111(94)-31=135.1

Domnul Darkwood, odinioară atât de interesat de dragostea romantică şi de părerile altora despre ea, era acum complet sătul de acest subiect. De ce se repetau mereu aceşti îndrăgostiţi? Nu oboseau niciodată să se audă vorbind?

Eve Ottenberg, *The Widow's Opera*

La fel ca toţi dependenţii, criminalii care îşi lasă „semnătura" pe victimele lor acţionează în baza unui scenariu, comportamentul acestora devenind repetitiv până la limita obsesiei.

Robert D. Keppel şi William J. Birnes, *Signature Killers*

Putem spune că pacientul nu-şi aminteşte nimic din ce a uitat şi a reprimat, dar aceste lucruri ies la suprafaţă prin acţiunile sale. El le reproduce, nu ca pe amintiri, ci ca pe acţiuni; le repetă, desigur, fără să ştie că le repetă.

Sigmund Freud, „Amintire, repetiţie şi elaborare"

Fascinaţia mea de a lăsa imaginile să se repete la nesfârşit sau, în cazul filmelor, de „a continua să ruleze", este o manifestare a convingerii mele că petrecem prea mult timp din viaţă văzând, fără să observăm.

Andy Warhol

1. *Vă rog să faceţi o listă cu toate bunurile pe care le consideraţi esenţiale pentru viaţa dumneavoastră.*

ATUNCI: **EMMA**

– E un apartament mic şi foarte cochet, zice agentul cu un entuziasm care sună aproape sincer. Se află lângă punctele locale de atracţie. Şi are porţiunea aceea privată de acoperiş, care ar putea fi transformată în terasă. Sigur, dacă şi proprietarul e de acord.

– Drăguţ, încuviinţează Simon evitându-mi privirea.

Mi-am dat seama că apartamentul nu e bun de nimic de îndată ce am intrat şi am văzut bucata de acoperiş, lată de aproape doi metri, sub una dintre ferestre. Şi Si ştie, dar nu vrea să-i spună agentului sau, în orice caz, nu aşa de curând, fiindcă ar fi nepoliticos. Poate chiar speră că, dacă ascult suficient de mult trăncăneala stupidă a bărbatului, o să ezit. Agentul e genul lui Simon: ager, îndrăzneţ, nerăbdător. Probabil citeşte revista la care lucrează Simon. Vorbeau amândoi despre sport înainte chiar să urcăm scările.

– Iar aici aveţi un dormitor de dimensiuni rezonabile, zice agentul. Are...

– Nu e bun, îl întrerup eu, punând capăt prefăcătoriei. Nu e ce căutăm noi.

Agentul ridică din sprâncene.

– Nu puteţi fi prea pretenţioşi, având în vedere condiţiile pieţei. Ăsta se dă până diseară. Au fost cinci vizionări astăzi şi nici nu l-am pus încă pe site.

– Nu e suficient de sigur, adaug eu sec. Mergem?

– Sunt încuietori la toate ferestrele, insistă el, plus o yală la uşă. Sigur, puteţi să instalaţi o alarmă, dacă vă îngrijorează în mod deosebit siguranţa. Nu cred că proprietarul ar avea ceva împotrivă.

Acum vorbeşte pe deasupra mea, adresându-i-se lui Simon. „Dacă vă îngrijorează în mod deosebit." E ca şi cum ar fi spus: „A, iubita ta e un pic isterică?"

– Aştept afară, zic eu şi mă întorc să plec.

Dându-şi seama că a făcut o gafă, agentul adaugă:

– Dacă zona e problema, poate ar trebui să căutaţi mai la vest.

– Am fost deja, zice Simon. Toate depăşesc bugetul nostru. Mai puţin cele care-s cât o cutie de chibrituri.

Încearcă să-şi ascundă frustrarea din voce, dar faptul că trebuie să facă asta mă enervează şi mai tare.

– Ar mai fi un apartament cu două camere în Queen's Park, zice agentul. Cam urâţel, dar....

– L-am văzut deja, zice Simon. Până la urmă, am hotărât că e prea aproape de proprietatea aia.

Din tonul lui, reiese clar că, de fapt, eu am hotărât asta.

– Mai e un apartament şi la etajul trei în Kilburn, tocmai a apărut...

– Şi pe ăla l-am văzut. Avea o conductă de evacuare chiar lângă una dintre ferestre.

Agentul pare nedumerit.

– Cineva ar fi putut să urce pe acolo, explică Simon.

– Păi, sezonul de închirieri abia a început. Poate dacă mai aşteptaţi puţin...

E clar, agentul a ajuns la concluzia că îşi pierde timpul cu noi. Se îndreaptă şi el spre uşă. Eu ies afară, pe hol, ca să nu vină lângă mine.

– Am anunţat deja că plecăm de unde am stat înainte, îl aud pe Simon zicând. Şi nu prea mai avem de unde alege. Adaugă mai încet: Uite ce e, prietene, am fost jefuiţi. Acum cinci săptămâni. Doi bărbaţi au intrat în casă şi au ameninţat-o pe Emma cu un cuţit. Acum înţelegi de ce e un pic speriată?

– A! spune agentul. Nasol! Dacă cineva i-ar face asta iubitei mele, nu ştiu ce aş face. Uite, s-ar putea să nu fie cine ştie ce şanse, dar...

Nu-și termină fraza.

– Da? zice Simon.

– V-a spus cineva de la birou despre One Folgate Street?

– Nu cred. A apărut recent anunțul?

– Nu chiar, nu.

Agentul nu pare sigur dacă să continue sau nu.

– Dar e disponibil? insistă Simon.

– Teoretic, da, zice agentul. Și e o proprietate fantastică. Absolut fantastică. E cu totul altă mâncare de pește. Dar proprietarul e... cam *ciudat*, deși e puțin spus.

– În ce zonă? întreabă Simon.

– În Hampstead, răspunde agentul. De fapt, mai degrabă în Hendon. Dar e foarte liniștit.

– Em? mă strigă Simon.

Intru din nou.

– Am putea să aruncăm o privire, zic eu. Nu e departe de aici.

Agentul încuviințează.

– Trec pe la birou, zice el, să văd ce informații mai găsesc. A trecut o vreme de când l-am arătat ultima dată cuiva. Nu e un loc potrivit pentru oricine, dar cu voi cred că dau lovitura acolo. Scuze, n-am vrut să sune așa.

ACUM: JANE

– Ăsta e ultimul. Agenta, pe care o cheamă Camilla, bate darabana în volanul mașinii ei Smart. Așa că, serios, e momentul să ne hotărâm.

Oftez. Apartamentul pe care tocmai l-am văzut, într-un bloc dărăpănat de pe West End Lane, este singurul care se înscrie în bugetul meu. Și aproape mă convinsesem că era în regulă, ignorând tapetul decojit, mirosul vag de mâncare gătită care se strecura din apartamentul de dedesubt, dormitorul înghesuit și mucegaiul răspândit în baia lipsită de aerisire, până când am auzit un clopoțel sunând undeva în apropiere – un clopoțel de mână, din acela de modă veche –, și brusc locul s-a umplut de zgomot de copii. M-am dus la fereastră și, chiar în față, am văzut o școală. Vedeam direct într-o sală de clasă pentru grupa mică, cu iepurași și rațe decupate din hârtie agățate la geam. Am simțit o durere ascuțită în piept.

– Cred că renunț la ăsta, am reușit să spun.

– Serios? Camilla păru surprinsă. Din cauza școlii? Chiriașii de dinainte au spus că le plăcea să audă copii jucându-se.

– Dar nu atât de mult încât să rămână în continuare aici. M-am întors cu spatele. Mergem?

Acum, Camilla mă tratează cu o tăcere lungă, strategică, pe drumul înapoi spre biroul ei. În cele din urmă, zice:

– Dacă nu ți-a plăcut nimic din ce am văzut astăzi, cred că va trebui să mărim bugetul.

– Din păcate, bugetul meu e bătut în cuie, zic eu uitându-mă pe geam.

– Atunci, va trebui să fii mai puțin mofturoasă, zice ea caustic.

– La ultimul... sunt niște motive personale pentru care nu pot să locuiesc lângă o școală. Deocamdată.

Văd cum ochii i se îndreaptă spre burta mea, încă un pic umflată de la sarcină, și ochii i se măresc când face legătura.

– Ah! zice ea.

Camilla nu e chiar așa proastă cum pare, lucru pentru care sunt recunoscătoare. Nu e nevoie să-i explic cuvânt cu cuvânt.

În schimb, pare că a luat o decizie.

– Uite, ar mai fi o casă. Nu prea avem voie să o arătăm fără consimțământul expres al proprietarului, dar, din când în când, facem și asta. Pe unii îi sperie, dar mie mi se pare extraordinară.

– O proprietate extraordinară în bugetul meu? Nu vorbim despre o casă plutitoare, nu?

– Vai de mine, nu! Chiar dimpotrivă. E o clădire modernă în Hendon. O casă întreagă, cu un singur dormitor, dar cu o grămadă de spațiu. Proprietarul este arhitectul. De fapt, e destul de cunoscut. Cumperi vreodată haine de la Wanderer?

– Wanderer... În viața mea de dinainte, când aveam bani și o slujbă adevărată, bine plătită, intram uneori în magazinul Wanderer de pe Bond Street, un spațiu înspăimântător de minimalist, unde câteva rochii, scumpe de-ți venea să plângi, erau întinse pe niște dale groase de piatră, ca niște fecioare sacrificate, iar vânzătoarele erau îmbrăcate în chimonouri negre. Din când în când. De ce?

– Monkford Partnership le face designul pentru toate magazinele. Se numește tehno-minimalist sau cam așa ceva. O grămadă de gadgeturi ascunse, dar, în rest, complet gol. Îmi aruncă o privire.Trebuie însă să te avertizez, stilul lui li se pare unora un pic... *auster*.

– Nu mă deranjează.

– Și...

– Da? o încurajez eu când văd că nu mai continuă.

– Nu e un contract de închiriere obișnuit, zice ea ezitând.

– Adică?

–Cred, zice ea semnalizând şi intrând pe banda din stânga, cred că ar trebui s-o vedem mai întâi. Dacă o să-ţi placă suficient de mult, o să îţi explic şi dezavantajele.

ATUNCI: **EMMA**

Casa e extraordinară. Uimitoare, fantastică, incredibilă. Nici nu poate fi descrisă în cuvinte.

De afară, din stradă, nici nu ai fi bănuit. Două rânduri de case mari, greu de definit, cu combinația aceea victoriană, familiară, de cărămidă roșie și ferestre glisante, pe care o vezi peste tot în nordul Londrei și în sus, pe dealul spre Cricklewood, ca un lanț de figurine tăiate din ziar, fiecare o copie exactă a celei de lângă ea. Numai ușile de la intrare și ferestruicile colorate de deasupra erau diferite.

În capăt, pe colț, era un gard. Dincolo de el, am văzut o construcție mică, joasă, un cub compact din piatră deschisă la culoare. Câteva fâșii orizontale de geam, răspândite aparent aleatoriu, erau singurul indiciu că era, într-adevăr, o casă și nu un prespapier enorm.

– Uau! zice Simon neîncrezător. Chiar asta e?

– Cu siguranță, răspunde vesel agentul. One Folgate Street.

Ne duce în lateral, unde se află o ușă perfect încastrată în zid. Nu pare să existe o sonerie, de fapt, nu văd nici vreo clanță sau vreo cutie de scrisori; nu e nici un nume trecut acolo, nimic care să indice faptul că ar fi locuită. Agentul împinge ușa, care se deschide.

– Cine locuiește aici? întreb eu.

– Nimeni deocamdată.

Se dă la o parte ca să ne facă loc să intrăm.

– Şi atunci de ce nu era încuiată? întreb eu agitată, rămânând în urmă.

– Ba era, răspunde el, zâmbind superior. Am o cheie digitală pe telefon. Totul e controlat de o aplicaţie. Eu nu trebuie decât să comut de pe Neocupată pe Ocupată. După aceea, totul e automat: senzorii casei detectează codul şi mă lasă să intru. Dacă port o brăţară digitală, nici măcar nu mai am nevoie de telefon.

– Cred că *glumeşti*! zice Simon, holbându-se la uşă cu gura căscată.

Aproape că mă bufneşte râsul la reacţia lui. Pentru Simon, căruia îi plac la nebunie gadgeturile, ideea de a avea o casă pe care o poţi controla de pe telefon e ca şi cum cele mai tari cadouri de ziua lui ar fi contopite în unul singur.

Intru într-un hol micuţ, doar puţin mai mare decât un dulap. E prea mic ca să pot sta acolo confortabil odată ce a intrat şi agentul după mine, aşa că, fără să mai aştept invitaţie, merg mai departe.

De data asta, eu sunt cea care exclamă de uimire. Chiar e spectaculos. Ferestre imense care dau spre o grădină mică şi un zid înalt din piatră inundă interiorul cu lumină. Nu e mare, dar pare spaţios. Pereţii şi podelele sunt din aceeaşi piatră deschisă la culoare. Canelurile de la baza pereţilor dau impresia că aceştia plutesc în aer. Şi este *gol*. Nu nemobilat – văd o masă de piatră într-o cameră laterală, nişte scaune cu spătar foarte elegante, cu un design preţios, o canapea lungă şi joasă dintr-un material crem bogat, dar nimic altceva, nimic de care să se agaţe ochiul. Fără uşi, fără dulapuri, fără tablouri, fără tocuri de geam, fără prize la vedere, fără corpuri de iluminat sau – mă uit în jur, uluită – măcar întrerupătoare. Şi, deşi nu pare părăsită sau nelocuită, nu e absolut deloc dezordine.

– Uau! zic eu din nou.

Vocea mea sună înfundată. Îmi dau seama că nu aud nimic de afară, din stradă. Zgomotul de fundal al traficului, al muncitorilor de pe schele şi al alarmelor de maşini, prezent peste tot în Londra, a dispărut.

– Mulți oameni zic asta, încuviințează agentul. Îmi cer scuze, dar proprietarul insistă să ne descălțăm. Vă deranjează...?

Se apleacă să-și desfacă șireturile de la încălțămintea țipătoare. Facem și noi la fel. După aceea, ca și cum goliciunea desăvârșită, completă, a casei i-ar fi absorbit toată flecăreala, începe să se plimbe de colo colo în șosete, părând la fel de uimit ca și noi de tot ce vedem prin casă.

ACUM: JANE

– Ce frumoasă e! zic eu. Înăuntru, casa este la fel de modernă și perfectă ca o galerie de artă. Pur și simplu *frumoasă*!

– Nu-i așa? aprobă Camilla. Își lungește gâtul ca să se uite în sus, la pereții goi, făcuți dintr-o piatră scumpă, de culoare crem, care se înalță spre golul acoperișului. La etaj se ajunge pe o scară, de o ciudățenie minimalistă cum nu am mai văzut vreodată. Pare cioplită direct într-o stâncă, cu trepte disparate din piatră neșlefuită, fără vreo balustradă sau vreo modalitate vizibilă de susținere. Indiferent de câte ori vin aici, tot îmi taie răsuflarea. Ultima dată am fost cu un grup de studenți la arhitectură – apropo, asta este una dintre condiții: să primești vizite o dată la șase luni. Dar mereu sunt foarte respectuoși. Nu e ca și cum ai avea o casă superbă în care turiștii își aruncă guma de mestecat pe covoare.

– Cine locuiește aici acum?

– Nimeni. E goală de aproape un an.

Mă uit în față, la camera următoare, dacă se poate numi *cameră* un spațiu deschis care nu are nici măcar un prag, darămite o ușă. Pe o masă lungă din piatră se află un vas cu lalele, bobocii lor sângerii formând o pată de culoare ce contrastează puternic cu paloarea pietrei.

– Atunci de unde sunt florile? Mă apropii și ating masa. Nu e praf. Și cine o păstrează așa de curată?

– În fiecare săptămână, vine o menajeră de la o firmă de curăţenie. Asta e o altă condiţie: trebuie să-i păstrezi, ei se ocupă şi de grădină.

Mă duc la fereastră, care aproape că atinge podeaua. Şi *grădină* este un termen cam impropriu. De fapt, este o curte interioară; un spaţiu închis, de aproximativ şase pe patru metri jumătate, pavat cu aceeaşi piatră ca podeaua pe care stau. O fâşie de iarbă, tăiată scurt, ca pe un teren de golf, se întinde până la zidul din faţă. Nu sunt flori. De fapt, în afară de peticul acela mic de iarbă, nu mai e nimic viu, nici o culoare. Singurele elemente în plus sunt câteva cerculeţe de pietriş cenuşiu.

Când mă întorc înăuntru, mă gândesc că întreaga casă are nevoie de culoare şi de obiecte moi. Cu câteva covoraşe şi nişte detalii personalizate, ar fi cu adevărat frumoasă, ca scoasă dintr-o revistă de stil. Pentru prima dată după mult timp, simt cum mă cuprinde entuziasmul. Oare mi s-a schimbat, în sfârşit, norocul?

– Păi, mi se pare rezonabil, zic eu. Asta e tot?

Camilla afişează un zâmbet ezitant.

– Când spun *una* dintre condiţii, vreau să spun că e una dintre cele mai simple. Ştii ce e o clauză restrictivă?

Dau din cap că nu.

– Este o condiţie legală impusă asupra unei proprietăţi în mod permanent şi care nu poate fi eliminată nici dacă se vinde casa. De obicei, are legătură cu drepturile de dezvoltare – dacă spaţiul poate fi folosit ca sediu al unei firme, lucruri de genul ăsta. În cazul de faţă, condiţiile sunt incluse în contractul de închiriere, dar, pentru că sunt clauze restrictive, nu pot fi negociate sau modificate. E un contract extrem de rigid.

– Despre ce e vorba?

– În general, e o listă cu permisiuni şi interdicţii. Mă rog, mai multe interdicţii. Fără modificări de vreun fel, dacă nu există un acord prealabil. Fără covoare sau carpete. Fără tablouri. Fără ghivece cu flori. Fără ornamente. Fără cărţi...

– Fără *cărţi*! Asta e ridicol!

– Fără plante în grădină. Fără draperii...

– Cum te aperi de lumina de afară dacă nu poţi să pui draperii?

– Ferestrele sunt fotosensibile. Se întunecă odată cu cerul.

– Deci fără draperii. Altceva?

– Păi, da, zice Camilla, ignorându-mi tonul sarcastic. În total, sunt vreo două sute de clauze. Iar ultima dintre ele pune cele mai multe probleme.

ATUNCI: EMMA

– ... Fără alte lumini decât cele care sunt deja aici, zice agentul. Fără sârme de rufe. Fără coșuri de gunoi. Fără fum de țigară. Fără suporturi de pahare sau de farfurii. Fără perne, fără ornamente, fără mobilă asamblată pe loc...
– Dar e *nebun*! zice Si. Cu ce drept face asta?

Pentru mobila IKEA din apartamentul în care stăm acum, a avut nevoie de câteva săptămâni ca să o asambleze, prin urmare, o privește cu aceeași mândrie cu care ar privi ceva tăiat și cioplit cu mâna lui.

– V-am zis că are niște chichițe, zice agentul ridicând din umeri.

Mă uit în sus, la tavan.

– Apropo de lumini, spun eu, cum se aprind?
– Nu se aprind. Au niște senzori de mișcare ultrasonici. Conectați la un detector care ajustează nivelul în funcție de cât de întuneric e afară. E aceeași tehnologie care face farurile mașinii să se aprindă noaptea. Apoi, doar alegeți atmosfera dorită din aplicație: productivă, liniștită, jucăușă și așa mai departe. Ba chiar adaugă ultraviolete iarna, ca să nu fiți deprimați. Știți, la fel ca luminile alea SAD[1].

---

[1] Acronim pentru Seasonal Affective Disorder (tulburare afectivă sezonieră), dar și adjectiv care înseamnă „trist" în engleză

Îmi dau seama că Simon este aşa de impresionat de toate astea încât dreptul arhitectului de a interzice orice mobilă gata de asamblat nu mai reprezintă o problemă.

– Încălzirea se face prin pardoseală, evident, continuă agentul, simţind că e pe val. Dar căldura provine de la un puţ cu apă termală aflat direct sub casă. Şi toate ferestrele au trei foi de geam – casa este atât de eficientă încât chiar dă energie înapoi Reţelei Naţionale. Nu veţi mai plăti niciodată o factură de energie.

Pentru Simon, e ca şi cum cineva i-ar recita pornografie.

– Şi sistemele de siguranţă? întreb eu pe un ton înţepat.

– Toate sunt integrate în acelaşi sistem, zice agentul. N-o puteţi vedea, dar există o alarmă împotriva hoţilor încastrată în peretele exterior. Toate camerele au senzori – aceiaşi care aprind luminile. Şi e un sistem inteligent. Învaţă cine eşti şi care e rutina ta, dar pentru alte persoane va cere confirmare că sunt autorizate.

– Em? mă strigă Simon. *Trebuie* să vezi bucătăria!

A intrat într-o încăpere laterală a spaţiului, cea cu masa de piatră. Nici nu-mi dau seama de unde a ştiut că acolo e bucătăria. De-a lungul unui perete se întinde un blat de piatră. La un capăt se află ceva ce seamănă cu un robinet, un tub subţire de oţel ieşit în afară, deasupra pietrei. O adâncitură mică dedesubt sugerează că aceasta ar putea fi chiuveta. În capătul celălalt este un şir de patru găuri mici. Agentul îşi trece mâna pe deasupra uneia. Instantaneu, din ea ţâşneşte o flacără puternică, şuierătoare.

– Pam-pam! zice el. Aragazul. Şi, de fapt, arhitectul preferă să-i spună *refectoriu*, nu *bucătărie*.

Zâmbeşte de parcă ar vrea să arate că ştie şi el cât de stupid sună asta.

Acum că mă uit mai îndeaproape, văd că unele dintre panourile din piatră au nişte caneluri mici între ele. Apăs pe unul şi piatra se deschide – nu cu un clic, ci cu un murmur pneumatic, domol. În spate, se află un dulap foarte mic.

– Să vă arăt şi etajul, zice agentul. Scara constă într-un şir de trepte din piatră, înfipte în perete. Evident, nu este sigură pentru copii, ne avertizează el în timp ce ne conduce sus. Atenție la pași.

– Nu-mi spune! zice Simon. Balustradele și grilajele sunt și ele pe lista cu interdicții?

– Și animalele de companie la fel, adaugă agentul.

Dormitorul este la fel de auster ca restul casei. Patul este încastrat – o plintă de piatră de o culoare deschisă, cu o saltea rulată, în stil japonez –, iar baia nu este închisă, ci doar ascunsă privirii, în spatele unui zid. Însă, în timp ce goliciunea de la parter era dramatică și clinică, aici, sus, pare calmă, aproape confortabilă.

– E ca o celulă de închisoare scumpă, comentează Simon.

– După cum spuneam, nu e pe gustul tuturor, încuviințează agentul. Dar pentru persoana potrivită...

Simon apasă pe peretele de lângă pat și se deschide un alt panou. Înăuntru e un dulap de haine. Abia dacă încap vreo douăsprezece ținute.

– Una dintre reguli este că nu trebuie să stea nimic pe jos, în nici un moment, zice agentul îndatoritor. Toate trebuie puse la locul lor.

Simon se încruntă.

– Și el de unde ar ști?

– Contractul prevedere controale regulate. În plus, dacă observă încălcarea vreunei reguli, femeia care face curățenie trebuie să informeze agenția.

– Nu se poate! zice Simon. Parcă am fi iar la școală. N-o să accept să mă pârască cineva pentru că nu mi-am adunat cămășile murdare de pe jos.

Îmi dau seama de un lucru. Nu am avut nici măcar un singur flashback sau un atac de panică de când am pășit în casa asta. Este atât de izolată de lumea de afară, încât mă simt complet apărată, ca într-un *cocon*. În minte îmi vine o replică din filmul meu preferat. „Tihna și splendoarea locului; nu ți se poate întâmpla nimic rău acolo.“[1]

---

[1] *Mic dejun la Tiffany*, film din 1961, cu Audrey Hepburn în rolul principal, după romanul cu același nume de Truman Capote, tradus în română de Constantin Popescu

– Adică, e fantastică, bineînțeles, continuă Simon. Și dacă n-ar fi toate regulile alea, probabil că ne-ar interesa. Dar noi suntem oameni dezordonați. În partea lui Em de dormitor, zici că a explodat o bombă în *Filiera franceză*[1].

– Păi, în cazul ăsta... zice agentul, încuviințând.

– Mie îmi place, intervin eu impulsiv.

– Îți place? se miră Simon.

– E diferit, dar... cumva, are logică, nu? Dacă ai construi ceva în genul ăsta, ceva incredibil, sigur că ai vrea să fie locuit corespunzător, așa cum te-ai gândit de la început. Altfel, ce rost ar avea? Și e o casă extraordinară. N-am mai văzut așa ceva, nici măcar în reviste. Am *putea* să fim ordonați, nu-i așa, dacă ăsta ar fi prețul pentru a locui într-un astfel de loc?

– Păi, super, zice Simon nesigur.

– Îți place și ție? întreb eu.

– Dacă ție îți place casa asta, eu sunt nebun după ea, spune el.

– Vorbesc serios, insist eu, chiar îți place? Ar fi o schimbare majoră. Nu vreau s-o faci decât dacă vrei cu adevărat.

Agentul ne urmărește amuzat, așteptând rezultatul micii noastre dezbateri. Dar așa facem noi mereu. Eu am o idee, apoi Simon se gândește puțin și, în cele din urmă, zice da.

– Ai dreptate, Em, zice Simon încet. Arată mult mai bine decât orice altceva am găsi. Și dacă vrem s-o luăm de la zero, atunci locul ăsta e mult mai potrivit decât un apartament oarecare, standard, cu un dormitor, nu? Se întoarce apoi spre agent. Deci, cum procedăm mai departe?

– A! zice agentul. Aici intervin complicațiile.

---

[1] Film american din 1971, regizat de William Friedkin, după romanul cu același nume de Robin Moore

ACUM: JANE

– Care e ultima clauză?

– În ciuda tuturor restricțiilor, ai fi surprinsă câți oameni acceptă. Dar ultimul obstacol este că arhitectul are drept de veto. Adică, el e cel care aprobă chiriașul.

– Personal?

Camilla încuviințează din cap.

– Dacă se ajunge până acolo. Mai întâi, trebuie completat un formular stufos. Și, sigur, trebuie să semnezi o declarație cum că ai citit și ai înțeles regulile. Dacă totul merge bine, ești invitată la un interviu față în față cu proprietarul oriunde în lume s-ar afla el în momentul respectiv. În ultimii câțiva ani a fost în Japonia – construia un zgârie-nori în Tokyo. Dar acum s-a întors în Londra. Numai că, de obicei, nu se mai obosește cu interviul. Ne trimite doar un e-mail să ne spună că cererea a fost respinsă. Fără vreo explicație.

– Ce fel de oameni sunt acceptați?

Camilla ridică din umeri.

– Nici noi nu am identificat vreun gen anume. Dar am observat totuși că studenții la arhitectură nu trec niciodată testul. Și în mod clar nu e nevoie să fi locuit într-un astfel de loc înainte. Ba chiar aș spune că ăsta ar fi un dezavantaj. În rest, știu la fel de multe ca tine.

Mă uit în jurul meu. Dacă eu aș fi construit casa asta, mă gândesc, ce fel de oameni aș fi vrut s-o locuiască? Cum aș evalua o cerere de la un posibil chiriaș?

– Sinceritate, zic eu încet.

– Poftim?

Camilla mă privește nedumerită.

– Ce mă frapează la casa asta nu e doar că arată bine, ci faptul că la baza ei a fost atâta dăruire. Evident, nu face nici un compromis, ba chiar e brutală în unele privințe. Vorbim despre cineva care a dat tot ce-a avut, până la ultima fărâmă de pasiune, pentru a crea ceva care să fie sută la sută cum și-a dorit. Are – bine, e un cuvânt pretențios, dar are *integritate*. Cred că, la rândul lui, caută oameni care să fie la fel de sinceri cu privire la modul în care o locuiesc.

Camilla ridică din umeri din nou.

– Poate ai dreptate. Tonul ei sugerează neîncredere. Deci, vrei să încerci?

Din fire, sunt o persoană precaută. Rareori iau decizii fără să mă gândesc bine înainte: analizez opțiunile, cântăresc consecințele, pun în balanță avantajele și dezavantajele. Așa că sunt ușor mirată când mă aud spunând:

– Da, absolut!

– Bine! Camilla nu pare deloc surprinsă, pentru că, nu-i așa, cine n-ar vrea să locuiască într-o astfel de casă? Hai să ne întoarcem la birou ca să-ți dau formularul de cerere.

ATUNCI: **EMMA**

1. Vă rog să faceți o listă cu toate bunurile pe care le considerați esențiale pentru viața dumneavoastră.

Iau pixul în mână, apoi îl las jos iar. Ar dura toată noaptea să fac o listă cu tot ce vreau să păstrez. Dar apoi mă mai gândesc și cuvântul *esențial* pare să plutească de pe pagină spre mine. Până la urmă, ce este esențial? Hainele mele? De când ne-a fost spart apartamentul, am trăit doar cu două perechi de blugi și un pulover vechi lăbărțat. Evident, am niște rochii și fuste pe care aș vrea să le iau, câteva sacouri drăguțe, pantofii și cizmele, dar altceva nu mi-ar lipsi. Fotografiile noastre? Le-am făcut backup online. Cele câteva bijuterii de o oarecare valoare au fost luate de hoți. Mobila noastră? Toată ar părea de prost gust și nepotrivită în One Folgate Street.

Am impresia că întrebarea a fost formulată așa în mod intenționat. Dacă mi s-ar fi cerut să fac o listă cu obiectele de care m-aș putea lipsi, n-aș fi reușit niciodată s-o termin. Însă, după ce mi s-a plantat în minte gândul că nici unul dintre ele nu este cu adevărat important, mă întreb dacă n-aș putea să-mi arunc toate lucrurile, toate *chestiile*, ca pe o piele veche.

Poate că acesta este adevăratul scop al Regulilor, așa cum le-am botezat deja. Poate nu este vorba despre faptul că arhitectul este un obsedat de control care își face griji că îi vom distruge frumoasa casă. Poate că e un fel de experiment. Un experiment privind modul de viață.

Ceea ce, bănuiesc, ar însemna că eu și Si am fi porcușorii lui de Guineea. Dar asta nu mă deranjează. De fapt, *vreau* să mă schimb – să ne schimbăm – și știu că nu pot să fac asta fără ajutor.

Mai ales, ca să *ne* schimbăm.

Eu și Simon suntem împreună de la nunta lui Saul cu Amanda, de acum un an și două luni. Îi știam pe amândoi de la muncă, dar ei sunt un pic mai în vârstă decât mine și, în afară de ei, nu prea mai știam pe nimeni. Simon era cavalerul de onoare al lui Saul, nunta a fost frumoasă și romantică, iar noi doi ne-am înțeles bine încă de la început. De la ceva de băut și puțină conversație am ajuns să dansăm pe melodii lente și să facem schimb de numere de telefon. Mai târziu, am descoperit că stăteam la aceeași pensiune și, în fine, am dat dintr-una într-alta. A doua zi, m-am gândit: „Ce am făcut?" Eram sigură că și asta era tot o aventură pasională de o noapte, că nu aveam să-l mai văd niciodată și urma să mă simt iar ieftină și folosită. Numai că s-a întâmplat exact opusul. Si m-a sunat în clipa în care a ajuns acasă, a doua zi iar și, până la sfârșitul săptămânii, eram deja un cuplu, spre mirarea prietenilor noștri. În special ai *lui*. El lucrează într-un mediu în care machismul și bețiile sunt la ordinea zilei, iar o relație stabilă aproape că pătează reputația. În genul de revistă la care scrie Si, fetele sunt „gagici", „bunăciuni" sau „bucăți". Paginile sunt pline de poze cu sutiene și chiloți, deși articolele sunt în mare parte despre gadgeturi și tehnologie. De exemplu, un articol despre telefoane mobile are și o poză cu o fată în chiloți care ține în mână un telefon. Dacă articolul este despre laptopuri, fata e tot în chiloți, dar poartă ochelari și tastează la laptop. Iar dacă articolul este despre chiloți, probabil că fata nu poartă chiloți deloc, dar îi ține în mână de parcă tocmai și i-a dat jos. De câte ori echipa revistei organizează o petrecere, modelele apar îmbrăcate cam ca în poze, și apoi pozele de la petrecere sunt împrăștiate în toată revista. Nu e deloc genul meu, și Simon mi-a spus de la început că nici al lui – unul dintre motivele pentru care mă plăcea, mi-a zis, era că nu semănam deloc cu fetele alea, că eu eram „reală".

Când cunoşti pe cineva la o nuntă, începutul relaţiei pri-
meşte un impuls aparte. Simon m-a întrebat dacă vreau să mă
mut cu el la doar câteva săptămâni după ce am început să ne
întâlnim. Şi asta i-a surprins pe ceilalţi; de obicei, fata este
cea care insistă pe lângă băiat, pentru că vrea fie să se mărite,
fie doar să treacă la nivelul următor. Dar, în cazul nostru,
lucrurile au stat mereu invers. Poate pentru că Simon e puţin
mai mare decât mine. Mereu a zis că, din clipa în care m-a
văzut, a ştiut că eu eram aleasa. Mi-a plăcut asta la el, că ştia
ce voia şi că mă voia pe mine. Însă niciodată nu mi-a trecut
prin cap să mă întreb dacă şi eu voiam acelaşi lucru, dacă şi
el însemna pentru mine ceea ce era clar că însemnam eu pen-
tru el. Dar, în ultima vreme, odată cu spargerea şi cu decizia
de a ne muta din vechiul lui apartament pentru a ne găsi îm-
preună altul nou, am început să-mi dau seama că a venit
momentul să iau o decizie. Viaţa e prea scurtă ca s-o petreci
într-o relaţie nepotrivită.

Dacă despre asta e vorba în cazul meu.

Mă mai gândesc o vreme la asta, ronţăind fără să-mi dau
seama capătul pixului până când se sparge şi gura mi se umple
de aşchii ascuţite de plastic. E unul dintre proastele mele obi-
ceiuri, la fel ca rosul unghiilor. Poarte că şi la asta o să renunţ
în One Folgate Street. Poate casa asta mă va transforma într-un
om mai bun. Poate va aduce ordine şi disciplină în viaţa mea
haotică. Voi deveni genul de persoană care-şi stabileşte obiec-
tive, face liste şi duce lucrurile până la capăt.

Mă întorc la formular. Sunt hotărâtă să dau un răspuns
cât mai scurt posibil, să dovedesc că înţeleg, că sunt pe aceeaşi
lungime de undă cu arhitectul şi cu ce vrea el să facă.

Şi atunci îmi dau seama care e răspunsul corect.

Las caseta de răspuns complet goală. La fel de goală şi de
perfectă ca interiorul casei din One Folgate Street.

Mai târziu, îi dau formularul lui Simon şi îi explic ce am
făcut.

– Şi cum rămâne cu lucrurile *mele*, Em? mă întreabă el. Cu
Colecţia?

„Colecția" este un amestec dezordonat de suvenire NASA, pe care le-a adunat cu greu, vreme de câțiva ani, și pe care le ține în mare parte în niște cutii, sub pat.

– Poate găsim să le depozităm undeva, sugerez eu, pe de o parte amuzată că niște porcării cumpărate de pe eBay și semnate de Buzz Aldrin sau Jack Schmitt ar putea să ne împiedice să ne mutăm în cea mai incredibilă casă pe care am văzut-o vreodată și, pe de altă parte, revoltată că Simon chiar crede că astronauții lui sunt mai importanți decât ce mi s-a întâmplat mie. Mereu ai zis că vrei să aibă o casă ca lumea, spun eu.

– Pui, nu mă gândeam chiar la un compartiment de Cube-Smart, zice el.

Așa că eu îi răspund:

– Sunt doar obiecte, Si. Și obiectele nu contează cu adevărat, nu-i așa?

Simt că e pe cale să se iște o nouă ceartă, care să scoată la iveală furia bine cunoscută. „Încă o dată", îmi vine să țip, „m-ai lăsat să cred că o să faci ceva și încă o dată, când vine momentul să treci la fapte, încerci să te scoți."

Evident, nu zic asta. Furia asta nu mă reprezintă.

Carol, terapeuta la care mă duc de când cu spargerea, zice că furia e un semn bun. Înseamnă că nu mă simt învinsă sau ceva de genul ăsta. Din păcate, furia mea se îndreaptă mereu numai împotriva lui Simon. Se pare că și asta e normal. Persoanele cele mai apropiate duc greul cel mai mare.

– Bine, bine, zice Simon repede. Depozităm colecția undeva. Dar pot să fie alte lucruri...

Deja mă simt ciudat de protectoare față de minunatul spațiu de răspuns lăsat necompletat.

– Hai să aruncăm tot, zic eu nerăbdătoare. Hai s-o luăm de la zero!

– Bine, zice el.

Dar îmi dau seama că spune asta numai ca să nu o iau eu razna. Se duce la chiuvetă și începe să spele ostentativ toate ceștile și farfuriile murdare pe care le-am lăsat eu acolo. Știu că el nu mă crede în stare să fac asta, că nu sunt suficient de disciplinată pentru un stil de viață ordonat. Spune mereu că eu atrag haosul; că exagerez. Dar exact ăsta e motivul pentru care vreau să fac asta. Vreau să mă reinventez. Şi faptul că fac asta împreună cu cineva care crede că mă cunoaşte şi că nu sunt pregătită să fac faţă mă scoate din sărite.

– Cred că o să pot să scriu acolo, adaug eu. În toată liniştea aia. De secole mă tot încurajezi să mă apuc de scris la cartea mea.

El mormăie, neîncrezător.

– Sau poate îmi fac un blog, spun eu.

Aprofundez ideea, răsucind-o pe toate părţile. De fapt, un blog ar fi chiar tare. Aş putea să-l numesc *Eu, minimalista*. *Călătoria mea minimalistă*. Sau poate chiar ceva mai simplu. *Mini Miss*.

Şi încep să mă entuziasmez. Mă gândesc la câte persoane ar putea să fie interesate de un blog despre minimalism. Poate chiar o să atrag publicitari, o să renunţ la serviciu, o să-mi transform blogul într-un jurnal de lifestyle de succes. Emma Matthews, Prinţesa Mai Puţinului.

– Deci ai închide celelalte bloguri pe care ţi le-am făcut? întreabă el, iar eu mă simt jignită de aluzia că nu aş fi serioasă în privinţa asta.

E adevărat că *Iubita londoneză* are numai optzeci şi patru de persoane interesate, iar *Gagica cu cărţi pentru gagici* numai optsprezece, dar nu am avut niciodată timp să scriu suficient conţinut.

Mă întorc la formular. Suntem abia la prima întrebare şi deja ne certăm. Şi mai sunt încă treizeci şi patru de întrebări.

ACUM: **JANE**

Mă uit peste formularul de cerere. Unele întrebări chiar sunt ciudate. Înțeleg de ce este relevant ce bunuri vrei să aduci sau ce dotări ai putea schimba, dar despre astea ce să zic:

23. V-ați sacrifica pentru a salva zece străini nevinovați?
24. Dar zece mii de străini?
25. Oamenii grași vă fac să vă simțiți: (a) tristă; (b) enervată.

Îmi dau seama că avusesem dreptate mai devreme, când folosisem cuvântul *integritate*. Întrebările acestea sunt un fel de test psihometric. Însă *integritate* nu este un cuvânt pe care agenții imobiliari îl folosesc prea des. Înțeleg de ce Camilla păruse amuzată.

Înainte să completez formularul, caut pe Google „Monkford Partnership". Primul link e către website-ul cu același nume. Dau clic și se afișează o imagine cu un zid gol. Este un zid foarte frumos, făcut dintr-o piatră cu textură fină, deschisă la culoare, dar cam lipsită de informații, chiar și așa.

Dau clic din nou și se afișează două cuvinte:

LUCRĂRI

CONTACT

Când selectez „Lucrări", pe ecran apare o listă:

ZGÂRIE-NORI, TOKYO
CLĂDIREA MONKFORD, LONDRA
CAMPUSUL WANDERER, SEATTLE
CASĂ PE PLAJĂ, MENORCA
CAPELĂ, BRUGES
CASA NEAGRĂ, INVERNESS
ONE FOLGATE STREET, LONDRA

Când dau clic pe fiecare nume, se afişează mai multe imagini, fără text, doar imagini ale clădirilor. Toate sunt absolut minimaliste. Toate sunt construite cu aceeaşi atenţie la detalii şi cu aceleaşi materiale de bună calitate ca în One Folgate Street. Nu se vede nici măcar o singură persoană în fotografii, nimic care să sugereze o prezenţă umană acolo. Capela şi casa de pe plajă sunt aproape interschimbabile: cuburi grele din piatră deschisă la culoare şi sticlă. Numai priveliştea de la fereastră este diferită.

Intru pe Wikipedia.

Edward Monkford (n. 1980) este un tehno-arhitect britanic asociat cu estetica minimalistă. În 2005, împreună cu specialistul în tehnologia datelor David Thiel şi cu încă două persoane, a format Monkford Partnership. Împreună, au devenit pionieri în dezvoltarea domoticii – medii domestice inteligente în care casa sau clădirea devine un organism integrat, fără elemente străine sau inutile.[1]

Contrar obiceiului, Monkford Partnership acceptă câte o singură lucrare odată. Astfel, producţiile sale de până acum sunt, în mod intenţionat, puţine. În prezent, lucrează la cel mai ambiţios proiect de până acum: New Austell, un eco-oraş, cu 10 000 de case în zona de nord a comitatului Cornwall.[2]

Frunzăresc lista de premii. *The Arhitectural Review* l-a numit pe Monkford „un geniu imprevizibil", în timp ce revista *Smithsonian* l-a descris drept „cel mai influent arhitect-vedetă din Marea Britanie... Un inovator taciturn a cărui operă este pe cât de neostentativă, pe atât de profundă".

Sar la „Viaţa privată".

În 2006, când încă era necunoscut publicului larg, Monkford s-a căsătorit cu Elizabeth Mancari, membru asociat al Monkford Partnership. Au avut un fiu, Max, născut în 2007. Mama și copilul au fost uciși într-un accident, în timpul construcției casei din One Folgate Street (2008–2011), care ar fi trebuit să fie casa familiei, dar și un exemplu de ce pot face talentele novice din Partnership[3]. Unii comentatori[cine?] au fost de părere că această tragedie și îndelungatul concediu sabatic pe care Edward Monkford l-a petrecut ulterior în Japonia au stat la baza stilului auster, extrem de minimalist, care este marca acestei companii.

La întoarcerea din concediul sabatic, Monkford a renunțat la planurile inițiale pentru casa din One Folgate Street – care în acel moment era tot în faza de șantier[4] – și a proiectat-o din nou, de la zero. Casa care a rezultat a primit câteva premii importante, inclusiv Premiul Stirling din partea Institutului Regal al Arhitecților Britanici.[5]

Am citit textul din nou. Deci casa a început cu o moarte. Cu două morți, de fapt; două pierderi grele. Oare acesta este motivul pentru care mă simt atât de în largul meu acolo? Există oare vreun fel de afinitate între spațiile acelea austere și pierderea pe care o resimt eu?

Mă uit din reflex la valiza de lângă fereastră. O valiză plină cu haine de bebeluș.

Bebelușul meu a murit. Bebelușul meu a murit și, după trei zile, s-a născut. Chiar și acum, mai mult decât orice altceva mă doare nedreptatea asta nefirească, groaza acestei răsturnări banale a ordinii firești a lucrurilor.

Doctorul Gifford, specialist în obstetrică în ciuda faptului că avea cam aceeași vârstă cu mine, m-a privit în ochi și mi-a explicat că va trebui să nasc natural. Din cauza riscului de infecții și de alte complicații, precum și a faptului că cezariana este o procedură chirurgicală majoră, politica spitalului nu oferea o astfel de intervenție în cazurile de mortalitate prenatală. „A oferi" – ăsta e termenul pe care l-a ales, de parcă să faci un copil prin cezariană, chiar și unul mort, era vreun fel de tratație, ca un coș cu fructe într-un hotel. Dar aveau să-mi inducă travaliul intravenos, a zis el, și să facă totul cât de rapid și de nedureros posibil.

M-am gândit: „Dar nu vreau să fie nedureros. Vreau să doară şi, la sfârşit, să am un copil viu". M-am întrebat dacă doctorul Gifford avea copii. Am hotărât că avea. Medicii se căsătoreau de tineri, de obicei cu alţi medici, iar el era mult prea drăguţ ca să nu aibă o familie. În seara aceea, avea să se ducă acasă şi să-i povestească soţiei, la o bere înainte de cină, ce făcuse în ziua aceea, folosind cuvinte precum „mortalitate prenatală" şi „ajunsă la termen", poate şi „cam sinistru". Apoi, fiica lui avea să-i arate un desen pe care îl făcuse la şcoală, iar el avea să o sărute şi să-i spună că era minunată.

Membrii echipei medicale aveau chipuri serioase şi încordate în timp ce îşi făceau treaba, ceea ce îmi spunea că, până şi pentru ei, era ceva îngrozitor şi rar. Însă, în timp ce lor profesionalismul le putea asigura un soi de refugiu, pentru mine exista numai un sentiment copleşitor, paralizant, de ratare. În timp ce îmi puneau perfuzia cu doza de hormoni care să-mi inducă travaliul, auzeam urletele unei alte femei, mai departe, în sala de naşteri. Numai că femeia aceea avea să iasă de acolo cu un copil, nu cu o trimitere la un terapeut specializat în astfel de cazuri. „Maternitate." Alt cuvânt ciudat, dacă stai să te gândeşti. De fapt, eu aveam să *fiu* mamă, sau exista vreun alt termen pentru ceea ce urma să devin? Deja îi auzisem spunând „postpartum" în loc de „postnatal".

Cineva a întrebat despre tată şi am clătinat din cap. Nu era nici un tată care trebuia contactat, era numai prietena mea, Mia, care stătea lângă mine, cu faţa albită de tristeţe şi îngrijorare, deoarece toate planurile noastre atente pentru naştere – lumânări Diptyque, bazin cu apă şi un iPod plin de Jack Johnson şi Bach – dispăreau în graba sumbră a procedurilor medicale; deloc menţionate, de parcă doar făcuseră parte dintr-o iluzie că totul era bine şi sigur, că eu deţineam controlul, că naşterea era doar cu puţin mai solicitantă decât un tratament la spa sau un masaj mai dur, şi nu o chestie mortală, în care astfel de consecinţe erau foarte posibile, dacă nu chiar previzibile. Unul la două sute, spusese doctorul Gifford. Într-o treime din cazuri, nu se găsea nici un motiv. Faptul că eram sănătoasă şi într-o formă bună – înainte de sarcină făceam exerciţii Pilates în fiecare zi şi alergam cel puţin o dată pe săptămână – nu avea nici o importanță; la fel nici vârsta mea. Unii bebeluși mureau, pur și simplu. Aveam să fiu fără copil, iar mica Isabel Margaret Cavendish n-avea să aibă niciodată mamă. Viața aceea n-avea să existe. Când au început contracțiile, am luat o gură de anestezic și de aer, și mintea mi s-a umplut de grozăvii. Prin cap, îmi umblau imagini cu abominații în borcane victoriene umplute cu formaldehidă. Am țipat și mi-am încordat mușchii, chiar dacă moașa îmi spunea că încă nu era momentul.

Apoi, după ce am dat naștere, sau am dat moarte, sau cum ar trebui să se numească, totul a fost bizar de liniștit. Era efectul hormonilor, se pare, același amestec de fericire și ușurare pe care îl simte fiecare proaspătă mamă. Era perfectă și tăcută și am ținut-o în brațe și i-am vorbit drăgăstos, exact la fel cum ar face orice mamă. Mirosea a muci, și a lichide corporale, și a piele nouă, dulce. Pumnul ei mic era curbat ușor în jurul degetului meu, la fel ca al oricărui bebeluș. Am simțit, am simțit *bucurie*.

Moașa a luat-o ca să facă mulaje după mâinile și picioarele ei, pe care să le păstrez în cutia cu amintiri. Era prima dată când auzeam expresia asta și femeia a fost nevoită să-mi explice. Urma să primesc o cutie de carton cu o șuviță din părul lui Isabel, pânza în care era înfășată, câteva fotografii și mulajele din ghips. Ca un mic sicriu; mementouri pentru o persoană care nu a trăit. Când moașa s-a întors cu mulajele, parcă erau un proiect de la grădiniță. Ghips roz pentru mâini, albastru pentru picioare. Abia atunci am început să înțeleg că nu vor exista proiecte artistice sau desene pe pereți, că nu voi alege școli și nu voi cumpăra uniforme noi când cele vechi ar rămâne prea mici. Nu pierdusem numai un bebeluș, ci pierdusem un copil, o adolescentă, o femeie.

Picioarele și tot restul corpului ei erau reci acum. În timp ce-i spălam ultimele rămășițe de ghips de pe degete la robinetul din cameră, am întrebat-o pe moașă dacă puteam să iau bebelușul cu mine acasă o vreme. Moașa m-a privit chiorâș și mi-a spus că ar fi cam ciudat, nu-i așa? Dar puteam s-o țin în brațe cât voiam acolo, la spital. Am spus atunci că eram pregătită să vină cineva să o ia de acolo.

După aceea, în timp ce priveam cerul cenușiu al Londrei
printre lacrimi, mă simțeam de parcă mi se amputase ceva.
Când am ajuns acasă, durerea plină de furie a fost înlocuită
de mai multă amorțeală. Când prietenii îmi vorbeau pe un
ton șocat și plin de compătimire despre *pierderea* pe care o
suferisem, știam desigur la ce se refereau, și totuși cuvântul
părea extrem de precis. Alte femei câștigaseră – ieșiseră victo-
rioase din jocul de noroc cu natura, cu procrearea, cu gene-
tica. Eu nu. Eu, care fusesem întotdeauna atât de eficientă, de
ambițioasă, de realizată, pierdusem. Durerea, am descoperit
eu, seamănă foarte mult cu înfrângerea.

Și totuși, în mod bizar, la suprafață totul era aproape la fel
ca înainte. Înainte de legătura scurtă, civilizată, cu cores-
pondentul meu din biroul de la Geneva, o aventură trăită în
camere de hotel și restaurante anoste și eficiente; înainte de
diminețile cu grețuri și de conștientizarea – la început, groaz-
nică – a faptului că poate nu fuseserăm așa de precauți cum
crezusem. Înainte de apelurile și e-mailurile dificile cu aluziile
lui politicoase la *decizii*, și *aranjamente*, și la *momentul nepo-
trivit*, și, în fine, apariția lentă a unui sentiment diferit, acela
că, până la urmă, poate că era momentul potrivit, și chiar
dacă aventura nu avea să ducă la o relație pe termen lung, îmi
dăduse o șansă mie, femeie necăsătorită la treizeci și patru de
ani. Aveam un venit mai mult decât suficient pentru două
persoane, iar firma de PR financiar la care lucram se mândrea
cu generozitatea pachetului de beneficii pentru creșterea co-
pilului. Nu numai că puteam să-mi iau aproape un an întreg
concediu ca să stau cu copilul, dar mi se garanta și un pro-
gram de lucru flexibil când reveneam la birou.

Angajatorii mei au fost la fel de înțelegători și după ce le-am
spus despre copilul născut mort și mi-au oferit un concediu
medical pe termen nelimitat; la urma urmei, îmi găsiseră deja
un înlocuitor pe durata concediului de creștere a copilului.
M-am trezit că stau singură într-un apartament care fusese
pregătit cu grijă pentru un copil: pătuțul Kuster, căruciorul
din vârful de gamă Bugaboo, tapetul cu figurine de circ pictate
manual, ce se întindea pe lungimea pereților din al doilea

dormitor. Prima lună am petrecut-o mulgându-mi laptele de sân și vărsându-l în chiuvetă.

Birocrația încerca să fie binevoitoare, dar, inevitabil, nu era. Am descoperit că legislația nu avea prevederi speciale pentru nașterea unui copil mort: o femeie în situația mea trebuie să meargă și să înregistreze nașterea și decesul în același timp, o cruzime legislativă care încă mă înfurie de câte ori mă gândesc la asta. A avut loc o înmormântare, tot o cerință legală, deși oricum aș fi vrut una. E greu să vorbești despre o viață care nu a mai existat, dar am încercat.

Mi s-a oferit consiliere psihologică și am acceptat-o, dar în sinea mea am știut că nu mă va ajuta cu nimic. Trebuia să urc pe un munte de durere și nu existau suficiente discuții care să mă ajute până sus. Aveam nevoie să muncesc. Când a fost clar că nu puteam să mă întorc la birou mai devreme de un an – se pare că nu poți să scapi de cineva care înlocuiește o angajată aflată în concediu de maternitate; au și ei drepturi, la fel ca orice angajat –, am demisionat și am început să lucrez cu jumătate de normă la o asociație caritabilă care face campanie pentru extinderea cercetării cu privire la nașterea de copii morți. Asta însemna că nu-mi mai permiteam să locuiesc în același apartament, dar oricum intenționam să mă mut. Puteam scăpa de pătuț și de tapetul din camera copilului, dar aceea avea să rămână pentru totdeauna casa în care nu e Isabel.

ATUNCI: **EMMA**

M-a trezit ceva.

Îmi dau seama imediat că nu sunt bețivi în fața magazinului de chebap, sau o bătaie pe stradă, sau un elicopter de poliție deasupra, pentru că sunt atât de obișnuită cu ele încât abia dacă le observ. Ridic capul și ascult. O *bufnitură*, apoi încă una.

Cineva umblă prin apartamentul nostru.

Au avut loc câteva spargeri prin cartier în ultima vreme și, preț de o clipă, simt un nod în stomac. Apoi îmi aduc aminte. Simon a fost plecat la o tură prin baruri cu colegii de muncă sau cam așa ceva, iar eu m-am dus la culcare și am renunțat să-l mai aștept. Sunetele sugerează că a băut prea mult. Sper că o să facă duș înainte să vină în pat.

În mare, îmi dau seama cât e ceasul după zgomotele străzii sau, mai degrabă, după lipsa lor. Nu e zgomot de motoare care accelerează când pleacă de la stop. Nu sunt uși trântite pe lângă magazinul de chebap. Îmi găsesc telefonul și mă uit la ceas. Nu am lentilele puse, dar văd că e 2:41.

Si vine pe hol, suficient de beat încât să nu-și aducă aminte că podeaua de lângă baie scârțâie întotdeauna.

– Nu-i nimic, strig eu. Sunt trează. Pașii lui se opresc în fața ușii. Ca să-i arăt că nu sunt supărată, adaug: Știu că ești beat.

Voci, neclare. Șoapte.

Asta înseamnă că a adus pe cineva acasă. Vreun coleg beat care nu a mai prins ultimul tren spre suburbii. Asta mă deranjează. Am o zi plină mâine – *azi*, acum – şi în planul meu nu intra să pregătesc micul dejun pentru colegii mahmuri ai lui Simon. Deşi, când se va ajunge la asta, ştiu că Simon va fi fermecător şi amuzant, şi îmi va spune „iubito" şi „frumoaso", şi îi va povesti prietenului lui cum aproape am devenit eu model, şi nu-i aşa că e cel mai norocos bărbat din lume, iar eu voi ceda şi voi întârzia la serviciu. Din nou.

– Ne vedem mai târziu atunci, strig eu, un pic iritată.

Probabil se vor juca pe Xbox.

Dar paşii nu se îndepărtează.

Enervată de-a binelea, mă dau jos din pat – sunt îmbrăcată destul de decent ca să mă vadă un coleg, cu un tricou vechi şi pantaloni scurţi – şi deschid uşa dormitorului.

Dar nu sunt la fel de rapidă ca silueta de pe partea cealaltă, cea cu haine închise la culoare şi cagulă, care se împinge cu umărul în uşă, puternic şi brusc, dărâmându-mă pe spate. Ţip. Cel puţin, aşa cred. S-ar putea să fie doar un icnet, pentru că frica şi şocul îmi paralizează gâtlejul. Lumina din bucătărie e aprinsă şi o văd reflectându-se în lama cuţitului. E aşa de mic, abia dacă depăşeşte dimensiunea unui stilou.

Ochii contrastează cu lâna neagră a cagulei şi se măresc când mă vede mai bine.

– *Uaaa!* zice el.

În spatele lui, văd o altă cagulă, o altă pereche de ochi, de data asta mai neliniştiţi.

– Las-o baltă, frate! zice al doilea.

Unul dintre intruşi e alb, celălalt e negru, dar amândoi vorbesc în acelaşi argou de stradă.

– Calmează-te! zice primul. Ce fază naşpa, nu? Ridică şi mai mult cuţitul, până când ajunge chiar în faţa mea. Dă-mi telefonul, târfă înţepată!

Încremenesc.

Numai că apoi sunt prea iute pentru el. Întind mâna în spatele meu. El crede că-mi iau telefonul, dar, de fapt, înşfac propriul meu cuţit, cuţitul mare de carne, care se află pe noptieră. Simt mânerul în mână, neted şi greu, şi cu o mişcare hotărâtă îl aduc în faţă astfel încât să pătrundă în abdomenul nemernicului, chiar sub coaste. Intră uşor. Nu curge sânge, mă gândesc în timp ce îl scot, şi îl înjunghii din nou. Nu ţâşneşte sânge ca în filmele de groază. Mi-e mai uşor aşa. Îi înfig cuţitul în braţ, apoi în abdomen, apoi şi mai jos, undeva aproape de testicule, răsucindu-i-l cu sălbăticie în vintre. Când se prăbuşeşte la pământ, păşesc peste corpul lui spre a doua siluetă.

– Şi tu, îi zic. Ai fost de faţă, dar nu l-ai oprit. *Nemernicule!*

Îi înfig cuţitul în gură, la fel de uşor cum aş pune o scrisoare în cutia poştală.

După aceea, totul se întunecă şi mă trezesc ţipând.

– E normal, zice Carol, încuviinţând din cap. Este absolut normal. De fapt, ăsta e un semn bun.

Chiar şi acum, în liniştea camerei de zi unde Carol îşi ţine şedinţele de terapie, tremur. În apropiere, cineva tunde gazonul.

– Cum adică e bun? întreb eu amorţită.

Carol încuviinţează din nou din cap. Face des asta, de fapt, de fiecare dată când spun ceva, de parcă ar vrea să arate că, de obicei, nu răspunde la întrebările clienţilor, dar va face o excepţie, doar de data asta, pentru mine. Pentru cineva care se descurcă aşa de *bine*, care face *progrese excelente*, poate chiar *trece un prag important*, după cum conchide ea la sfârşitul fiecărei şedinţe. Mi-a fost recomandată de poliţie, aşa că trebuie să fie bună, dar, sinceră să fiu, aş fi preferat ca poliţia să-i prindă pe nenorociţi decât să împartă cărţi de vizită ale terapeuţilor.

– Fantezia că aveai un cuţit poate însemna că subconştientul tău îţi arată că vrea să controleze ce s-a întâmplat, zice ea.

– Serios? răspund eu. Îmi strâng picioarele sub mine. Chiar şi fără pantofi, nu sunt sigură că am voie, având în vedere starea impecabilă a canapelei lui Carol, dar mă gândesc că ar trebui să primesc şi eu ceva pentru cele cincizeci de lire. Întreb: Este vorba despre acelaşi subconştient care a hotărât că nu trebuie să-mi amintesc nimic din ce s-a întâmplat după ce i-am dat telefonul? Nu-mi spune oare ce fraieră am fost că nu am ţinut un cuţit lângă pat?

– Este şi asta o interpretare, Emma, răspunde ea. Dar mie mi se pare că nu e foarte folositoare. Supravieţuitorii unui atac adesea se învinovăţesc pe ei înşişi, şi nu pe atacator. Dar

atacatorul este cel care a încălcat legea, nu tu. Uite, adaugă
ea, mă interesează mai puțin circumstanțele în care s-a
întâmplat totul, și mai mult procesul de recuperare. Dacă
privim din punctul acesta de vedere, ai făcut un pas
important. În ultimele rememorări, începi să ripostezi – dând
vina pe atacatori, și nu pe tine. Refuzi să fii victima lor.

– Numai că *sunt* victima lor, zic eu. Asta nu se schimbă.

– Sunt? zice Carol încet. Sau *am fost*?

După o pauză lungă, semnificativă – un „spațiu terapeu-
tic", cum o numește ea câteodată, o descriere stupidă a ceva
ce, până la urmă, este doar liniște –, mă întreabă binevoitor:

– Iar Simon? Cum merg lucrurile cu el?

– E un chin, zic eu.

Îmi dau seama că răspunsul meu poate fi interpretat în
două feluri, așa că adaug:

– Adică, se chinuie să mă ajute. Nu mai termină cu ceștile
de ceai și înțelegerea. Parcă s-ar simți responsabil că nu a fost
acolo. Pare să creadă că ar fi putut să-i bată pe amândoi și să-i
aresteze, ca cetățean. Când, de fapt, probabil ei l-ar fi înjun-
ghiat pe el. Sau l-ar fi torturat ca să le dea codurile PIN.

Carol zice blând:

– Societatea are un fel de... *imagine* despre ce înseamnă mas-
culinitatea, Emma. Când imaginea asta este subminată, orice
bărbat se poate simți amenințat și nesigur.

De data asta, liniștea durează un minut întreg.

– Reușești să mănânci cum trebuie? adaugă ea.

Nu știu de ce, i-am mărturisit lui Carol că în trecut am
suferit de o tulburare de alimentație. Ei, *în trecut* e ceva
relativ, pentru că, așa cum știe oricine a avut așa ceva, nu te
vindeci niciodată și pericolul amenință chiar atunci când
lucrurile sunt tulburi și scapă de sub control.

– Și mă obligă să mănânc, zic. Nu e nici o problemă.

Nu-i spun că uneori murdăresc câte o farfurie și o pun în
chiuvetă, ca Simon să creadă că am mâncat când, de fapt, nu
mănânc și uneori mă forțez să vomit după ce ieșim la masă
în oraș. Unele aspecte din viața mea sunt interzise. De fapt,
ăsta era unul dintre lucrurile care îmi plăceau la Simon, felul
cum avea grijă de mine când eram bolnavă. Problema e că,

atunci când nu sunt bolnavă, faptul că e atât de atent şi de grijuliu mă scoate din sărite.

– Nu am făcut nimic, zic eu brusc. Când au spart casa. Asta nu pot să înţeleg. Tremuram la propriu de la prea multă adrenalină. Se presupune că în momentele alea te lupţi sau fugi, nu? Dar eu n-am făcut nici una, nici alta. Nu am făcut *nimic*.

Fără vreun motiv anume, plâng. Iau una dintre pernuţele lui Carol şi o strâng în braţe, lipindu-mi-o de piept, de parcă în timp ce storc perna pot cumva să storc toată vlaga din nemernicii ăia.

– Ba ai făcut ceva, mă contrazice ea. Ai făcut pe mortul. E un instinct perfect valabil. Ca iepurii, cei de casă fug, cei de câmp se ghemuiesc. Nu există răspuns corect sau greşit în astfel de situaţii, nu există „dar dacă". Există doar ce s-a întâmplat, orice ar fi. Se apleacă în faţă şi împinge o cutie de şerveţele mai aproape de mine, pe măsuţa de cafea. Emma, vreau să încerc ceva, zice ea după ce-mi suflu nasul.

– Ce? întreb eu plictisită. Nu hipnoză! Ţi-am zis că nu vreau aşa ceva.

Ea clatină din cap.

– Se numeşte Desensibilizare şi Reprocesare prin Mişcarea Ochilor – EMDR[1]. Poate părea un proces puţin ciudat la început, dar de fapt este foarte simplu. Eu o să mă aşez lângă tine şi o să-mi mişc degetele dintr-o parte în alta în câmpul tău vizual, în timp ce tu retrăieşti experienţa traumatică în minte. În acelaşi timp, vreau să-mi urmăreşti degetele cu ochii.

– Care-i scopul? întreb eu neîncrezătoare.

– Adevărul este că nu ştim exact cum funcţionează EMDR, răspunde ea. Dar se pare că te ajută să înţelegi ce s-a întâmplat, îţi dă o perspectivă. Şi este util mai ales când cineva nu poate să-şi amintească detaliile. Ai vrea să încercăm?

– Bine, zic eu ridicând din umeri.

---

[1] Eye Movement Desensitization and Reprocessing (EMDR) este o metodă psihoterapeutică cognitiv-comportamentală, dezvoltată în anii '80 de psihologul american Francine Shapiro, pentru a trata tulburările psihice rezultate din experienţele traumatice.

Carol își mută scaunul la vreo șaizeci de centimetri de mine și ridică două degete.

– Vreau să te concentrezi pe o imagine vizuală de la începutul spargerii, zice ea. Dar să fie statică deocamdată. Ca atunci când pui pauză la un film.

Începe să-și mute degetele dintr-o parte în alta. Ascultătoare, le urmăresc cu privirea.

– Așa, Emma, mă îndeamnă ea. Acum dă drumul la film. Adu-ți aminte cum te simțeai.

La început, mi-e greu să mă concentrez, dar pe măsură ce mă obișnuiesc cu mișcarea degetelor ei, pot să mă concentrez suficient cât să revăd în minte momentul spargerii.

O bufnitură în camera de zi.

Sunet de pași.

Șoapte.

Eu, care mă ridic din pat.

Ușa care se deschide brusc. Cuțitul din fața mea...

– Respiră adânc, murmură Carol, așa cum am exersat.

Două, trei respirații adânci.

Eu, care mă ridic din pat...

Cuțitul. Intrușii. Cearta dintre ei, concisă și imperioasă, despre ce ar trebui să facă după ce au descoperit prezența mea acolo: să iasă naibii din casă sau să continue jaful. Cel mai în vârstă, cel care ținea cuțitul, făcând un gest spre mine.

„O slăbătură. Ce o să facă?"

– Respiră, Emma. Respiră, mă îndeamnă Carol.

Cuțitul care-mi atinge baza gâtului.

„Că dacă încearcă ceva, o tăiem, nu?"

– Nu, zic eu brusc, panicată. Nu pot. Îmi pare rău.

Carol se lasă pe spate în scaun.

– Te-ai descurcat foarte bine, Emma. Foarte bine.

Mai respir puțin, să-mi recapăt stăpânirea de sine. Știu din ședințele trecute că de mine va depinde să rup tăcerea acum. Dar nu mai vreau să vorbesc despre spargere.

– Cred că ne-am găsit o altă locuință, zic eu.

– A, da?

Vocea lui Carol este neutră, ca întotdeauna.

– Apartamentul lui Simon e într-o zonă îngrozitoare. Chiar dinainte să mă adaug și eu la numărul de infracțiuni. Sunt sigură că vecinii mă urăsc. Probabil am redus valoarea caselor cu cinci la sută.

– Eu sunt sigură că nu te urăsc, Emma, zice ea.

Îmi bag mâneca puloverului în gură și o ronțăi. Un obicei vechi pe care se pare că l-am reluat.

– Știu că, dacă plec, înseamnă că cedez, continui eu. Dar nu pot să stau acolo. Poliția zice că, în cazuri de genul ăsta, este posibil ca atacatorii să revină. Se pare că dezvoltă un simț al *proprietății*. De parcă acum le-ai aparține sau așa ceva.

– Ceea ce nu-i adevărat, bineînțeles, zice Carol încet. Ești propriul tău stăpân, Emma! Și nu cred că dacă-ți vezi mai departe de viață înseamnă că cedezi. Dimpotrivă. E un semn că iei decizii din nou. Că recapeți controlul. Știu că e greu acum. Dar oamenii reușesc să depășească traumele de genul ăsta. Trebuie doar să accepți că este nevoie de timp. Se uită la ceas. A fost excelent, Emma! Ai făcut progrese reale azi. Ne vedem săptămâna viitoare la aceeași oră, da?

ACUM: JANE

30. *Care afirmație descrie cel mai bine cea mai recentă relație personală pe care ați avut-o?*
    ○ *Mai mult prieteni decât iubiți*
    ○ *Ușoară și confortabilă*
    ○ *Profundă și intensă*
    ○ *Impetuoasă și explozivă*
    ○ *Perfectă, dar scurtă*

Întrebările din formular par să fie din ce în ce mai ciudate. La început, încerc să acord atenție fiecărei întrebări, dar sunt atât de multe încât, până la sfârșit, abia mă mai gândesc la răspunsuri și doar le bifez instinctual.

Vor trei fotografii recente. Aleg una făcută la nunta unei prietene, apoi un selfie cu mine și Mia urcând pe Snowdon acum vreo doi ani și o poză standard făcută pentru muncă. Și cu asta am terminat. Scriu o scrisoare de intenție, nimic exagerat, doar o notă politicoasă în care spun cât de mult îmi place casa din One Folgate Street și că mă voi strădui să locuiesc acolo cu integritatea pe care aceasta o merită. Deși sunt doar câteva rânduri, o modific de vreo șase ori până când sunt mulțumită. Agenta mi-a zis să nu-mi fac iluzii, pentru că majoritatea solicitanților nu trec de faza asta, dar eu mă duc la culcare sperând că voi reuși. Un nou început. O viață nouă. Și, în timp ce mă fură somnul, un alt cuvânt mi se conturează în creier. O *renaștere*.

2. Când lucrez la ceva, nu pot să mă relaxez până când nu e perfect.

   Sunt de acord ○ ○ ○ ○ ○ *Nu sunt de acord*

ATUNCI: **EMMA**

Trece o săptămână fără nici un răspuns la cererea noastră, apoi încă una. Trimit un e-mail ca să verific dacă au primit-o. Nici un răspuns. Începusem să mă enervez – ne-au pus să răspundem la toate întrebările alea stupide, să alegem fotografii, să scriem o scrisoare; ar putea măcar să ne anunțe că nu am trecut în faza următoare – când, în sfârșit, primesc un e-mail de la admin@themonkfordpartnership.com, cu subiectul „One Folgate Street". Nu-mi las timp pentru emoții. Îl deschid imediat.

Vă rugăm să veniți la un interviu, la ora 17.00, mâine, marți, 16 martie, la Monkford Partnership.

Nimic altceva. Fără adresă, fără detalii, fără vreo indicație dacă ne întâlnim chiar cu Edward Monkford sau cu vreun subaltern. Dar sigur că adresa se găsește ușor online și nu prea contează cu cine ne întâlnim. Asta e. Am depășit toate obstacolele, mai puțin ultimul.

Monkford Partnership ocupă ultimul etaj al unei clădiri moderne din City[1]. Are o adresă, dar majoritatea oamenilor îi spun simplu Stupul, pentru că așa arată, ca un uriaș stup din

---

[1] The City, zona centrală a Londrei, unde sunt situate cele mai mari companii financiare și comerciale, denumită colocvial „Mila Pătrată"

piatră. Printre toți zgârie-norii din sticlă și oțel aflați în Mila Pătrată, pe calea de acces spre St. Paul, stă ca o crisalidă ciudată, palidă, a unui extraterestru. Iar de pe stradă se vede și mai bizar. Nu există recepție, ci numai un zid lung din piatră de culoare deschisă, cu două despicături care trebuie să ducă la lifturi, pentru că există un șuvoi neîntrerupt de oameni care intră și ies din ele. Toți, bărbați și femei, par să poarte costume negre scumpe și cămăși descheiate la gât.

Simt că-mi vibrează telefonul. Pe ecran a apărut un mesaj.

Clădirea Monkford. Vă înregistrați acum?

Ating „Accept".

Bine ați venit, Emma și Simon! Vă rugăm să luați liftul trei și să coborâți la etajul paisprezece.

Habar nu am cum ne-a identificat clădirea. Poate a fost un cookie încorporat în e-mail. Simon se pricepe la chestiile astea tehnice. Îi arăt, sperând că îl va interesa, dar el doar dă din umeri indiferent. Nu se dă în vânt după locurile de genul ăsta, cu oameni bogați, plini de bani și de încredere în sine.

Nu mai așteaptă nimeni liftul nostru, în afară de un bărbat care pare și mai stingher decât noi. Are părul lung și grizonant, neîngrijit, chiar dacă e legat la spate într-o coadă. Are barba nerasă de două zile și poartă un cardigan ros de molii și niște pantaloni de in ponosiți. Arunc o privire spre picioarele lui și văd că nici măcar nu poartă pantofi, ci doar șosete. Mănâncă ciocolată, un baton Crunchie, foarte zgomotos. Când se deschid ușile liftului, intră târșâindu-și picioarele și se duce în spate.

Mă uit în jur după butoane, dar nu există. Bănuiesc că urcă numai la etajul la care este programat să ajungă.

În timp ce urcăm, lin, fără vreo senzație de mișcare, simt că bărbatul mă măsoară din priviri. Ochii i se opresc asupra abdomenului meu. Și acolo rămân cât își linge firimiturile de ciocolată de pe degete. Stânjenită, îmi pun mâna peste ținta privirii lui și descopăr că mi se ridicase cămașa. Mi se vede o bucățică de piele chiar deasupra pantalonilor.

(The Square Mile), deoarece ocupă puțin peste o milă pătrată (aproape trei kilometri pătrați)

– Ce s-a întâmplat, Em? întreabă Simon observându-mi stinghereala.

– Nimic, zic eu și mă întorc spre el și cu spatele la bărbatul ciudat, aranjându-mi cămașa în pantaloni pe furiș în timpul ăsta.

– Te-ai răzgândit? șoptește Simon.

– Nu știu, zic eu.

De fapt, nu m-am răzgândit, dar nu vreau să creadă că nu sunt deschisă la discuții în privința asta.

Ușile liftului se deschid și bărbatul iese târșâindu-și picioarele din nou, încă mâncând din Crunchie.

– Să înceapă spectacolul, zice Simon, privind în jur.

Spațiul e la fel de mare, atrăgător, o zonă deschisă, luminoasă, care se întinde pe toată lungimea clădirii. La un capăt, printr-un zid de sticlă arcuită care dă spre City, poți să vezi cupola catedralei St. Paul, Lloyds of London, toate celelalte clădiri reper, apoi Canary Wharf la distanță; Tamisa șerpuind pe lângă Insula Câinilor și pierzându-se printre câmpiile nesfârșite dinspre răsărit. O blondă într-un costum negru, pe corp, se ridică dintr-un fotoliu de piele, unde până atunci scrisese pe un iPad.

– Bine ați venit, Emma și Simon, începe ea. Vă rog să luați loc. Edward vă va primi imediat. Probabil primește toate e-mailurile pe iPad, pentru că după zece minute de liniște, ne spune: Vă rog să mă urmați.

Deschide o ușă. Din felul în care se mișcă, îmi dau seama cât e de grea, de echilibrată. Înăuntru, un bărbat stă în picioare lângă o masă lungă, sprijinindu-se în pumni, studiind niște planuri. Foile sunt așa de mari încât abia încap pe masă. Arunc o privire spre ele și văd că nu sunt copii imprimate, ci chiar desene. Într-un colț, sunt două sau trei creioane și o radieră, aranjate frumos după mărime.

– Emma, Simon, zice bărbatul ridicându-și privirea. Pot să vă ofer niște cafea?

Da, bine, e atrăgător. Ăsta e primul lucru pe care îl observ la el. Și al doilea. Și al treilea. Părul lui e de un blond nedefinit, cu buclele scurte, frumoase, tunse scurt. Poartă un pulover negru și o cămașă deschisă la gât, nimic elegant, dar lâna se aşază bine pe umerii lui laţi, supli, şi are un zâmbet plăcut, uşor autodepreciativ. Arată ca un profesor sexy, relaxat, nu ca un obsedat ciudat, aşa cum mi-l imaginasem eu.

Bineînţeles, şi Simon observă toate astea sau îşi dă seama că eu le observ, pentru că brusc înaintează şi pune mâna pe umărul lui Edward Monkford.

– Edward, aşa e? zice el. Sau Eddy? Ed? Eu sunt Simon. Îmi pare bine de cunoştinţă, prietene. Dichisit birou. Ea e iubita mea, Emma.

Mă crispez, pentru că Simon imită accentul cockney numai cu oameni de care se simte ameninţat. Aşa că intervin cât pot de repede:

– Ar fi minunată o cafea.

– Două cafele, te rog, Alisha, îi spune Edward Monkford asistentei lui, pe un ton foarte politicos.

Apoi ne face semn mie şi lui Simon să mergem în celălalt capăt al mesei.

– Aşa, spune-mi, începe el când suntem toţi aşezaţi, uitându-se direct la mine şi ignorându-l pe Simon, de ce vrei să locuieşti în One Folgate Street?

Nu, nu profesor. Director de şcoală sau preşedinte al consiliului de administraţie. Privirea lui e tot prietenoasă, dar şi puţin înspăimântătoare. Ceea ce, desigur, îl face şi mai atrăgător.

Am anticipat întrebarea asta sau una asemănătoare şi reuşesc să formulez răspunsul pe care îl aveam pregătit, ceva despre cât vom aprecia oportunitatea şi cum vom încerca să onorăm casa cum se cuvine.

Lângă mine, Simon doar mormăie încet. Când termin, Monkford încuviinţează politicos. Arată un pic plictisit.

– Şi cred că o să ne schimbe, mă trezesc spunând.

Pentru prima dată, arată interesat.

– Să vă schimbe? Cum?

– Am fost jefuiţi, răspund eu încet. Doi bărbaţi. De fapt, nişte puşti. Adolescenţi. Nu-mi amintesc ce s-a întâmplat exact, nu ştiu detaliile. Sufăr de un fel de şoc posttraumatic.

El încuviinţează gânditor.

Încurajată, continui:

– Nu vreau să fiu persoana care doar a stat acolo şi i-a lăsat să scape nepedepsiţi. Vreau să fiu cineva care ia decizii. Care ripostează. Şi cred că mă va ajuta casa asta. Adică, nu suntem genul de oameni care ar trăi aşa, în mod normal. Cu toate regulile alea. Dar am vrea să încercăm.

Din nou, tăcerea se prelungeşte. În sinea mea, îmi dau nişte pumni. Cum ar putea vreodată să fie relevant ce mi s-a întâmplat mie? Cum poate casa să mă transforme în altcineva?

Blonda rece ca gheaţa ne aduce cafelele. Mă reped să iau una şi, din cauza grabei şi a emoţiilor, reuşesc cumva să vărs ceaşca, toată ceaşca, peste desene.

– Doamne, Emma! scrâşneşte Simon sărind şi el în picioare. Uite ce ai făcut!

– Îmi pare aşa de rău, zic eu necăjită, în timp ce râul maroniu înghite încet desenele. Dumnezeule, îmi pare *aşa* de rău!

Asistenta se grăbeşte să aducă ceva de şters. Îmi dau seama că şansele ne scad ameninţător. Lista aceea dramatică cu bunuri, lăsată necompletată, toate minciunile acelea pline de speranţă pe care le-am scris în chestionar nu vor mai avea nici o importanţă acum. Ultimul lucru pe care l-ar vrea omul ăsta ar fi ca o toantă neîndemânatică, incapabilă să ţină în mână o ceaşcă de cafea, să-i distrugă frumuseţea aia de casă.

Spre surprinderea mea, Monkford doar râde.

– Erau nişte desene îngrozitoare, zice el. Ar fi trebuit să le arunc încă de acum câteva săptămâni. M-ai scutit de efort.

Asistenta se întoarce cu prosoape de hârtie şi se agită să tamponeze şi să şteargă.

– Alisha, mai tare le strici, zice Monkford tăios. Lasă-mă pe mine.

Strânge desenele astfel încât cafeaua să rămână înăuntru, ca într-un scutec uriaş.

– Aruncă asta! zice el.

– Prietene, îmi pare atât de rău, spune Simon.

Pentru prima dată, Monkford se uită direct la el.

– Niciodată să nu-ţi ceri scuze pentru persoana iubită, zice el încet. Asta te face să pari un bădăran.

Simon e atât de uimit, încât nu spune nimic. Eu pot doar să mă holbez, uluită. Nimic din atitudinea lui Edward Monkford de până acum nu a sugerat că ar putea spune ceva atât de personal. Iar Simon a pocnit oameni și pentru mai puțin, mult mai puțin. Dar Monkford se întoarce spre mine și spune nonșalant:

– Păi, o să te anunț. Mulțumesc că ai venit, Emma. Apoi, după o pauză scurtă, adaugă: Și ție, Simon.

ACUM: JANE

Aştept într-o recepţie de la etajul al paisprezecelea din Stup, în timp ce privesc doi bărbaţi certându-se într-o sală de şedinţe cu pereţi de sticlă. Unul dintre ei, sunt destul de sigură, este Edward Monkford. Poartă aceleaşi haine ca în poza pe care am găsit-o pe internet: un pulover negru de caşmir şi o cămaşă albă neîncheiată la gât, iar chipul slab, ascetic, îi este încadrat de nişte bucle blonde. E atrăgător: nu-ţi ia ochii, dar are un aer încrezător, şarmant şi un zâmbet pieziş simpatic. Celălalt bărbat ţipă la el, dar geamul este aşa de gros încât nu disting cuvintele; e aşa de linişte aici încât ai zice că sunt într-un laborator. Bărbatul gesticulează furios, împungând cu ambele mâini aerul de sub bărbia lui Monkford. Ceva din gestul lui şi pielea de culoare închisă mă fac să cred că ar putea fi rus.

Femeia care stă într-o parte, adăugând ocazional câte o interjecţie, chiar ar putea fi soţie de oligarh – mult mai tânără decât soţul ei, îmbrăcată cu imprimeuri Versace ţipătoare şi purtându-şi părul drept vopsit într-o nuanţă scumpă de blond. Soţul ei o ignoră, dar Monkford se întoarce din când în când politicos în direcţia ei. În cele din urmă, când bărbatul se opreşte din ţipat, Monkford zice calm câteva cuvinte şi clatină din cap. Bărbatul explodează din nou, şi mai furios ca înainte.

Bruneta imaculată care m-a întâmpinat vine spre mine.

– Mă tem că Edward este încă într-o ședință. Pot să vă aduc ceva? Niște apă?

– Nimic, mulțumesc. Arăt cu capul spre scena din fața mea. Să înțeleg că asta e ședința?

Se uită și ea în aceeași direcție.

– Își pierd timpul. N-o s-o schimbe.

– De ce se ceartă?

– Clientul a comandat o casă când era căsătorit cu altcineva. Acum, noua lui soție vrea un cuptor Aga. Pentru mai mult confort, zice ea.

– Și Monkford Partnership nu agreează confortul?

– Nu e vorba despre asta. Dacă nu a fost convenit în contractul inițial, Edward nu va face modificări. Numai dacă e ceva care nu-i place *lui*. O dată i-a luat trei luni să reconstruiască acoperișul unei case de vară, ca să-l facă cu un metru și douăzeci de centimetri mai jos.

– Cum e să lucrezi pentru un perfecționist? întreb eu, însă e evident că am depășit limita, pentru că tânăra doar îmi zâmbește rece și pleacă.

Continui să observ cearta sau, mai bine spus, agitația celuilalt bărbat, din moment ce Edward Monkford aproape că nu participă. Pur și simplu lasă furia celuilalt să treacă peste el ca niște valuri peste o stâncă, afișând o expresie de interes politicos, dar atât. În cele din urmă, ușa este deschisă cu putere și clientul se năpustește afară, încă bodogănind, iar soția lui fuge după el cu pași mici pe tocurile înalte. Monkford iese ultimul din sală. Îmi netezesc rochia și mă ridic. După ce m-am tot gândit, am ales o rochie Prada – bleumarin, plisată, până sub genunchi; nimic prea țipător.

– Jane Cavendish, îi amintește recepționera.

Se întoarce să mă privească. O fracțiune de secundă, pare surprins, chiar speriat, de parcă nu sunt ce se aștepta. Dar momentul trece și îmi întinde mâna.

– Jane. Desigur. Să intrăm aici.

„M-aș culca cu bărbatul ăsta." Abia dacă l-am salutat și, cu toate astea, am simțit că ceva, o parte din mine pe care conștientul meu n-o poate controla, are deja o părere. El ține ușa de la sala de ședințe deschisă până trec și, într-un fel, până și acest gest simplu și banal de politețe pare încărcat de semnificații.

Stăm față în față, de o parte și de alta a unei mese lungi de sticlă pe care tronează modelul arhitectural al unui orășel. Simt cum privirea i se plimbă pe chipul meu. Când am hotărât că e doar rezonabil de arătos, nu îl văzusem încă de aproape. Ochii, în special, frapează prin albastrul deschis. Colțurile lor sunt împânzite de riduri, în ciuda faptului că are abia treizeci și ceva de ani. Bunica mea le numea riduri de veselie. În cazul lui Edward Monkford, ele îi dau expresiei feței o asprime înspăimântătoare, ca de șoim.

– Ai câștigat? întreb eu, văzând că el nu zice nimic.

Pare să se dezmeticească.

– Ce să câștig?

– Disputa.

– Ah! Ridică din umeri și zâmbește, și chipul i se îmbunează imediat. Clădirile mele impun condiții oamenilor, Jane. Cred că nu sunt intolerabile și, în orice caz, recompensele sunt mult mai mari decât condițiile. Într-un fel, bănuiesc că de asta ești și tu aici.

– Da?

El încuviințează din cap.

– David, partenerul meu pe partea de tehnologie, vorbește despre ceva care se numește UX, adică, în jargonul tehnologic, „experiența utilizatorului". După cum știi, acum că ai văzut termenii și condițiile contractului, adunăm informații din One Folgate Street și le folosim pentru a îmbunătăți experiența utilizatorului pentru alți clienți.

De fapt, citisem pe diagonală majoritatea condițiilor, care se întindeau pe aproximativ douăzeci de pagini, cu scris mărunt.

– Ce fel de informații?

El ridică din umeri din nou. Sub pulover, umerii sunt largi, dar uscățivi.

– În principal, metadate. Ce camere folosești cel mai mult, genul ăsta de lucruri. Și, din când în când, îți vom cere să completezi din nou chestionarul, ca să vedem cum se schimbă răspunsurile.

– Nu mă deranjează. Mă opresc, dându-mi seama că răspunsul meu ar putea părea îngâmfat. Adică, dacă o să am ocazia.

– Bun!

Edward Monkford se apleacă spre o tavă pe care se află niște cești de cafea, o cană cu lapte și un bol cu zahăr cubic în ambalaj de hârtie. Distrat, rearanjează zahărul într-un teanc, aliniind marginile până când formează un pătrat perfect, ca un cub Rubik. Apoi răsucește ceștile, astfel încât toate cozile să fie orientate în aceeași direcție.

– S-ar putea chiar să te rog să te întâlnești cu unii dintre clienții noștri, ca să ne ajuți să-i convingem că traiul fără un cuptor Aga și o vitrină cu trofee sportive nu va fi sfârșitul lumii pentru ei.

Un alt zâmbet se întrezărește în colțurile ochilor, iar eu simt că mi se înmoaie un pic genunchii. „Parcă nu sunt eu", mă gândesc, iar apoi: „Este reciproc?" Îi răspund cu un zâmbet reținut, dar încurajator.

Urmează o pauză.

– Ei bine, Jane, tu ai vreo întrebare pentru mine?

Mă gândesc.

– Ai construit casa din One Folgate Street pentru tine?

– Da.

Nu-mi dă alte detalii.

– Atunci, *tu* unde locuiești?

– De obicei, la hotel, aproape de proiectul la care lucrez în momentul respectiv. E suportabil dacă pui toate pernele alea decorative într-un dulap.

Zâmbește din nou, dar am impresia că nu glumește.

– Nu te deranjează că nu ai o casă a ta?

Ridică din umeri.

– Asta înseamnă că pot să mă concentrez pe munca mea.

Felul în care răspunde are ceva definitiv, ca și cum nu ar mai avea rost alte întrebări.

În încăpere intră un bărbat, de fapt, se avântă stângaci, lovind ușa de opritor și vorbind deja foarte repede.

– Ed, trebuie să vorbim despre lungimea de bandă. Idioții încearcă să se zgârcească cu fibra optică. Nu vor să înțeleagă că peste o sută de ani, cablurile de cupru vor părea la fel de învechite ca țevile de apă din plumb azi...

Cel care rostește cuvintele acestea este un tip neîngrijit, îndesat, cu un început haotic de barbă care îi acoperă fața cărnoasă, fălcoasă. Părul, care este mai cărunt decât începutul de barbă, este legat într-o coadă. Deși aerul condiționat e pornit, el poartă pantaloni scurți și șlapi.

Monkford nu pare perturbat de întrerupere.

– David, ți-o prezint pe Jane Cavendish! Vrea să locuiască în One Folgate Street.

El trebuie să fie David Thiel, partenerul care se ocupă de tehnologie. Ochii lui, așa de adânciți în orbite încât abia dacă le deslușesc expresia, se întorc spre mine fără curiozitate, apoi revin la Monkford.

– Serios, singura soluție pentru oraș e să aibă propriul satelit. Trebuie să gândim totul de la zero...

– Un satelit dedicat? Asta e o idee interesantă, zice Monkford gânditor. Îmi aruncă o privire. Mă tem că va trebui să ne oprim, Jane.

– Sigur că da.

În timp ce mă ridic, privirea lui David Thiel coboară spre picioarele mele dezgolite. Monkford observă, la rândul lui, și se încruntă. Am impresia că e pe cale să spună ceva, dar apoi se abține.

– Mulțumesc că m-ai primit, adaug eu politicos.

– Ne auzim în curând, spune el.

ATUNCI: EMMA

Apoi, chiar a doua zi, primesc un e-mail: „Cererea dumneavoastră a fost aprobată".

Nu-mi vine să cred, asta şi pentru că e-mailul nu mai conţine alte informaţii: nici când ne putem muta, nici care sunt detaliile bancare, nici ce ar trebui să facem în continuare. Îl sun pe agent, Mark. Am ajuns să-l cunosc destul de bine odată cu toate chestiile astea pentru cerere şi nu e chiar aşa de rău cum am crezut la început.

Pare să se bucure sincer când îi spun.

– Din moment ce e gol, zice el, vă puteţi muta şi weekendul ăsta, dacă doriţi. Trebuie semnate nişte hârtii, apoi va trebui să vă explic cum să instalaţi aplicaţia pe telefoane. Cam asta e tot, de fapt.

Cam asta e tot, de fapt. Abia acum încep să conştientizez că am reuşit. Vom locui într-una dintre cele mai minunate case din Londra. Împreună. Eu şi Simon. De acum, totul va fi diferit.

3. Sunteți implicată într-un accident de mașină
    și știți că a fost vina dumneavoastră. Cealaltă
    șoferiță este confuză și pare să creadă că ea
    a provocat ciocnirea. Spuneți poliției că a fost
    vina ei sau a dumneavoastră?

    O Vina ei
    O Vina dumneavoastră

ACUM: JANE

Stau în spațiul gol, auster, din One Folgate Street, pe deplin mulțumită.

Cuprind cu privirea goliciunea imaculată a grădinii. Am descoperit acum de ce nu sunt flori deloc. Grădina este concepută în stil *karesansui*, care – aflu de pe internet – sunt grădinile pentru meditație din templele budiste. Formele sunt simbolice: munte, apă, cer. Este o grădină menită contemplării, nu cultivării plantelor.

Edward Monkford a trăit un an în Japonia, după ce i-au murit soția și copilul. Așa mi-a venit ideea pentru căutarea online.

Chiar și internetul este diferit aici. După ce Camilla a descărcat aplicația pe telefonul și laptopul meu și mi-a dat brățara specială care declanșează senzorii din One Folgate Street, s-a conectat la Wi-Fi și a introdus o parolă. De atunci, de câte ori pornesc un dispozitiv, ecranul de întâmpinare nu este o pagină Google sau Safari, ci o pagină goală și cuvântul „Menajera". Există doar trei file: „Pagina principală", „Căutare" și „Cloud". Pe „Pagina principală" se afișează starea actuală a dotărilor din One Folgate Street: iluminat, căldură și așa mai departe. Există patru profiluri diferite, la alegere: productiv, liniștit, jucăuș și practic. Cu pagina „Căutare" intru pe internet. „Cloud" înseamnă backup și stocare.

În fiecare zi, Menajera îmi recomandă cu ce haine să mă îmbrac, în funcție de vremea de afară, îmi afișează întâlnirile stabilite pentru ziua respectivă şi îmi aminteşte ce haine am la spălătorie. Dacă mănânc acasă, ştie ce am în frigider, ce aş putea să gătesc din ingredientele respective şi câte calorii va adăuga felul de mâncare în cauză la totalul meu zilnic. Între timp, funcţia „Căutare" elimină anunţurile şi articolele despre un abdomen mai plat, ştirile neplăcute, topurile, bârfele despre celebrităţi nesemnificative, mesajele spam şi cookie-urile. Nu există pagini preferate, istoric sau date salvate. De fiecare dată când închid ecranul, totul se şterge. Este ciudat de eliberator.

Uneori îmi torn un pahar cu vin şi pur şi simplu mă plimb prin casă, ating lucrurile, mă obişnuiesc cu texturile reci, scumpe, modific poziţia exactă a vreunui scaun sau a vreunei vaze. Bineînţeles că ştiam expresia aceea a lui Mies van der Rohe, „Mai puţin înseamnă mai mult", dar până acum nu înţelesesem că poate fi atât de *senzual*, de intens şi de voluptuos să ai mai puţine lucruri. Cele câteva piese de mobilier sunt obiecte clasice de marcă: scaune Hans Wegner din stejar deschis, pentru masa din sufragerie, taburete albe Nicolle, o canapea atrăgătoare Lissoni. Casa este dotată cu câteva obiecte mai nesemnificative, dar de lux, şi alese cu atenţie: prosoape albe, groase, lenjerii de pat făcute dintr-o ţesătură deasă, pahare de vin lucrate manual, cu picioare subţiri cât un termometru. Fiecare atingere e o mică surpriză, un omagiu tăcut adus calităţii.

Mă simt ca un personaj dintr-un film. Înconjurată de atâta bun gust, parcă şi eu merg mai elegant, am o postură mai atentă, mă plasez în fiecare cadru astfel încât să obţin efectul maxim. Desigur, nu mă vede nimeni, dar chiar casa din One Folgate Street pare să devină publicul meu, umplând spaţiile vaste cu partituri mute, cinematice, din playlistul automat din Menajera.

„Cererea dumneavoastră a fost aprobată." Atât scria în e-mail. Interpretasem ca pe un semn rău faptul că întâlnirea fusese atât de scurtă, dar se pare că Edward Monkford este înclinat spre concizie în toate privinţele. Şi sunt sigură că nu mi-am imaginat acel fior nerostit, acea încărcătură energetică pe care o simţi când atracţia este reciprocă. „Ei, ştie unde sunt", mă gândesc eu. Până şi aşteptarea în sine pare vibrantă şi senzuală, ca un fel de preludiu tăcut.

Şi mai sunt şi florile. În ziua în care m-am mutat, le-am găsit pe prag: un buchet imens de crini, încă înfăşuraţi în plastic. Nu era nici un bilet, nimic care să arate dacă era un gest pe care îl făcea pentru toţi chiriaşii lui sau ceva special, doar pentru mine. În orice caz, i-am trimis un bilet politicos de mulţumire.

După două zile, am mai primit un buchet, identic cu primul. După încă o săptămână, un al treilea – exact acelaşi aranjament de crini, lăsat în exact acelaşi loc de lângă uşa de la intrare. Fiecare colţ din casă e plin de parfumul lor greu. Dar, sincer, începe să fie prea mult.

Când găsesc al patrulea buchet identic, hotărăsc să iau măsuri. Pe ambalajul din celofan este trecut numele florăriei. Sun şi întreb dacă se poate să schimb comanda cu altceva.

Femeia de la telefon îmi răspunde nedumerită:

– Nu găsesc nici o comandă pentru One Folgate Street.

– S-ar putea să fie pe numele Edward Monkford? Sau Monkford Partnership?

– Nu am nimic de genul ăsta. Nimic în zona dumneavoastră, de fapt. Noi suntem în Hammersmith, nu am livra aşa departe în nord.

– Înţeleg, răspund eu, uluită.

A doua zi, când iar primesc crini, îi iau cu intenţia de a-i arunca la gunoi.

Şi atunci îl zăresc – pentru prima dată, cineva a lăsat un bilet, pe care scrie:

„Emma, te voi iubi mereu. Somn uşor, draga mea.“

ATUNCI: **EMMA**

Este chiar aşa de minunat cum am sperat noi. Mă rog, cum am sperat eu. Simon este de acord cu toate, dar îmi dau seama că încă are îndoieli. Sau poate că nu-i place să se simtă îndatorat arhitectului pentru că ne-a lăsat să locuim aici atât de ieftin.

Dar până şi Simon este uimit de capul de duş mare cât o farfurie, care pur şi simplu porneşte singur în momentul în care deschizi uşa cabinei; care te identifică cu ajutorul brăţării rezistente la apă, pe care amândoi am primit-o, şi care memorează diferitele temperaturi ale apei pe care le preferăm. În prima dimineaţă, ne trezim cu o lumină din ce în ce mai puternică în dormitor, un răsărit electronic, iar zgomotele din stradă sunt înăbuşite complet de pereţii groşi şi de geamuri, şi îmi dau seama că de câţiva ani nu am mai dormit aşa de bine.

Despachetatul nu ne ia prea mult, evident. One Folgate Street are deja o mulţime de lucruri drăguţe, aşa că vechiturile noastre sunt depozitate alături de Colecţie.

Uneori, mă aşez pe trepte, cu o cană de cafea în mâini şi cu genunchii strânşi sub bărbie, bucurându-mă de cât de frumos e totul.

– Să nu verşi cafeaua, iubi, strigă Simon când mă vede.

A devenit una dintre glumele preferate. Am hotărât că probabil am primit casa pentru că eu am vărsat cafeaua.

Nu vorbim niciodată despre faptul că Monkford l-a făcut pe Simon bădăran, nici despre lipsa de reacție a lui Simon.

– Ești fericită? întreabă Simon, venind să se așeze lângă mine pe trepte.

– Sunt, zic eu. Daaaaar...

– Vrei să te muți, zice el. Te-ai săturat deja. Știam eu.

– E ziua mea săptămâna viitoare.

– Da? Uitasem, iubi!

Glumește, bineînțeles. Simon face mereu eforturi să mă surprindă de Ziua Îndrăgostiților sau de ziua mea.

– Ce-ar fi să invităm câțiva prieteni aici?

– Adică să dăm o petrecere?

Încuviințez, dând din cap aprobator.

– Sâmbătă.

Simon pare îngrijorat.

– Avem voie să dăm petreceri aici?

– N-o să fie deranj, zic eu. Nu ca data trecută.

Zic asta pentru că data trecută când am dat o petrecere, trei vecini diferiți au chemat poliția.

– Păi, bine atunci, zice el nesigur. Rămâne pe sâmbătă.

Sâmbătă seara, la ora nouă, casa este plină de oameni. Am pus lumânări pe trepte până sus și afară, în grădină, și am setat lumina cea mai discretă. La început, faptul că Menajera nu are o setare „Petrecere" m-a îngrijorat puțin, dar am verificat Regulile și lista nu include „Fără petreceri". Poate au uitat ei, dar, nu e vina mea, lista e listă.

Sigur că prietenii noștri sunt uluiți de tot ce văd în casă, deși fac o grămadă de glume de genul: „Unde-i toată mobila?" și „De ce nu ați despachetat încă?" Simon se simte în elementul lui; mereu îi place să fie invidiat de prieteni, să aibă ceasul cel mai deosebit sau cea mai recentă aplicație sau cel mai tare telefon, iar acum are cea mai tare locuință. Îl văd cum se acomodează cu această nouă versiune a lui, arătând cu mândrie cum funcționează aragazul, sistemul automat de intrare, prizele electrice care sunt doar trei găurele în perete, cum până și sertarele de sub pat sunt diferite pe partea bărbatului față de cele de pe partea femeii.

Mă gândisem să-l invit și pe Edward Monkford, dar Simon m-a convins să nu-l chem. Acum, în timp ce refrenul lui Kylie, din „Can't Get You Out of My Head", pulsează prin mulțime, îmi dau seama că a avut dreptate: Monkford ar urî tot zgomotul, haosul, dansul. Probabil ar inventa încă o regulă pe loc și i-ar da pe toți afară. O clipă, îmi imaginez toate astea întâmplându-se de-adevăratelea: cum Edward Monkford ar apărea neinvitat, ar opri muzica și le-ar cere tuturor să iasă afară, ceea ce, de fapt, mă face să mă simt bine. Asta e stupid, la urma urmei, e petrecerea mea.

Simon trece pe lângă mine cu mâinile pline de sticle și se apleacă să mă sărute.

– Arăți minunat, sărbătorito! zice el. Rochia asta e nouă?

– O am de-o veșnicie, mint eu.

Mă sărută din nou.

– Luați-vă o cameră! ne strigă Saul acoperind muzica, în timp ce Amanda îl trage în grupul strâns de dansatori.

E multă băutură, ceva droguri, muzică și țipete din plin. Oamenii se revarsă în grădină ca să fumeze, iar vecinii strigă la ei. Însă pe la trei dimineața, toți încep să plece. Saul se chinuie vreo douăzeci de minute să ne convingă pe mine și pe Simon să mergem la un club. Deși am tras vreo două linii, sunt epuizată, iar Simon zice că e prea beat, așa că, până la urmă, Amanda îl duce pe Saul acasă.

– Hai în pat, Em, îmi spune Simon după ce pleacă ei.

– Imediat, zic eu. Sunt prea obosită ca să mă mișc.

– Miroși superb, superb, zice el, atingându-mi gâtul cu nasul. Hai în pat!

– Si, zic eu ezitând.

– Ce? răspunde el.

– Nu cred că vreau să facem sex în seara asta, îi spun. Îmi pare rău.

Nu am mai făcut sex de când cu spargerea. Nu prea am discutat despre asta. Sunt lucruri care se întâmplă, pur și simplu.

– Ai zis că totul va fi altfel aici, spune el încet.

– O să fie, spun eu. Dar încă nu e momentul.

– Sigur, spune el. Nu e nici o grabă, Em. Absolut nici o grabă.

Mai târziu, în timp ce stăm unul lângă altul în întuneric, zice încet:

– Îți mai aduci aminte cum am botezat apartamentul din Belfort Gardens?

Fusese o provocare stupidă, pe care am stabilit-o chiar noi: să facem dragoste în fiecare cameră înainte să se împlinească o săptămână de locuit acolo.

El nu mai zice nimic. Tăcerea se prelungește și, în cele din urmă, adorm.

ACUM: JANE

Invit niște prieteni la prânz, o mică sindrofie de casă nouă. Mia și Richard vin cu copiii, Freddie și Martha, iar Beth și Pete îl aduc pe Sam. Pe Mia o cunosc de la Cambridge, e cea mai veche și mai apropiată prietenă a mea. Sigur, știu lucruri pe care nici soțul ei nu le știe, cum ar fi că, în Ibiza, cu puțin timp înainte de nunta lor, ea s-a culcat cu un alt bărbat și a fost pe punctul de a anula totul, sau că s-a gândit să facă un avort când a rămas însărcinată cu Martha, din cauză că depresia de după nașterea lui Freddie fusese îngrozitoare.

Oricât îi iubesc pe oamenii aceștia, n-ar fi trebuit să-i invit aici împreună. Am făcut asta numai pentru că era ceva nou să am spațiu suficient, dar adevărul este că, indiferent cât de grijulii încearcă să fie prietenii mei, mai devreme sau mai târziu încep să vorbească între ei despre copiii lor. Richard și Pete patrulează după bebelușii lor de parcă ar fi trași de niște frâie invizibile, cu teamă de dușumeaua din piatră, de treptele acelea periculoase, de geamurile înalte de la dușumea până la tavan, pe care un copil în fugă ar putea nici să nu le vadă; în timpul ăsta, fetele umplu pahare imense cu vin alb și se plâng discret, dar cu un fel de mândrie și epuizare ca după o bătălie, de cât de plictisitoare au devenit viețile lor:

– Doamne, săptămâna trecută am adormit în timp ce mă uitam la știrile de la ora șase!

– Asta nu-i nimic! Eu am adormit înainte de CBeebies[1]!

Martha vomită pe masa de piatră, în timp ce Sam reușește să mânjească geamurile cu degetele pe care le-a băgat înainte în budinca de ciocolată. Mă trezesc gândindu-mă că există și avantaje când nu ai copii. O parte din mine abia așteaptă să plece toți, ca să pot să fac curat.

Apoi, are loc o scenă amuzantă cu Mia. În timp ce mă ajută să termin salata, strigă brusc:

– J, unde ții lingurile africane?

– A, alea. Le-am donat unui magazin caritabil.

Îmi aruncă o privire ciudată.

– *Eu* ți le-am dat.

– Da, știu.

Mia s-a dus odată să facă voluntariat într-un orfelinat african și mi-a adus de acolo două linguri de salată sculptate manual de copii.

– Am hotărât să nu le păstrez când am făcut selecția. Îmi pare rău. Te superi?

– Cred că nu, zice ea cu o expresie ușor iritată pe chip.

E clar că o deranjează, dar în curând prânzul e gata și uită de asta.

– Zi-ne, J, care mai e viața ta socială? întreabă Beth umplându-și al doilea pahar de vin.

– Seceta obișnuită, răspund eu.

Ani de zile, acesta a fost rolul meu în cadrul grupului: să le povestesc despre tot felul de dezastre sexuale care să-i facă, indirect, să simtă că nu au lăsat toate astea în urmă și, în același timp, să le confirme că e mult mai bine așa cum sunt ei acum.

– Ce s-a mai întâmplat cu arhitectul tău? întreabă Mia. A ieșit ceva cu el?

– Ooo, eu nu știam despre arhitect, zice Beth. Spune-mi!

– Îi place tipul care a construit casa asta. Nu-i așa, J?

Pete l-a dus pe Sam afară. Copilul stă ghemuit lângă peticul de iarbă și împrăștie cu mânuțele pietricele pe deasupra.

---

[1] Program TV pentru copii care se termină la ora 19.00 cu povestea de noapte bună, pregătind copiii pentru somn

I-aş spune să se oprească, dar mi-e teamă că m-aş comporta ca o fată bătrână.

– N-am făcut nimic în sensul ăsta, spun eu.

– Păi, nu mai aştepta, zice Beth. Pune mâna pe el până nu-i prea târziu. Se opreşte, îngrozită de ce a zis. Rahat, n-am vrut să spun...

Inima mi se strânge de durere, dar îi spun pe un ton calm:

– Nu-i nimic, ştiu ce ai vrut să spui. Oricum, se pare că, deocamdată, ceasul meu biologic s-a setat pe amânare.

– Îmi pare rău! Am fost incredibil de lipsită de tact.

– Mă întrebam dacă el era cel de afară, zice Mia. Arhitectul tău, adică.

Mă încrunt.

– Despre ce vorbeşti?

– Adineauri, când m-am dus să iau pinguinul Marthei din maşină, am văzut un bărbat cu flori în mână care se îndrepta spre uşa ta.

– Ce fel de flori? întreb eu.

– Crini. Jane?

Deja mă grăbesc spre uşă. Misterul florilor mă sâcâie încă de când am găsit biletul acela ciudat. Când deschid uşa, găsesc buchetul pe prag, iar bărbatul aproape ieşind de pe alee.

– Stai! strig după el. Stai puţin, te rog!

Se întoarce. E cam de vârsta mea, poate cu câţiva ani mai mare, iar părul negru îi este înspicat prematur cu fire albe. Faţa pare trasă, iar privirea are o intensitate bizară.

– Da?

– Cine eşti? întreb eu arătând spre buchet. De ce îmi tot aduci flori? Pe mine nu mă cheamă Emma.

– Florile nu sunt pentru tine, evident, răspunde el dezgustat. Nu fac decât să le înlocuiesc, pentru că tu le tot iei de acolo. De asta am lăsat biletul, ca să-ţi intre odată în capul ăla prost că florile nu-s acolo să-ţi înveselească ţie bucătăria şmecheră. Se opreşte. Mâine e ziua ei. Adică, ar fi fost ziua ei.

În cele din urmă, înţeleg. Nu sunt un cadou, ci un gest comemorativ. Ca florile pe care le lasă oamenii la locul unui accident. Mă cert în sinea mea pentru că am fost aşa de preocupată de Edward Monkford, încât nici nu am luat în calcul această posibilitate.

– Îmi pare foarte rău, zic eu. Ea a... s-a întâmplat aproape de aici?

– În casa aia, zice el arătând în spatele meu, în One Folgate Street, și simt cum mă trece un fior pe șira spinării. Ea a murit acolo.

– Cum a murit? Îmi dau seama că pot părea băgăreață, așa că adaug: Adică, nu e treaba mea...

– Depinde pe cine întrebi, mă întrerupe el.

– Cum adică?

Bărbatul mă privește direct în ochi. Are o privire sălbatică.

– A fost omorâtă. Medicul legist a dat un verdict deschis, dar toată lumea, chiar și poliția, știe că a fost ucisă. Mai întâi i-a otrăvit mintea, apoi a omorât-o.

O clipă, mă întreb dacă toate astea nu sunt cumva niște prostii, dacă omul ăsta nu e nebun. Dar pare prea sincer, prea comun pentru așa ceva.

– Cine? Cine a omorât-o?

Dar omul doar clatină din cap, se întoarce și pleacă înapoi spre mașină.

ATUNCI: **EMMA**

E dimineața de după petrecere, și noi încă dormim, când îmi sună telefonul. E un telefon nou, care îl înlocuiește pe cel furat, și îmi ia ceva timp să mă trezesc când aud tonul de apel necunoscut. Mintea mi-e încă încețoșată după noaptea trecută, dar chiar și așa observ cum lumina din dormitor se sincronizează perfect cu sunetul telefonului, iar ferestrele își pierd treptat din opacitate.

– Emma Matthews? se aude o voce de femeie.

– Da? zic eu, încă răgușită după aseară.

– Sunt sergent Willan, continuă ea. Sunt în fața apartamentului cu un coleg. Am tot sunat la ușă. Putem să intrăm?

– Am uitat să anunț la poliție că ne mutăm. Nu mai stăm la adresa aia, zic eu. Suntem în Hendon. One Folgate Street.

– O secundă, zice sergentul Willan.

Probabil și-a lipit telefonul de piept ca să vorbească cu cineva, pentru că vocea ei se aude înfundată. Apoi revine.

– Ajungem acolo în douăzeci de minute, Emma. A avut loc un progres important în cazul tău.

Până când ajung ei, aruncăm o mare parte din resturile petrecerii. Din păcate, pe podeaua de piatră au rămas niște pete roșii de vin, dar va trebui să ne ocupăm de ele mai târziu. One Folgate Street nu e în cea mai bună formă, dar, chiar și așa, sergentul Willan pare uimită.

– E un pic diferită de apartamentul în care stăteați înainte, comentează ea uitându-se în jur.

Aseară le-am tot povestit prietenilor noștri despre Reguli și nu prea mai am energie să o iau de la capăt.

– Am închiriat-o ieftin, zic eu, și în schimb avem grijă de ea.

– Ați spus că aveți vești, zice Simon nerăbdător. Înseamnă că i-ați prins?

– Așa credem, da, răspunde polițistul mai în vârstă.

S-a prezentat deja ca inspector de poliție Clarke. Are vocea groasă și calmă, constituția îndesată și obrajii rumeni ai unui fermier. Îmi place din prima.

– Doi bărbați au fost prinși vineri seara în timp ce dădeau o spargere foarte similară cu cea în care ai fost tu implicată, zice el. Când ne-am deplasat la adresa din Lewisham, am recuperat câteva articole care apăreau în baza noastră de date drept furate.

– Asta-i nemaipomenit! exclamă Simon încântat. Îmi aruncă o privire. Nu-i așa, Emma?

– Minunat, încuviințez eu.

Urmează o pauză.

– Acum că e foarte posibil să se ajungă la proces, Emma, trebuie să-ți mai punem câteva întrebări, zice sergentul Willan. Poate preferi să discutăm în particular.

– Nu-i nevoie, spune Simon. E minunat că i-ați prins pe nenorociți. O să ajutăm cum putem, nu-i așa, Em?

Sergentul încă se uită la mine.

– Emma? Preferi să stăm de vorbă fără ca Simon să fie de față?

Dacă mă întreabă așa, cum să răspund „da"? Oricum, nu prea ai unde să te retragi în One Folgate Street. Toate camerele dau una într-alta, chiar și dormitorul și baia.

– Putem vorbi aici, zic eu. Va trebui să merg la tribunal? Să depun mărturie, adică?

Între cei doi are loc un schimb de priviri.

– Depinde dacă pledează vinovați, spune sergentul Willan. Sperăm că dovezile vor fi atât de puternice încât ei să considere că nu mai are nici un rost să se opună. După o pauză, continuă: Emma, la adresa de care spuneam, am recuperat câteva telefoane mobile. Pe unul l-am identificat ca fiind al tău.

Brusc, presimt că urmează ceva de rău. „Respiră", îmi spun.

– Unele telefoane aveau fotografii şi videoclipuri pe ele, continuă ea. Fotografii cu femei în poziţii sexuale.

Aştept. Ştiu ce urmează acum, dar pare mai uşor să nu spun nimic, să las cuvintele să treacă peste mine de parcă n-ar fi reale.

– Emma, pe telefonul tău am găsit dovezi că un bărbat care se potriveşte cu descrierea unuia dintre bărbaţii pe care i-am arestat s-a înregistrat în timpul unui act sexual cu tine, zice ea. Ne poţi spune ceva despre asta?

Simt cum capul lui Simon se întoarce spre mine. Nu mă uit în direcţia lui. Liniştea se întinde ca un fir de sticlă topită, devenind din ce în ce mai subţire, până când, în cele din urmă, trebuie să se rupă.

– Da, răspund într-un târziu.

Vocea mea e aproape şoptită. Abia dacă mă aud dincolo de bubuitul din urechi. Dar ştiu că trebuie să spun ceva acum, că nu pot să şterg asta din memorie, pur şi simplu.

Trag aer în piept.

– A spus că o să trimită videoclipul, zic eu. La toată lumea. La fiecare nume din agenda mea. M-a obligat... să-i fac *chestia aia*. Ce aţi văzut. Şi a folosit chiar telefonul meu ca să înregistreze. Mă opresc. Parcă m-aş uita peste marginea prăpastiei. Avea un cuţit, adaug eu.

– Nu e nevoie să te grăbeşti, Emma. Ştiu cât de greu trebuie să fie, zice blând sergentul Willan.

Nu suport să mă uit la Simon, dar mă forţez să continui.

– A zis că dacă spun cuiva, poliţiei sau iubitului meu, o să afle şi o să expedieze videoclipul. Şi telefonul ăla era de la serviciu, toată lumea era în agendă: şeful meu, toată firma, familia mea.

– Mai e ceva... Mă tem că trebuie să întrebăm, spune inspectorul Clarke scuzându-se. Există posibilitatea ca bărbatul ăsta să fi lăsat ADN în urmă? Pe pat, poate? Sau pe hainele pe care le purtai?

Clatin din cap.

– Înțelegi întrebarea, Emma, nu-i așa? insistă sergentul Willan. Întrebăm dacă Deon Nelson a ejaculat.

Cu coada ochiului, îl văd pe Simon strângând din pumni.

– M-a ținut de nas, zic eu abia șoptit. M-a ținut de nas și m-a obligat să înghit. Mi-a spus că trebuie să înghit tot, fiecare strop, ca poliția să nu găsească ADN. Așa că am știut că n-avea nici un rost. Nici un rost să vă spun. Îmi pare rău.

Abia acum reușesc să mă uit la Simon.

– Îmi pare rău, repet eu.

Urmează o altă pauză lungă.

– În prima ta declarație, Emma, îmi spune inspectorul Clarke cu blândețe, ne-ai spus că nu-ți aduci aminte exact ce s-a întâmplat în timpul spargerii. Ca să înțelegem, poți să ne explici de ce ne-ai spus asta?

– Am vrut să uit că s-a întâmplat, zic eu. Nu am vrut să recunosc că mi-era prea frică să spun cuiva. Mi-era rușine. Încep să plâng. Nu am vrut să fiu nevoită să-i spun lui Simon, zic eu.

Se aude o bufnitură. Simon a aruncat cu ceașca de cafea în perete. Cioburile de ceramică albă și lichidul maroniu explodează pe piatra de culoare deschisă.

– Simon, stai! strig eu disperată.

Dar el a plecat deja.

Ștergându-mi lacrimile cu mâneca, întreb:

– Puteți să folosiți mărturia asta? Ca să fie condamnat?

Are loc un alt schimb de priviri.

– E o situație dificilă, zice sergentul Willan. Juriul se aș-teaptă la probe de ADN. Și e imposibil să identificăm sigur suspectul pe baza videoclipului; e atent să nu-și arate nici-odată fața sau cuțitul. Face o pauză. În plus, suntem obligați să divulgăm apărării că la început ai spus că nu-ți amintești. Din păcate, e posibil să încerce să folosească asta în avanta-jul lor.

– Ați spus că erau și alte telefoane, continui eu pe un ton plat. Nici femeile celelalte nu pot să aducă dovezi?

– Bănuim că și lor le-a făcut exact ce ți-a făcut și ție, îmi explică inspectorul Clarke. Infractorii, în special infractorii sexuali, au tendința să dezvolte un tipar de-a lungul timpului. Repetă ce funcționează și renunță la ce nu funcționează. Chiar se simt bine repetându-și acțiunile, transformându-le într-un fel de ritual. Numai că, din păcate, nu am reușit încă să identificăm celelalte victime.

– Vreți să spuneți că nici una nu l-a raportat la poliție, zic eu, citind printre rânduri. Amenințarea lui a avut efect, și-au ținut gura.

– Așa se pare, încuviințează inspectorul Clarke. Emma, înțeleg de ce nu ai spus nimănui până acum. Dar este important să avem o relatare exactă a faptelor. Vii cu noi la secție să-ți actualizezi declarația?

Încuviințez din cap copleșită de amărăciune. El își ia haina.

– Îți mulțumim că ai fost sinceră cu noi, îmi spune cu amabilitate. Știu cât de greu trebuie să-ți fie. Dar trebuie să înțelegi un lucru: conform legii, orice fel de sex neconsimțit, inclusiv sexul oral, constituie viol. Și de asta o să-l acuzăm pe bărbatul respectiv.

Simon e plecat de mai mult de o oră. În timpul ăsta, eu adun cioburile din cana spartă și curăț peretele. Ca o tablă albă, mă gândesc eu, numai că ceea ce a fost scris pe el nu poate fi șters.

Atunci când, în cele din urmă, se întoarce, îi privesc chipul cu atenție, încercând să-mi dau seama în ce dispoziție e. Are ochii roșii și arată de parcă ar fi plâns.

– Îmi pare rău, îi spun eu tristă.

– De ce, Em? mă întreabă el încet. De ce nu mi-ai zis?

– Am crezut că o să te înfurii.

– Adică, ai crezut că nu o să fiu înțelegător? Pare uimit și supărat în același timp. Ai crezut că n-o să-mi *pese*?

– Nu știu, răspund eu. Nu am vrut să mă gândesc la asta. Eram... mi-era rușine. Era mult mai ușor să mă prefac că nu s-a întâmplat deloc. Și mi-a fost frică.

– Doamne, Em! strigă el. Știu că sunt idiot uneori, dar chiar crezi că nu mi-ar *păsa*?

– Nu... am dat-o în bară, spun eu supărată. Nu am putut să vorbesc cu tine despre asta. Îmi pare rău.

– Avea dreptate Monkford. În sinea ta, crezi că sunt un bădăran.

– Ce legătură are Monkford cu asta?

Arată spre podea, spre pereții frumoși din piatră, spre spațiul gol, înalt, de efect.

– De asta suntem aici, nu? Pentru că eu nu sunt destul de bun pentru tine. Pentru că vechiul nostru apartament nu era destul de bun.

– Asta n-are legătură cu tine, răspund eu sec. Și, oricum, nu cred asta.

Brusc, își clatină capul și văd că furia i-a dispărut la fel de repede cum l-a cuprins.

– Măcar dacă mi-ai fi spus.

– Poliția crede că e posibil să scape, spun eu.

Mă gândesc că aș putea să scap acum de toate veștile proaste.

– *Cum?*

– N-au zis chiar așa, dar pentru că mi-am schimbat declarația și nu s-au mai prezentat și alte femei, ei sunt de părere că e posibil să scape. Au zis că poate nu are rost să mergem mai departe cu asta.

– Ba nu! zice el lovind cu pumnii în masa de piatră. Îți promit un lucru, Emma: dacă nenorocitul ăla e achitat, îl omor cu mâna mea. Și acum știu și cum îl cheamă. Deon Nelson.

ACUM: **JANE**

După ce pleacă prietenii mei, deschid laptopul şi dau o căutare pe internet după „One Folgate Street". Apoi adaug „deces" şi, în cele din urmă, „Emma".

Nu se afişează nici un rezultat. Dar descopăr că Menajera nu funcţionează chiar la fel ca Google. Dacă Google aruncă în utilizator cu mii, chiar milioane de rezultate, Menajera preferă să selecteze un singur rezultat perfect, atât. De cele mai multe ori, este o uşurare să nu fii bombardat cu alternative, dar când nu ştii exact ce cauţi, nu e chiar aşa de bine.

A doua zi e luni, una dintre zilele în care lucrez la Still Hope, organizaţia caritabilă. Aceasta îşi are biroul în trei camere înghesuite în Kings Cross; contrastul cu frumuseţea spaţiului gol şi auster din One Folgate Street nu ar putea fi mai pronunţat. Am un birou acolo sau, mai degrabă, o jumătate de birou, fiindcă îl împart cu Tessa, şi ea colaboratoare cu jumătate de normă. Am şi un computer vechi, scârţâitor.

Introduc aceiaşi termeni de căutare pe Google. Majoritatea rezultatelor se referă la Edward Monkford. Spre iritarea mea, o jurnalistă specializată în arhitectură, al cărei prenume este tot Emma, a scris o dată un articol despre el, intitulat „Moartea dezordinii", aşa că sunt vreo cinci sute de linkuri care trimit la acest text. Pe a şasea pagină de rezultate, găsesc ce caut. Un articol arhivat de la un ziar local.

Ancheta în cazul decesului din Hendon
Verdict deschis

Ancheta în cazul Emmei Matthews, 26 de ani, care a fost găsită decedată în casa închiriată de aceasta în Folgate Street, South Hendon, în iulie anul trecut, s-a încheiat cu un verdict deschis, în ciuda unei amânări de șase luni, menite să acorde poliției mai mult timp pentru a-și continua investigațiile.

Inspectorul de poliție James Clarke a declarat: „Am urmărit câteva direcții posibile, care la un moment dat au dus la o arestare. Cu toate acestea, procuratura a hotărât că nu au existat suficiente dovezi că Emma ar fi decedat ca urmare a unei infracțiuni. Sigur, vom continua să investigăm cu toate eforturile această nenorocire neexplicată".

Casa, concepută de arhitectul de renume internațional Edward Monkford, a fost descrisă de coroner[1] în declarația sa de încheiere drept „un coșmar în ceea ce privește sănătatea și siguranța". În prealabil, ancheta stabilise că trupul neînsuflețit al lui Matthews fusese găsit la baza unei scări fără balustradă sau covor.

Rezidenții locali au dus o luptă de amploare în 2010 pentru a încerca să împiedice construcția casei, dar, în cele din urmă, primăria a acordat autorizația. Vecina Maggie Evans a declarat ieri: „I-am avertizat pe proiectanți de nenumărate ori că o să se întâmple așa ceva. Acum, cel mai bun lucru pe care pot să-l facă e să o dărâme și să construiască ceva mai potrivit".

Monkford Partnership, care nu a fost reprezentată la audieri, a refuzat să facă vreun comentariu ieri.

Așadar, nu două morți, mă gândesc eu, ci trei. Mai întâi, familia lui Monkford, apoi asta. One Folgate Street este un loc și mai tragic decât credeam.

---

[1] În Marea Britanie și în SUA, medic legist și judecător de instrucție care anchetează cazurile de deces violent sau neașteptat

Îmi imaginez cadavrul unei tinere zăcând la baza scărilor acelora moderne din piatră şi sângele din craniul zdrobit răspândindu-se pe podea. Coronerul avea dreptate, desigur: scara fără balustradă este ridicol de periculoasă. Şi dacă acest lucru a fost dovedit în cel mai îngrozitor mod posibil, de ce Edward Monkford nu a luat nici o măsură ca s-o facă mai sigură, de exemplu, să-i monteze un perete de sticlă sau un fel de balustradă?

Bineînţeles, ştiam deja răspunsul. „Clădirile mele impun condiţii oamenilor, Jane. Cred că nu sunt intolerabile." Cu siguranţă, undeva în termeni şi condiţii, există o prevedere cum că chiriaşii folosesc scara pe riscul lor.

– Jane? E Abby, şefa de birou. Îmi ridic privirea. Te caută cineva. Pare puţin emoţionată, iar obrajii i s-au înroşit uşor. Zice că îl cheamă Edward Monkford. Trebuie să recunosc, arată *foarte* bine. Te aşteaptă la parter.

Stă în picioare în zona minusculă de aşteptare, îmbrăcat aproape identic ca ultima dată când ne-am întâlnit. Pulover negru din caşmir, cămaşă albă deschisă la gât, pantaloni negri. Singura concesie făcută vremii răcoroase este un fular înfăşurat în jurul gâtului într-un nod cu buclă, după moda franţuzească.

– Bună, zic eu, deşi ce aş vrea cu adevărat să-i zic ar fi „Ce Dumnezeu faci aici?"

Până să vin eu, studiase afişele Still Hope de pe pereţi, iar acum se întoarce către mine.

– Acum înţeleg, îmi spune el încet.

– Ce anume?

Arată spre unul dintre afişe.

– Şi tu ai pierdut un copil.

Ridic din umeri.

– Da.

Nu spune „Îmi pare rău" sau vreo altă platitudine pe care oamenii o folosesc atunci când nu prea ştiu ce să spună. Doar încuviinţează din cap.

– Aş vrea să te invit la o cafea, Jane. Nu mi te pot scoate din minte. Dar dacă e prea curând, spune-mi şi plec.

Sunt atât de multe presupuneri, atât de multe întrebări şi revelaţii în aceste trei întrebări scurte, încât nu reuşesc să le procesez pe toate. Dar primul gând care îmi vine în minte este „Nu mi s-a părut. Chiar a fost reciproc".

Iar al doilea, încă şi mai sigur, este „Asta-i bine".

– Şi asta a fost cu Cambridge. Dar nu sunt prea multe oportunităţi de carieră pentru absolvenţii de istoria artei. Adevărul este că nu mă gândisem niciodată cu adevărat la ce voiam să fac după aceea. Am făcut un stagiu la Sotheby's, dar nu m-au angajat pe urmă, apoi am lucrat în câteva galerii; postul meu se numea ceva de genul „consultant senior de artă", dar, de fapt, nu eram decât o recepţioneră cu ştaif. După asta am alunecat cumva spre relaţii publice. La început, am lucrat în West End, pentru clienţi din media, numai că niciodată nu m-am simţit prea în largul meu în Soho[1]. Îmi plăcea City, unde clienţii sunt mai convenţionali. Ca să fiu sinceră, îmi plăceau mult şi banii. Însă şi munca era interesantă. Clienţii noştri erau instituţii financiare importante, pentru care relaţiile publice nu presupunea să le apară numele în ziare, ci să nu le apară. Vorbesc prea mult.

Edward Monkford zâmbeşte şi clatină din cap.

– Îmi place să te ascult.

– Spune-mi despre tine, îl rog eu. Ai vrut mereu să te faci arhitect?

Ridică din umerii slabi.

– Am lucrat o vreme la firma familiei, care se ocupa de imprimante. Nu mi-a plăcut deloc. Unul dintre prietenii tatălui meu construia o casă de vacanţă în Scoţia şi se chinuia cu arhitectul local. L-am convins să mă lase pe mine să mă ocup, cu acelaşi buget. Am învăţat din mers. O să ajungem în pat împreună? A schimbat placa atât de abrupt, încât am rămas cu gura căscată. Relaţiile umane, la fel ca vieţile oamenilor, tind să acumuleze lucruri inutile, zice el încet. Felicitări de Ziua

[1] Cartier londonez renumit pentru aerul boem şi viaţa de noapte, zonă preferată în trecut de scriitori şi artişti, în prezent centrul divertismentului din capitala Marii Britanii

Îndrăgostiților, gesturi romantice, întâlniri speciale, nume de alint fără sens, toată plictiseala și inerția unor relații timide, convenționale, care s-au epuizat înainte chiar să înceapă. Dar dacă renunțăm la toate astea? O relație neîmpovărată de convenții are un soi de puritate, de simplitate și libertate. Mie mi se pare captivant când doi oameni se unesc fără altceva în minte decât prezentul. Iar când vreau ceva, fac tot ce pot ca să-l obțin. Însă vreau să fie foarte clar ce-ți sugerez.

Se referă la sex fără obligații, îmi dau seama. Sunt sigură că mulți dintre bărbații care mi-au dat întâlniri în trecut mă voiau pentru asta mai degrabă decât pentru dragoste, și printre ei s-a numărat și tatăl lui Isabel. Însă puțini au avut îndrăzneala să-mi ceară acest lucru atât de direct. Fără voia mea, deși pe de o parte sunt dezamăgită – chiar îmi *plac* din când în când gesturile romantice –, pe de altă parte, sunt intrigată.

– La care pat te gândeai? întreb eu.

Răspunsul, firește, este patul din One Folgate Street. Iar dacă interacțiunea mea de până acum cu Edward Monkford m-ar fi putut face să cred că va fi un amant lipsit de generozitate sau reticent – Oare un minimalist va simți nevoia să-și împăturească pantalonii înainte de a face sex? Oare cineva care disprețuiește decorațiunile interioare și pernuțele cu model va fi pretențios și în ceea ce privește lichidele corporale și alte semne ale pasiunii? –, sunt plăcut surprinsă să descopăr că realitatea este foarte diferită. Iar referirea lui la o relație fără obligații nu a fost un eufemism pentru o relație dedicată exclusiv plăcerii bărbatului. În pat, Edward este atent, generos și deloc grăbit. Abia când simțurile mele sunt estompate de orgasm își permite și el, într-un târziu, să-și dea drumul, încordându-și coapsele și oprindu-se în timp ce se cutremură în mine, rostindu-mi numele tare, iar și iar.

Jane. Jane. Jane.

Aproape, mă gândesc eu mai târziu, ca și cum ar încerca să și-l imprime în minte.

După aceea, în timp ce stăm culcați împreună, îmi aduc aminte de articolul pe care l-am citit mai devreme.

–Un bărbat a tot lăsat flori aici. A zis că sunt pentru o femeie care a murit, Emma. Asta a avut legătură cu scara, nu-i așa?

Mâna lui, care mă mângâie leneș în sus și-n jos pe spate, nu-și întrerupe mișcările.

–Da. Bărbatul ăsta te deranjează?

–Nu prea. În plus, dacă a pierdut pe cineva la care ținea...

Câteva clipe, rămâne tăcut.

–Crede că eu sunt responsabil. S-a convins singur că, cine știe cum, casa asta a fost de vină. Dar autopsia a arătat că Emma băuse. Și dușul era pornit când au găsit-o. Probabil a coborât în fugă cu picioarele ude.

Mă încrunt. Pare așa de puțin plauzibil ca cineva să alerge în calmul din One Folgate Street.

–Crezi că fugea de cineva?

El ridică din umeri.

–Sau se grăbea să deschidă ușa.

–În articol scria că poliția a arestat pe cineva. Nu zicea pe cine. Dar, indiferent cine a fost, l-au eliberat.

–Da? Ochii lui de un albastru atât de deschis sunt de nepătruns. Nu-mi aduc aminte toate detaliile. Eram plecat, lucram la un proiect în perioada aia.

–Și a mai zis de cineva, de un bărbat, care i-a otrăvit mintea...

Edward aruncă o privire la ceas și se ridică.

–Îmi pare tare rău, Jane. Am uitat complet, trebuie să fac o inspecție pe șantier.

–N-ai timp să mănânci ceva? întreb eu, dezamăgită că pleacă așa de repede.

El clatină din cap.

–Mulțumesc. Am întârziat deja. Te sun.

Deja se întinde după haine.

4. *Nu am timp de pierdut cu oamenii care*
   nu se străduiesc să se perfecționeze.

   Sunt de acord ○ ○ ○ ○ ○ *Nu sunt de acord*

ATUNCI: **EMMA**

– Ideea este, spune Brian pe un ton agresiv, că nu putem să scriem o declarație oficială până când nu ne hotărâm care sunt valorile noastre.

Se uită la cei prezenți în sala de ședințe de parcă i-ar provoca pe toți să-l contrazică.

Suntem în Sala 7b, o cutie cu pereți din sticlă, identică cu 7a și cu 7c. Cineva a scris scopul ședinței pe o coală din *flipchart*. „Declarația oficială privind valorile companiei.“ Pe geam sunt încă lipite coli rupte de la o ședință anterioară. Pe una scrie „Răspuns în 24 de ore? Capacitatea de stocare în caz de urgență?“ Pare mult mai interesant decât ce facem noi.

Mai mult de un an am tot încercat să mă mut la marketing. Totuși, faptul că sunt aici astăzi cred că se datorează mai mult faptului că sunt prietenă cu Amanda și, prin urmare, cu Saul, care este destul de sus situat pe partea financiară, și mai puțin unei dorințe sincere a lui Brian de a mă avea în echipa lui. Încerc să aprob energic din cap de fiecare dată când Brian se uită în direcția mea. Cumva, credeam că marketingul va avea mai mult *glamour*.

– Cine e secretar? întreabă Leona uitându-se la mine.

Înțeleg aluzia și mă ridic imediat, ca să îmi ocup poziția lângă *flipchart*, cu markerul în mână, fata nouă și entuziastă. În partea de sus a paginii, scriu *VALORI*.

– Energie, sugerează cineva, iar eu, conștiincioasă, notez.

– Pozitivitate, zice altcineva.

Se aud și alte voci. Grijă. Dinamism. Încredere.

Charles zice:

– Emma, nu ai scris „dinamism".

Dinamism a fost sugestia lui.

– Nu-i același lucru cu „energie"? întreb eu.

Brian se încruntă. Scriu și „dinamism", oricum.

– Cred că ar trebui să ne întrebăm care anume este obiectul major al Flow? zice Leona, uitându-se în jurul ei cu importanță. Care este modul acela unic în care noi, cei de la Flow, putem contribui la viețile oamenilor?

Urmează o tăcere lungă.

– Să livrăm apă îmbuteliată? sugerez eu.

Zic asta pentru că Flow este o firmă care livrează bidoane de apă pentru dozatoarele de apă din birouri. Brian se încruntă din nou și mă hotărăsc să-mi țin gura.

– Apa este esențială. Apa e *viață*, zice Charles. Scrie asta, Emma!

Mă supun, cu sfială.

– Am citit undeva, adaugă Leona, că toți suntem făcuți în mare parte din apă. Deci apa este, efectiv, o mare parte din noi.

– Hidratare, zice Brian gânditor.

Câteva persoane încuviințează, inclusiv eu.

Ușa se deschide și Saul își strecoară capul înăuntru.

– Ah, geniile creatoare de la marketing lucrează din greu, spune el vesel. Cum merge?

Brian mormăie.

– Ne chinuim cu declarația de valori, zice el.

Saul aruncă o privire la *flipchart*.

– E destul de simplu, nu? Îi scutim pe oameni de efortul de a mai deschide un robinet și le luăm o groază de bani pentru asta.

– Șterge-o de aici! îi spune Brian râzând. Nu ne ajuți așa.

– E în regulă, Emma? mă întreabă Saul vesel în timp ce se conformează.

Îmi face cu ochiul. Văd cum capul Leonei se întoarce spre mine. Pun pariu că nu știa că am prieteni în conducere.

Notez „În mare parte apă" și „Hidratare".

*

Când ședința se termină, în sfârșit – se pare că scopul suprem al firmei Flow este „să prilejuiască mai multe momente petrecute la dozatoarele de apă, în fiecare zi și oriunde", o revelație care pare pentru toți cei prezenți corespunzător de inspirată și de strălucită –, mă întorc la biroul meu și aștept să plece toți colegii la masa de prânz ca să formez un număr.

– Monkford Partnership, răspunde politicos o voce de femeie.

– Cu Edward Monkford, vă rog, cer eu.

Liniște. Monkford Partnership nu folosește muzică înregistrată. Apoi:

– Edward la telefon.

– Domnule Monkford...

– Spune-mi Edward.

– Edward, trebuie să te întreb ceva despre contractul nostru.

Știu că ar trebui să discut cu Mark, agentul, despre așa ceva, dar am senzația că o să-i spună lui Simon.

– Mă tem că regulile nu sunt negociabile, Emma, răspunde inflexibil Edward Monkford.

– Nu am o problemă cu regulile, îl asigur eu, chiar dimpotrivă. Și nu vreau să plec din One Folgate Street.

Pauză.

– De ce ar trebui să pleci?

– Contractul pe care l-am semnat eu și Simon... Ce s-ar întâmpla dacă unul dintre noi n-ar mai locui acolo? Iar celălalt ar vrea să rămână?

– Nu mai ești cu Simon? Îmi pare rău, Emma.

– Deocamdată... nu e decât o întrebare teoretică. Aș vrea numai să știu care ar fi situația, atât.

Capul îmi plesnește. Doar gândul de a mă despărți de Simon mă face să mă simt ciudat, amețită. Oare spargerea e motivul? Sau discuțiile cu Carol? Sau chiar One Folgate Street, spațiile acelea goale, puternice, în care brusc totul pare mult mai clar?

Edward Monkford se gândește.

– Teoretic, zice el, ar fi o încălcare a contractului din partea voastră. Dar îmi închipui că ai putea să semnezi un act adițional, prin care să-ți asumi singură toate responsabilitățile.

Orice avocat competent ar putea să întocmească unul în zece minute. Ți-ai mai permite chiria?

– Nu știu, răspund sincer.

One Folgate Street poate că e ridicol de ieftină pentru un loc atât de uimitor, dar tot e mai mult decât îmi pot permite eu cu salariul meu mic.

– Ei, sunt sigur că putem ajunge la un compromis.

– E foarte frumos din partea ta, spun eu.

Iar acum mă simt și mai neloială, pentru că, dacă ar auzi această conversație, Simon ar spune că l-am sunat pe Edward Monkford, și nu pe agent, tocmai ca să ajung la acest rezultat.

Simon se întoarce în One Folgate Street cam la o oră după mine.

– Ce se întâmplă aici? zice el.

– Gătesc, spun eu zâmbindu-i. Preferata ta, vită Wellington!

– Uau! exclamă el uimit, uitându-se prin bucătărie.

E drept că e cam dezastru pe aici, dar măcar poate să vadă ce eforturi am făcut.

– Cât timp ți-a luat? întreabă el.

– Am făcut cumpărăturile în pauza de prânz și am plecat de la muncă la timp ca să termin tot, zic eu mândră.

De îndată ce am terminat convorbirea cu Edward Monkford, m-am simțit îngrozitor. Ce-a fost în capul meu? Simon s-a străduit așa de mult și eu chiar m-am comportat ca un monstru în ultimele câteva săptămâni. M-am hotărât să mă revanșez față de el începând cu seara asta.

– Am și vin, îi zic.

Simon face ochii mari când vede că am băut deja o treime din sticlă, dar nu zice nimic.

– A, și măsline, și chipsuri, și multe alte chestii de ronțăit, adaug eu.

– Mă duc să fac un duș, zice el.

Când se întoarce, proaspăt spălat și schimbat, vita e la cuptor, iar eu sunt cam amețită. Simon îmi dă un pachet ambalat.

– Știu că e abia mâine, iubi, îmi spune el, dar vreau să ți-l dau acum. La mulți ani, Em!

Îmi dau seama după formă că este un ceainic, dar abia când scot ambalajul văd că nu este un ceainic oarecare, ci unul frumos, art deco, cu un model de pană de păun, parcă scos dintr-un transatlantic din anii '30.

– E superb! zic eu.

– L-am găsit pe Etsy, zice el mândru. Îl recunoşti? E cel folosit de Audrey Hepburn în *Mic dejun la Tiffany*. Filmul tău preferat. L-am comandat de la un magazin de antichităţi din America.

– Eşti incredibil! spun eu. Las jos ceainicul şi mă duc să mă aşez în poala lui. Te iubesc, îi şoptesc eu, în timp ce îl sărut uşor pe ureche.

A trecut prea mult timp de când nu i-am mai zis asta. Nici unul dintre noi nu a mai spus-o. Îmi strecor o mână între coapsele lui.

– Ce-i cu *tine?* zice el amuzat.

– Nimic, răspund eu. Poate că trebuie să intri în atmosferă. Sau în mine. Mă unduiesc în poala lui şi îl simt cum începe să se excite. Ai fost atât de răbdător, îi şoptesc la ureche.

Mă las să alunec în jos până când îngenunchez între picioarele lui. Plănuisem să fac asta mai târziu, după cină, dar acum e un moment cât se poate de potrivit, şi vinul ajută. Îi trag în jos fermoarul şi îi scot penisul afară. Mă uit în sus la Simon şi-i zâmbesc în chip de invitaţie la desfrâu, sper eu, apoi îi ating vârful penisului cu buzele.

Un minut sau cam aşa ceva, mă lasă, dar în loc să i se întărească, simt că devine din ce în ce mai moale. Mă străduiesc mai mult, însă asta doar înrăutăţeşte lucrurile. Când îmi ridic din nou privirea, văd că ţine ochii închişi şi pumnii încleştaţi, de parcă s-ar concentra disperat să aibă o erecţie.

– Mmm! murmur eu, ca să-l încurajez. Mmmmmm!

La sunetul vocii mele, deschide brusc ochii şi mă împinge.

– Doamne, Emma! zice el. Se ridică şi-şi bagă penisul înapoi în pantaloni. Doamne! repetă el.

– Ce s-a întâmplat? întreb eu stupefiată.

El se holbează la mine de sus, cu o expresie ciudată pe faţă.

– Deon Nelson.

– Ce-i cu el?

– Cum poți să-mi faci mie ce i-ai făcut... *nenorocitului?* întreabă el.

Acum e rândul meu să mă holbez la el.

– Nu fi ridicol! spun eu. Gura mea nu-i aparține lui.

Înțeleg acum că, în tot timpul ăsta, când credeam că eu evitam să fac sex cu Simon, de fapt el evita să facă sex cu mine.

– L-ai lăsat să termine în gura ta, zice el.

Tresar de parcă m-ar fi lovit.

– Nu l-am *lăsat*, spun. M-a *obligat*. Cum poți să spui așa ceva? Cum îndrăznești? Dispoziția mi s-a schimbat iar, de la euforie la nefericire cruntă. Ar trebui să mâncăm vita, zic eu.

– Stai, mă întrerupe el. Trebuie să-ți spun ceva.

Arată așa de nefericit, încât mă gândesc „Asta e. Se desparte de mine."

– Poliția a venit să vorbească cu mine azi, spune el. Despre o... discrepanță în mărturia mea.

– Cum adică discrepanță?

Se duce la fereastră. S-a întunecat afară, dar el se uită pe geam de parcă ar putea să vadă ceva.

– După spargere, continuă el, am dat o declarație la poliție. Le-am spus că fusesem într-un bar.

– Știu, zic eu. The Portland, parcă?

– Se pare că nu a fost Portland. Au verificat. The Portland nu este autorizat să fie deschis până târziu, așa că mi-au verificat extrasele de cont.

Pare multă muncă doar ca să verifice în care bar a fost Simon.

– De ce? întreb eu.

– Au spus că, dacă nu făceau asta, avocatul lui Nelson putea să-i acuze că nu și-au făcut treaba. Face o pauză. Nu am fost într-un bar în seara aia, Emma. Am fost într-un club. Un club de dansuri erotice.

– Deci ce-mi spui tu, zic eu rar, e că în momentul în care eu eram... eram *violată* de monstrul ăla, tu te uitai la femei goale?

– Eram cu un grup, Em. Saul și câțiva băieți. Nu a fost ideea mea. Nici măcar nu mi-a plăcut.

– Cât ai cheltuit?

Pare uimit.

– Ce legătură are asta?

– Cât ai cheltuit? țip eu.

Vocea mea reverberează în casa cu pereți de piatră. Nici nu mi-am dat seama până acum că One Folgate Street are ecou. E ca și cum ar participa și casa, țipând și ea la el.

Simon oftează.

– Nu știu. Trei sute de lire.

– Dumnezeule! spun eu.

– Poliția crede că o să se afle totul la tribunal, spune el.

Tocmai înțeleg ce înseamnă toate astea. Nu numai că Simon este în stare să cheltuiască bani pe care nu-i are ca să se holbeze la femei goale cărora nu poate să le-o tragă, doar pentru că prietenii lui îl târăsc acolo; nu numai că el mă crede cumva murdărită din cauza a ce mi-a făcut bărbatul ăla; dar și care ar putea fi efectele în cazul împotriva lui Deon Nelson. Apărarea va spune că relația noastră e un dezastru, că ne mințim unul pe altul și amândoi mințim poliția.

Va spune că a fost sex consimțit în noaptea aia și că din cauza asta nu am făcut reclamație.

Încerc să ajung la chiuvetă, dar tot vinul ăla roșu, măslinele negre, chipsurile pentru seara noastră specială, totul mi se revarsă din gură într-un șuvoi de vomă fierbinte și amară.

– Ieși afară! îi spun când termin de vomitat. Pleacă odată! Ia-ți lucrurile și pleacă! Am mers prin viață ca o somnambulă, lăsându-l pe omul ăsta slab, neînsemnat, să pretindă că mă iubește. E momentul să-i pun capăt. Pleacă! repet eu.

– Em, zice el rugător. Em, ascultă ce spui. Asta nu ești tu. Vorbești așa din cauza a tot ce s-a întâmplat. Ne iubim. O să trecem peste asta. Nu spune ceva ce s-ar putea să regreți mâine.

– N-o să regret mâine, îl asigur eu. N-o să regret niciodată. Ne despărțim, Simon. Nu mai merge de-o veșnicie. Nu mai vreau să fiu cu tine și, în sfârșit, am găsit curajul s-o spun.

ACUM: JANE

– *Ce a zis?*
– A zis că o relație neîmpovărată de convenții are o puritate captivantă. Adică, se poate să parafrazez eu un pic, dar cam asta era ideea.

Mia pare îngrozită.

– Tipul ăsta vorbește serios?
– Păi, tocmai asta e. E așa de... diferit de toți bărbații cu care am fost până acum.
– Ești sigură că nu suferi de sindromul Stockholm sau cum s-o chema? Mia se uită în jur la spațiile goale și palide din One Folgate Street. Să trăiești aici... probabil e ca și cum ai fi blocată în capul lui. Poate ți-a spălat creierii.

Râd.

– Cred că Edward mi s-ar fi părut interesant și dacă n-aș fi locuit într-o clădire concepută de el.
– Și tu? El ce vede la tine, draga mea? În afară de futaiul neîmpovărat sau cum i-a zis el?
– Nu știu, oftez eu. Oricum, nu cred că mai am șanse să aflu acum.

Îi povestesc cum Edward a plecat atât de abrupt din patul meu, iar ea se încruntă.

– Mie mi se pare că are probleme serioase, J. Poate ar fi bine să-l eviți?
– Toată lumea are probleme, răspund eu șoptit. Chiar și eu.

– Doi oameni loviți nu fac unul întreg. Ce-ți trebuie *ție* acum e un tip drăguț și de încredere. Cineva care să aibă grijă de tine.

– Din păcate, nu cred că tipii drăguți și de încredere sunt genul meu.

Mia nu comentează nimic.

– Și de atunci nu ați mai vorbit?

Clatin din cap.

– Eu nu l-am sunat.

Nu-i zic despre e-mailul intenționat nonșalant pe care i l-am trimis a doua zi și la care nu am primit nici un răspuns.

– Ei, asta *chiar* că e o relație neîmpovărată de obligații. Tace o vreme. Și tipul cu florile? De el mai știi ceva?

– Nu. Dar Edward a spus că decesul a fost un accident. Se pare că săraca fată a căzut pe scări. Adică, poliția a luat în calcul crima, dar nu a putut să dovedească.

Mia se holbează la mine.

– Pe scările *astea*?

– Da.

– Și crimă, ce naiba? Nu te sperie asta? Să știi că locuiești în locul unde s-a petrecut o crimă?

– Nu prea, o lămuresc eu. Adică, sigur, e o tragedie. Dar, așa cum am zis, probabil nu a fost vorba deloc despre o crimă. În plus, în multe case a murit câte cineva.

– Nu așa. Și locuiești aici singură...

– Nu mi se face frică. E o casă foarte liniștită. Și mi-am ținut bebelușul mort în brațe. Moartea unei străine, de acum câțiva ani, nu prea are cum să mă deranjeze.

– Cum o chema?

Mia își scoate iPad-ul.

– Pe fata care a murit? Emma Matthews. De ce?

– Nu ești curioasă? Atinge câteva taste pe ecran. Dumnezeule!

– Ce?

Fără să vorbească, îmi arată. Pe ecran e poza unei femei de douăzeci și ceva de ani. E destul de drăguță; slabă și cu părul șaten. Pare cunoscută, cumva.

– Şi? zic eu.

– Nu vezi? întreabă Mia.

Mă uit din nou cu atenţie la fotografie.

– Ce să văd?

– J, arată exact ca tine. Sau, mai degrabă, *tu* arăţi exact ca *ea*.

Cred că e adevărat, într-un fel. Şi eu, şi ea avem acelaşi colorit neobişnuit: păr şaten, ochi albaştri şi pielea foarte palidă. E mai slabă decât mine, mai tânără şi, dacă e să fiu sinceră, mai atrăgătoare. Şi foloseşte mai mult machiaj – două urme spectaculoase de rimel negru – dar cu siguranţă văd asemănarea.

– Nu numai la faţă, adaugă Mia. Vezi cum stă? E o postură bună. Tu stai exact la fel.

– Da?

– Ştii bine că da. Tot mai crezi că tipul ăsta n-are probleme?

– Ar putea să fie o coincidenţă, zic eu într-un târziu. La urma urmei, nu avem nici un motiv să credem că Edward a avut o relaţie cu fata asta. Câte milioane de femei din lume nu au păr şaten şi ochi albaştri?

– El a ştiut cum arăţi înainte să te muţi aici?

– Da, recunosc eu. Am fost la un interviu.

Ba chiar şi înainte de asta, cele trei fotografii pe care mi le-a cerut. Nu mi-a trecut prin minte atunci, dar de ce ar avea nevoie un proprietar să vadă fotografii cu chiriaşii săi?

Mia face ochii mari când îi mai vine o idee.

– Dar soţia lui? Pe *ea* cum o chema?

– Mia, nu... îi spun eu pe un ton neconvingător.

Sunt sigură că lucrurile au mers destul de departe, dar ea deja tastează pe ecran.

– Elizabeth Monkford, numită Elizabeth Mancari înainte de căsătorie, zice ea după o vreme. Acum să căutăm după imagini... Derulează rapid fotografiile. N-are cum să fie asta... Altă naţionalitate... Am găsit!

Fluieră încet a surpriză.

– Ce e?

Întoarce ecranul spre mine.

– Nu chiar neîmpovărat, totuşi, zice ea încet.

În imagine e o femeie tânără, șatenă, așezată la un fel de șevalet de arhitect și care zâmbește spre aparatul de fotografiat. Poza e destul de pixelată, dar chiar și așa îmi dau seama că femeia din fotografie seamănă foarte bine cu Emma Matthews. Și prin urmare, bănuiesc, și cu mine.

ATUNCI: **EMMA**

A fost îngrozitor de greu să le spun lui Simon și polițiștilor că am mințit mai înainte, când am zis că nu-mi amintesc despre viol, dar să-i spun lui Carol aproape că este și mai rău. Spre ușurarea mea, are o reacție foarte binevoitoare.

– Nu tu ești vinovata în povestea asta, Emma, îmi spune ea. Câteodată, pur și simplu nu suntem pregătiți să înfruntăm adevărul.

Spre surprinderea mea însă, în timpul ședinței nu se concentrează asupra lui Deon Nelson și a amenințărilor lui îngrozitoare, ci asupra lui Simon. Vrea să știe cum a reacționat el la despărțire, dacă m-a mai căutat de atunci – și sigur că m-a căutat, tot timpul, deși acum nu-i mai răspund la mesaje – și ce o să fac eu în privința asta.

– Și acum ce urmează pentru tine, Emma? mă întreabă ea în cele din urmă. Ce vrei să se întâmple în continuare?

– Nu știu, răspund eu ridicând din umeri.

– Păi, hai să te întreb altfel: despărțirea asta este definitivă?

– Simon crede că nu, recunosc eu. Ne-am mai despărțit și înainte, dar el imploră mereu, până când, în cele din urmă, pare mai ușor să-l las să se întoarcă. De data asta e altfel. Mi-am aruncat toate lucrurile vechi, toate chestiile alea inutile. Cred că asta mi-a dat putere să scap și de el.

– Dar o relație umană este foarte diferită de lucruri, zice ea. O privesc brusc.

– Doar nu crezi că fac o greşeală, nu?

Carol rămâne pe gânduri o clipă.

– Unul dintre aspectele ciudate ale unei experienţe trauma-
tice, aşa cum e cea prin care ai trecut tu, îmi explică ea, este
că, uneori, duce la o atenuare a limitelor existente. Câteodată,
schimbările sunt temporare. Alteori însă, persoana descoperă
că îi place acest nou aspect al personalităţii ei, care devine o
parte din ea. Dacă e sau nu un lucru bun, nu pot să spun eu,
Emma. Numai tu poţi să decizi asta.

După terapie, am o întâlnire cu avocatul care a întocmit
actul adiţional la contractul de închiriere. Edward Monkford
a avut dreptate: m-am dus la un birou local de avocatură, care
s-a oferit să-mi facă actul pentru cincizeci de lire. Era o sin-
gură problemă, mi-a spus avocatul cu care am vorbit, şi anu-
me că era posibil să fie nevoie şi de semnătura lui Simon.
Pentru încă cincizeci de lire, a fost de acord să se uite prin
toată documentaţia ca să vadă dacă era aşa.

Astăzi, acelaşi avocat îmi spune că n-a mai văzut niciodată
un asemenea contract.

– Indiferent cine l-a întocmit, a vrut să fie impecabil, mă
informează el. Pentru siguranţă, ar trebui să-l rogi pe Simon
să semneze şi el.

Mă îndoiesc că Simon va semna un act care oficializează
despărţirea noastră, dar iau documentele, oricum. În timp
ce-mi caută un plic, avocatul îmi spune cu un aer prietenos:

– Am căutat proprietatea în arhiva consiliului, apropo.
E chiar fascinantă.

– Da? zic eu. De ce?

– Se pare că One Folgate Street are o istorie destul de tra-
gică, zice el. Casa originală a fost distrusă de o bombă nem-
ţească în timpului războiului şi toţi ocupanţii ei au fost ucişi,
o familie întreagă. Nu s-au găsit rude în viaţă, prin urmare
consiliul a emis un ordin de cumpărare obligatorie pentru ca
ruinele să poată fi demolate. După aceea, locul a fost părăsit
până când l-a cumpărat tipul ăsta, arhitectul. Planurile lui ini-
ţiale prevedeau o clădire mult mai convenţională, şi unii vecini

au scris consiliului pe urmă şi s-au plâns că au fost efectiv păcăliţi. Se pare că s-au încins spiritele acolo.

– Dar lucrurile au mers mai departe, zic eu, prea puţin interesată de trecutul casei.

– Aşa e. Apoi, ca şi cum asta n-ar fi fost de ajuns, tipul a cerut autorizaţie să îngroape pe cineva acolo. Două persoane, de fapt.

– Să îngroape pe cineva, repet eu, nedumerită. Dar e legal?

Avocatul încuviinţează din cap.

– E o procedură surprinzător de simplă. Atâta timp cât Agenţia de Mediu nu are nici o obiecţie şi nu există regulamente ale consiliului local care să interzică asta, consiliul este mai mult sau mai puţin obligat să acorde autorizaţia. Singura cerinţă este ca numele persoanelor decedate şi ale locului unde sunt înmormântate să fie marcate în planuri, din motive evidente. Uite aici.

Scoate o fotocopie capsată şi desfăşoară o hartă de pe verso.

„Loc definitiv de veci pentru doamna Elizabeth Domenica Monkford şi Maximilian Monkford", citeşte el tare.

Strecoară foaia în plic, alături de celelalte documente, şi mi-l întinde.

– Poftim! Poţi să păstrezi asta, dacă vrei.

ACUM: JANE

După ce pleacă Mia, mă duc la laptop şi tastez „Elizabeth Mancari", ca să mă mai uit o dată, fără ca Mia să citească peste umărul meu. Dar Menajera nu afişează nici una dintre pozele găsite.

E adevărat ce i-am spus Miei: în puţinul timp petrecut aici, niciodată nu mi s-a părut că One Folgate Street ar fi un loc înspăimântător. Însă acum, liniştea şi spaţiile goale par să capete ceva sinistru. Sigur că e ridicol; ca atunci când te sperii după ce ai auzit o poveste cu fantome. Cu toate astea, selectez cea mai puternică lumină şi mă duc prin toată casa să caut... ce? Nu intruşi, evident. Dar, dintr-un motiv oarecare, casa nu mi se mai pare chiar aşa de protectoare.

Mă simt de parcă aş fi urmărită.

Alung senzaţia. Chiar şi când m-am mutat aici, îmi amintesc eu, părea un platou de filmare. Mi-a plăcut asta atunci. Între timp, nu s-a întâmplat decât că am avut o stupidă şi zadarnică partidă de sex cu Edward Monkford şi că am descoperit că preferă un anumit tip de femeie.

„Zăcea la baza scărilor cu craniul zdrobit." Fără să vreau, mă duc şi mă holbez la locul cu pricina. Acolo o fi urma abia zărită a unei pete de sânge, de mult curăţată? Sigur, îmi zic eu, nici măcar nu ştiu dacă *a existat* sânge.

Îmi ridic privirea. Deasupra mea, în capul scărilor, văd ceva. Un firicel de lumină care nu era acolo înainte.

Urc scările cu grijă, fără să-mi iau ochii de la conturul lu-
minos. Cu cât mă apropii mai mult, acesta ia forma unei uşi
mici, nu mai înaltă de un metru şi jumătate, un panou ascuns
în perete, cu o construcţie asemănătoare dulapurilor mascate
din dormitor şi din bucătărie. Nici măcar nu-l observasem.

– Alo? strig eu.

Nici un răspuns.

Întind mâna şi împing uşa până se deschide complet. Înăun-
tru este un dulap înalt, adânc, plin de obiecte de curăţenie:
mopuri, raclete, un aspirator, o maşină de lustruit pardoseala,
chiar şi o scară extensibilă. Aproape că râd în hohote. Ar fi
trebuit să-mi dau seama că trebuia să existe aşa ceva în One
Folgate Street. Femeia care face curăţenie, o japoneză de vâr-
sta a doua, care aproape că nu vorbeşte deloc engleză şi rezistă
la toate încercările mele de interacţiune pe parcursul vizitelor
ei săptămânale, probabil a lăsat uşa întredeschisă.

Dulapul arată de parcă ar fi fost gândit să dea acces şi la
celelalte servicii ale casei. Un perete e acoperit de cabluri de
computer, care şerpuiesc până în măruntaiele casei, printr-o
trapă din acoperiş.

Îmi fac drum printre produsele de curăţenie şi scot capul
prin trapă. La lumina telefonului, văd un fel de spaţiu auxiliar
care se întinde pe toată lungimea casei, iar pe podeaua aces-
tuia, alte cabluri. Duce spre un spaţiu care pare mai mare,
ca o mansardă, deasupra dormitorului. În capătul îndepărtat,
abia dacă zăresc nişte conducte de apă.

Îmi dă prin cap că este posibil să fi descoperit o soluţie la
ceva care mă tot deranja. Nu am putut să trimit hainele ne-
purtate ale lui Isabel şi alte lucruri la Oxfam, odată cu cărţile
mele, dar nu mi se părea corect nici să le despachetez şi să le
aranjez frumos în dulapurile din One Folgate Street. Valiza
stă în dormitor încă de când m-am mutat, aşteptând să-i
găsesc o casă. Mă duc şi o iau, apoi o împing prin spaţiul auxi-
liar până când ajung în mansardă. Poate să stea aici, unde
nu încurcă.

Lumina de la telefonul meu nu este foarte puternică şi
abia când simt ceva moale sub picioare mă uit în jos şi văd
un sac de dormit, înghesuit între două grinzi. Este acoperit de

praf şi mizerie de cât a stat aici. Îl ridic şi din el cade ceva. O pereche de pantaloni de pijama de fată, cu un imprimeu de mere mici. Scotocesc cu mâna prin sac, dar nu mai e nimic, în afară de nişte şosete făcute ghem, chiar în capăt. Şi o carte de vizită, foarte şifonată. CAROL YOUNSON. PSIHOTERAPEUT AUTORIZAT. Un site web şi un număr de telefon.

Când mă întorc, mai văd câteva lucruri risipite pe jos: câteva conserve goale de ton de la supermarket, capete de lumânări, o sticlă goală de parfum şi o sticlă de plastic de băutură energizantă.

Ciudat. Ciudat şi inexplicabil. N-am de unde să ştiu dacă sacul de dormit i-a aparţinut Emmei Matthews. Nu ştiu nici măcar câţi alţi chiriaşi au fost în One Folgate Street. Iar dacă *a fost* al Emmei, cu siguranţă n-o să ştiu niciodată ce frică fără nume a făcut-o să părăsească dormitorul acela frumos şi modern ca să vină să doarmă aici.

Telefonul îmi sună foarte tare în spaţiul închis. Îl scot.

– Jane, sunt Edward, îmi spune o voce familiară.

ATUNCI: **EMMA**

Încerc să-l conving pe Simon să ne întâlnim într-un loc neutru, un bar, de exemplu, dar, deși spune că o să semneze actele, refuză cu încăpățânare să facă asta în altă parte decât One Folgate Street.

– Oricum trebuie să vin pe acolo, zice el. Am lăsat câteva lucruri când am plecat.

Fără prea mare tragere de inimă, încuviințez:

– Bine, atunci.

Setez cea mai puternică lumină și mă îmbrac cu niște blugi murdari și cel mai puțin atrăgător tricou vechi. Tocmai fac curat în bucătărie – e extraordinar cum, și cu atât de puține lucruri, tot se face dezordine – când aud un sunet în spatele meu. Tresar speriată.

– Bună, Em, zice el.

– Dumnezeule, era să fac infarct! răspund eu furioasă. Cum ai intrat?

– Păstrez codul până când îmi iau lucrurile, zice el. Nu-ți face griji, îl șterg pe urmă.

– Păi, bine, zic eu ezitând, în timp ce-mi propun să nu uit să-l întreb pe Mark, agentul, cum se blochează codul de aici.

– Ce mai faci? întreabă Simon.

– Bine, zic eu.

Știu că ar trebui să-l întreb și eu pe el, dar deja văd că nu face bine deloc. Are fața palidă și umflată, ca atunci când bea prea mult, iar tunsoarea e îngrozitoare.

– Uite contractul, zic, întinzându-i-l. Şi un stilou. Eu l-am semnat deja.

– Ei, ei, nu bem şi noi ceva împreună mai întâi?

Îmi vine să zic „Nu cred că e o idee bună, Si", dar îmi dau seama după zâmbetul lui afectat că el a băut deja.

– Nu e bine, zice el după ce îl citeşte pe tot.

– A fost întocmit de un avocat, zic eu.

– Vreau să zic că noi nu facem bine. Ne iubim, Em. Am avut problemele noastre, dar în adâncul sufletului ne iubim.

– Te rog, nu fi dificil, Simon.

– Dificil? repetă el. Asta-i cam exagerat, nu? Când eu sunt cel dat afară şi nu am unde să mă duc. Dacă n-aş şti că, până la urmă, o să mă primeşti înapoi, chiar aş fi supărat.

– N-o să te primesc înapoi, îl asigur eu.

– Ba da.

– Ba nu, zic eu.

– Dar *sunt* înapoi, nu-i aşa? Uite-mă aici.

– Doar ca să-ţi iei lucrurile.

– Sau ca să vin înapoi aici, unde sunt lucrurile mele.

– Simon, trebuie să pleci acum, spun eu enervându-mă deja.

El se sprijină de blat.

– Numai după ce bem ceva şi purtăm o discuţie cum trebuie, anunţă el.

– Ce dracu! ţip eu. Nu poţi şi tu să te porţi ca un adult, măcar o dată?

– Em, Em, se dă el bine pe lângă mine. Nu te supăra! Tot ce spun e că te iubesc şi nu vreau să te pierd.

– De parcă asta-i calea, răspund eu.

– Ah! zice el. Deci *s-ar putea* să fie o cale?

Nu ştiu ce să fac. Dacă zic că ar putea exista o şansă să ne împăcăm la un moment dat în viitor, poate pleacă fără scandal. Vechea Emma ar fi spus da, dar noua Emma e mai puternică.

– Nu, zic eu ferm, nu există absolut nici o şansă să mai fim vreodată un cuplu, Simon.

El vine spre mine şi-şi pune mâinile pe umerii mei. Respiraţia îi miroase a băutură.

– Te iubesc, Em, repetă el.

– Lasă-mă, mă împotrivesc eu, zbătându-mă să scap din strânsoare.

– Pur și simplu nu pot să nu te mai iubesc, zice el.

Are o privire de sălbatic.

Sună un telefon. Mă uit în jur. Telefonul meu e aprins și sună, împins de vibrații până la marginea blatului.

– Lasă-mă în *pace*, zic eu împingându-l.

De data asta, mă lasă să plec, iar eu înșfac telefonul.

– Da? zic eu.

– Emma, sunt Edward. Voiam doar să verific dacă ai rezolvat problemele contractuale despre care am vorbit.

Vocea lui Edward Monkford este formală și politicoasă.

– Da, mersi. De fapt, Simon e aici, urmează să semneze actele. Nu mă pot abține să nu adaug: Cel puțin, așa sper.

Urmează o tăcere scurtă.

– Dă-mi-l la telefon, te rog!

Văd cum Simon se întunecă la față în timp ce Edward vorbește cu el. Conversația durează cam un minut și, în tot timpul ăsta, Simon abia dacă spune un cuvânt, numai „Aha" și „Mmm" din când în când.

– Ia, zice el îmbufnat, dându-mi telefonul înapoi.

– Alo? zic eu.

– Simon va semna actele acum, Emma, se aude vocea lui Edward, apoi va pleca. Vin pe acolo ca să mă asigur că a plecat, într-adevăr, dar și pentru că vreau să mă culc cu tine. Bineînțeles, nu-i spune asta lui Simon!

Închide. Eu mă uit la telefon, de-a dreptul șocată. Chiar am auzit așa ceva? Dar știu că am auzit.

– Ce ți-a zis? îl întreb pe Simon.

– Nu ți-aș fi făcut rău, îmi spune el trist, fără să-mi răspundă la întrebare. Nu ți-aș face rău niciodată. Nu intenționat. Te iubesc, Em, n-am ce să fac. Și o să te cuceresc din nou. O să vezi.

Oare în cât timp ajunge Edward Monkford? Am timp să fac un duș? Mă uit la interiorul casei din One Folgate Street și îmi dau seama că sunt o grămadă de încălcări ale regulilor, chiar la vedere. Lucruri pe jos, pe blat, un exemplar de *Metro* pe masa de piatră, coşul de reciclat răsturnat pe podea. Ca să nu mai spun că dormitorul arată de parcă ar fi explodat o bombă şi n-am mai apucat să şterg petele de vin după petrecere. Fac un duş rapid, apoi strâng în grabă pe acolo, alegându-mi hainele din mers, o fustă simplă şi o cămaşă. Nu ştiu dacă să mă dau cu parfum, dar hotărăsc că ar fi prea mult. O parte din mine încă mai crede că Edward a glumit sau că am auzit eu greşit.

Deşi sper că nu-i aşa.

Telefonul meu sună iar. E Menajera, care mă anunţă că e cineva la uşă. Selectez afişarea imaginilor şi îl văd pe Edward. În mâini are flori şi o sticlă de vin.

Deci nu m-am înşelat. Apăs pe „Accept" ca să-i dau drumul în casă.

Când ajung eu la scară, el e deja la baza ei, privindu-mă lacom. Nu poţi să te grăbeşti pe treptele astea. Te obligă să păşeşti cu atenţie, formal, una câte una. Chiar dinainte să ajung la el, sunt ameţită de anticipaţie.

– Bună, zic eu emoţionată.

El doar mă priveşte. Întinde mâna şi-mi aşază o şuviţă de păr rebelă după ureche. Părul mi-e încă ud, după duş, şi îl simt rece pe piele. Degetele lui îmi ating lobul urechii şi tresar.

– E în regulă, îmi spune el încet. E în regulă. Cu degetele, îmi atinge acum bărbia şi-mi ridică uşor capul. Emma, zice el, mă gândesc mereu la tine. Dar dacă e prea curând, spune-mi şi plec. Îmi descheie primii doi nasturi de la cămaşă. Nu port sutien. Tremuri, zice el.

– Am fost violată.

Nu voiam să izbucnesc aşa. Voiam numai să înţeleagă că asta înseamnă ceva pentru mine, că el e special.

Faţa i se întunecă imediat.

– De Simon? întreabă el furios.

– Nu. El n-ar face niciodată... De unul dintre hoţi. Ţi-am spus despre ei.

– Atunci *este* prea devreme, zice el.

Îşi retrage încet mâna din cămaşa mea şi o încheie la loc. Mă simt ca un copil pe care îl îmbracă cineva pentru şcoală.

– Am vrut numai să ştii... În caz că... Putem să continuăm, dacă vrei, zic eu timid.

– Nu, nu putem, îmi spune el. Nu astăzi. Vii cu mine.

5a) *Aveți de ales între a salva statuia lui David,
de Michelangelo, sau un copil al străzii care
moare de foame. Ce alegeți?*

○ *Statuia*
○ *Copilul*

ACUM: JANE

– Opreşte aici, îi spune Edward taximetristului.

Suntem chiar în inima Londrei. De o parte şi de alta, se
înalţă construcţii spectaculoase, moderne, din sticlă şi oţel,
care abia lasă să se întrevadă turnurile Shard şi Cheesegrater
dincolo de ele. Edward observă că mă uit în sus la ele în timp
ce plăteşte taxiul.

– Clădiri trofeu, zice el indiferent. Noi intrăm aici.

Mă îndrumă către o biserică; doar o biserică parohială
mică şi banală, pe care abia dacă o observasem, înghesuită cum
e între toate aceste matahale ţanţoşe, moderniste. Interiorul
este minunat: foarte simplu, aproape pătrat, dar inundat de
lumina care pătrunde prin ferestrele imense din partea de sus
a zidurilor. Pereţii au aceeaşi culoare crem pal ca în One Fol-
gate Street. Soarele care răzbate prin sticla transparentă
desenează pe podea modelul armăturii de plumb din vitraliu.
În afară de noi doi, nu mai e nimeni acolo.

– Asta este clădirea mea preferată din Londra, zice el. Uite!

Îi urmez privirea în sus şi priveliştea îmi taie răsuflarea.
Deasupra capetelor noastre se întinde o cupolă uriaşă. Golul
său palid domină bisericuţa, plutind pe cel mai subţire dintre
piloni deasupra întregii secţiuni centrale. Altarul, sau ceea ce
presupun eu că trebuie să fie altarul, este chiar dedesubt:
o dală masivă de piatră, circulară, lată de un metru jumătate,
aşezată chiar în mijlocul bisericii.

– Înainte de Marele Incendiu din Londra, bisericile erau de două feluri. Observ că nu șoptește. Unele întunecoase, sumbre, gotice, care erau construite la fel de pe vremea când Anglia era catolică, înțesate de arcade, ornamente și vitralii, și casele de rugăciuni simple, nedecorate, ale puritanilor. După incendiu, oamenii care au reconstruit Londra au avut ocazia de a crea un nou fel de arhitectură: locuri unde toată lumea să poată să se închine, indiferent de apartenența religioasă. Așa că intenționat au adoptat stilul ăsta simplificat, neîncărcat. Dar știau că trebuie să înlocuiască întunericul gotic cu ceva. Arată spre podea, spre grilajul format de lumina soarelui, care face piatra să strălucească de parcă ar fi luminată din interior. Lumină, zice el. Iluminismul chiar a însemnat lumină.

– Cine a fost arhitectul?

– Christopher Wren. Turiștii se înghesuie la catedrala St. Paul, dar asta este capodopera lui.

– Este frumoasă, îi mărturisesc eu cu sinceritate.

Mai devreme, când m-a sunat, Edward nu a pomenit nimic despre plecarea bruscă din patul meu de acum o săptămână, nu a făcut conversație de complezență.

– Aș vrea să-ți mai arăt câteva clădiri, Jane. Vrei să vii?

– Da, am răspuns fără urmă de ezitare.

Nu e vorba că am hotărât să ignor complet sfaturile și atenționările Miei, dar sunt din ce în ce mai curioasă în privința acestui bărbat.

În plus, sunt mai încrezătoare după ce m-a adus astăzi aici. De ce ar face asta dacă ar fi atras de mine numai datorită unei vagi asemănări cu soția lui moartă? M-am hotărât că trebuie să accept condițiile pe care le-a stabilit el pentru noi: să trăiesc fiecare clipă așa cum e, fără să împovărez relația noastră cu gânduri prea analitice sau cu așteptări.

De la biserica St. Stephen mergem la casa lui John Soane, în Lincoln's Inn Fields. Un anunț la intrare ne informează că aceasta este închisă pentru public astăzi, dar Edward sună, totuși, apoi îl salută pe curator spunându-i pe nume. După o discuție amicală, suntem invitați să intrăm și să rătăcim pe acolo în voie. Căsuța este înțesată cu artefacte și tot felul de curiozități, de la fragmente de sculpturi grecești la pisici mumificate. Sunt surprinsă că lui Edward îi place, dar el răspunde blând:

– Doar pentru că eu construiesc într-un anumit stil, nu înseamnă că nu apreciez și altele, Jane. Ce contează este excelența. Excelența și originalitatea.

Dintr-un scrin din bibliotecă, scoate un desen arhitectural al unui mic templu neoclasic.

– Asta e bun.

– Ce e?

– Mausoleul pe care l-a construit pentru soția lui moartă.

Iau desenul și mă prefac că-l studiez, dar, de fapt, mă gândesc la cuvântul pe care l-a folosit: *mausoleu*.

Când ne urcăm într-un taxi care să ne ducă înapoi în One Folgate Street, eu încă analizez implicațiile. Pe măsură ce ne apropiem, mă uit la casă cu alți ochi, făcând conexiuni cu clădirile pe care le-am văzut împreună.

La ușă, rămâne mai în spate.

– Vrei să intru?

– Sigur că da.

– Nu vreau să crezi că, pentru mine, partea asta este subînțeleasă. Trebuie să fie ceva reciproc, înțelegi, nu-i așa?

– E drăguț din partea ta, dar chiar vreau să intri.

ATUNCI: **EMMA**

– Unde mergem? întreb eu în timp ce Edward strigă după un taxi.

– Walbrook, zice el atât șoferului, cât și mie, apoi adaugă: vreau să-ți arăt niște clădiri.

În ciuda tuturor întrebărilor mele, refuză să-mi mai spună altceva până când ajungem în centru. Suntem înconjurați de clădiri moderne spectaculoase, și mă întreb în care dintre ele vom intra. În schimb, el mă îndrumă spre o biserică; nelalocul ei aici, între toate aceste bănci strălucitoare.

Interiorul este drăguț, chiar dacă oarecum monoton. Deasupra se află o cupolă mare, iar direct dedesubt, altarul, o dală de proporții din piatră, trântită în mijlocul podelei. Îmi aduce aminte de cercurile păgâne și de sacrificii.

– Înainte de Marele Incendiu, erau două feluri de biserici, zice el. Cele întunecate, gotice, și casele simple de rugăciuni, unde se închinau puritanii. După incendiu, oamenii care au reconstruit Londra au văzut oportunitatea de a crea un stil nou, hibrid. Dar știau că trebuiau să înlocuiască întunericul acela gotic cu ceva. Arată spre podea, unde ferestrele mari și transparente desenează niște linii încrucișate de umbră și lumină naturală. Lumina, zice el. Iluminismul chiar a însemnat lumină.

În timp ce el se plimbă pe acolo, uitându-se la tot felul de lucruri, eu mă urc pe piatra de altar. Îmi îndoi picioarele sub mine și mă las pe spate, arcuindu-mă, până când ating piatra cu ceafa. Apoi mă mai așez și în alte poziții: podul de jos și cel de sus. Am făcut yoga aproape șase luni și încă mai știu mișcările.

– Ce faci? se aude vocea lui Edward.

– Mă ofer pe mine ca sacrificiu ritualic.

– Altarul ăla a fost făcut de Henry Moore, mă ceartă el. A luat piatra din aceeași carieră pe care a folosit-o și Michelangelo.

– Sunt sigură că a făcut sex pe ea.

– Cred că a venit momentul să plecăm, zice Edward. N-aș vrea să mi se interzică accesul tocmai în biserica asta.

Luăm un taxi până la British Museum. Edward vorbește cu cineva de la recepție, după care trecem de cordonul roșu și, cumva, ajungem într-o parte a muzeului rezervată pentru membrii mediului academic. O asistentă descuie un dulap și ne lasă singuri.

– Pune-ți astea, zice Edward, dându-mi niște mănuși albe de bumbac și păstrând o pereche pentru el. Apoi deschide dulapul și scoate un obiect din piatră. Asta este o mască rituală făcută de olmeci. Prima populație civilizată care a construit orașe în America. Au dispărut acum trei mii de ani.

Îmi dă masca. O iau, speriată să n-o scap. Ochii aproape că par vii.

– E uimitoare, zic eu.

Adevărul este că nici muzeul nu e genul meu, la fel cum nici biserica n-a fost, dar mă bucur că sunt aici cu Edward.

El încuviințează din cap, mulțumit.

– Am o regulă: să mă uit la un singur lucru într-un muzeu, zice el când ne întoarcem. Dacă vezi mai multe, nu poți să apreciezi ceea ce vezi.

– Deci de asta nu-mi plac mie muzeele, spun eu. Le-am vizitat greșit până acum.

Râde.

Mi se face foame, așa că mergem la un restaurant japonez pe care îl știe el.

– O să comand pentru amândoi, anunță el. Ceva simplu, cum ar fi *katsu*. Englezilor le e frică de mâncarea japoneză adevărată.

– Mie nu, îi spun. Eu mănânc orice.

Ridică din sprâncene.

– Asta e o provocare, domnişoară Matthews?

– Dacă vrei.

Pentru început, comandă nişte sushi – caracatiţă, arici de mare, diverse feluri de crevete.

– Sunt în zona mea de confort, îi spun.

– Hmmm, zice el.

Vorbeşte cu bucătarul într-un schimb fluent de replici în japoneză, evident făcându-l părtaş la glumă, iar bărbatul zâmbeşte ştrengăreşte la gândul de a o servi pe fata *gaijin* cu o mâncare căreia aceasta nu va putea să-i facă faţă. În curând, mi se aduce o farfurie cu un morman de bucăţele de zgârci pe ea.

– Încearcă, zice Edward.

– Ce sunt astea?

– Se numesc *shirako*.

Iau câteva, de probă. Îmi explodează în dinţi şi din ele curge o mâzgă cremoasă, sărată.

– Nu sunt rele, zic eu, înghiţind, deşi, de fapt, sunt destul de scârboase.

– Sunt sacii cu spermă ai peştelui, zice el. În Japonia, sunt consideraţi delicatese.

– Minunat! Dar eu o prefer pe cea umană. Deci, ce urmează?

– Specialitatea bucătarului.

Chelneriţa aduce un platou cu un peşte întreg. Constat şocată că este încă viu. Ce-i drept, abia dacă mai mişcă: e întins pe o parte şi îşi ridică şi-şi coboară încet coada, iar gura şi-o mişcă de parcă ar încerca să spună ceva. Toată partea de sus a fost tăiată în felii subţiri. În prima clipă, îmi vine să vărs, dar apoi închid ochii şi încep să mănânc.

La a doua gură, îi ţin deschişi.

– Eşti aventuroasă în ceea ce priveşte mâncarea, observă el fără prea mare tragere de inimă.

– Nu numai în ceea ce priveşte mâncarea, îi răspund eu.

– Emma, trebuie să ştii un lucru. Pare serios, aşa că pun beţişoarele pe masă şi sunt atentă. Eu nu sunt adeptul relaţiilor convenţionale, zice el, la fel cum nu sunt adeptul caselor convenţionale.

– Bine. Şi atunci care e filosofia ta?

– Relaţiile umane, la fel ca vieţile oamenilor, tind să acumuleze lucruri inutile. Felicitări de Ziua Îndrăgostiţilor, gesturi romantice, întâlniri speciale, nume de alint fără sens. Dar dacă renunţăm la toate astea? O relaţie neîmpovărată de convenţii are un soi de puritate, de simplitate şi libertate. Dar nu poate funcţiona decât dacă ambii parteneri ştiu foarte clar ce fac.

– O să încerc să ţin minte să nu aştept felicitări de Ziua Îndrăgostiţilor, răspund eu.

– Iar când nu va mai fi perfect, fiecare îşi va vedea mai departe de viaţa lui, fără regrete. De acord?

– Când se va întâmpla asta?

– Contează?

– Nu prea.

– Câteodată, mă gândesc că toate căsniciile ar fi mai frumoase dacă divorţul ar fi obligatoriu după o anumită vreme, meditează el. Să zicem trei ani. Oamenii s-ar aprecia mult mai mult unii pe alţii.

– Edward, zic eu, dacă sunt de acord cu asta, o să ajungem în pat?

– Nu este nevoie să ajungem în pat deloc. Dacă e dificil pentru tine, adică.

– Nu crezi că sunt marfă stricată, nu-i aşa?

– Ce vrei să spui?

– Unii bărbaţi...

Nu pot să termin fraza. Dar e un lucru care trebuie spus. Trag aer în piept tremurând.

– După ce a aflat despre viol, îi explic eu, Simon nu a mai făcut dragoste cu mine. Nu a mai putut.

– Dumnezeule! zice Edward. Dar tu? Eşti sigură că nu e prea devreme?

Impulsiv, îi apuc mâna pe sub masă şi i-o împing sub fusta mea. Edward pare surprins, dar intră în joc. Aproape că râd în hohote. Te-am făcut să mă priveşti/Te-am făcut să te holbezi./Te-am făcut să mă atingi/Acolo unde nu poţi să vezi.

Îi trag mâna mai adânc în poala mea şi îi simt articulaţiile degetelor trecându-mi peste chiloţi.

– Nu e *absolut* deloc prea devreme, spun eu.

Îl strâng de încheietură, mă împing şi mă frec de mâna lui. Edward îmi trage chiloţii într-o parte şi îşi strecoară un deget în mine. Genunchii îmi saltă şi mişcă masa cu zgomot, ca un medium la o şedinţă de spiritism. Îl privesc îndelung în ochi. El pare ţintuit.

– Ar fi mai bine să plecăm, îmi spune.

Dar nu-şi retrage mâna.

ACUM: JANE

După ce facem dragoste, mă simt moleşită şi sătulă. Edward se propteşte într-un cot şi mă examinează amănunţit, explorându-mi pielea cu palma. Când ajunge la vergeturile de la Isabel, mă ruşinez şi încerc să mă rostogolesc, ca să nu le mai vadă, dar el mă opreşte.

– Nu te ascunde! Eşti frumoasă, Jane. Fiecare părticică din tine este frumoasă. Degetele lui îşi continuă cercetarea şi descoperă o cicatrice sub sânul meu stâng. Ce s-a întâmplat aici?

– Un accident în copilărie. Am căzut de pe bicicletă.

Încuviinţează, de parcă e o explicaţie acceptabilă, şi continuă în jos, spre buric.

– Ca gura unui balon înnodat, zice el, depărtându-l. Urmează cu degetele linia fină de păr care coboară. Nu te epilezi, observă el.

– Nu. Ar trebui? Fostului meu... Lui Vittorio îi plăcea aşa. Spunea că e atât de puţin.

Edward se gândeşte.

– Ar trebui măcar să-l faci simetric.

Deodată, asta mi se pare extrem de amuzant.

– Îmi ceri să scap de surplusul din zona pubiană, Edward? izbucnesc eu.

El îşi înclină capul într-o parte.

– Da, cred că da. Ce e aşa amuzant?

– Nimic. Voi încerca să păstrez proporții minimale ale părului corporal pentru tine.

– Mulțumesc. Mă sărută pe abdomen ca și cum ar implânta un steag micuț acolo. Mă duc să fac un duș.

Aud sâsâitul apei dincolo de separeul din piatră al băii. După felul în care se modifică sunetul, îmi imaginez cum își mișcă trupul sub jet, răsucindu-și trunchiul suplu și viguros încoace și încolo. Mă întreb într-o doară cum îl recunoaște senzorul; dacă are niște privilegii speciale încă înregistrate în sistem sau dacă există pur și simplu o setare universală, generică, pentru vizitatori.

Dușul se oprește. După câteva minute, când încă nu apare, mă ridic în fund. Din direcția băii, se aude un zgomot ciudat.

Urmez sunetul până dincolo de panoul de piatră. Edward, cu un prosop alb în jurul taliei, stă ghemuit în duș și șterge pereții de piatră cu o cârpă.

– Asta este o zonă cu apă dură, Jane, zice el fără să-și ridice privirea. Dacă nu ești atent, te trezești cu depuneri de calcar pe piatră. Deja se observă. Ar trebui să ștergi dușul de fiecare dată când îl folosești.

– Edward...

– Ce?

– Nu e un pic... *obsesiv?*

– Nu, zice el. E opusul lui leneș. Se gândește puțin. Meticulos, poate.

– Nu e prea scurtă viața ca să ștergi dușurile după ce le folosești?

– Sau poate, spune el, încercând să fie rezonabil, viața e prea scurtă ca să o trăiești mai puțin perfect decât ar putea fi trăită. Se ridică. Nu ai făcut încă nici o evaluare, nu?

– Evaluare?

– Cu Menajera. E setată la intervale lunare, cred. O s-o ajustez ca să faci una mâine. Face o pauză. Sunt sigur că te descurci bine, Jane, dar dacă ai cifrele, o să te perfecționezi și mai mult.

A doua zi dimineață, mă trezesc fericită și un pic înțepenită. Edward a plecat deja. Cobor să-mi fac o cafea înainte de duș și găsesc un mesaj de la Menajeră pe ecranul laptopului.

Jane, te rog să notezi următoarele afirmații cu puncte de la 1 la 5, unde 1 înseamnă „Sunt total de acord", iar 5, „Nu sunt deloc de acord".

1. *Uneori fac greșeli.*
2. *Sunt ușor de dezamăgit.*
3. *Îmi fac griji pentru lucruri lipsite de importanță.*

Mai sunt încă vreo douăsprezece. Le las pentru mai târziu, îmi fac cafeaua și mă duc sus cu ea. Intru la duș, așteptând cascada voluptuoasă de căldură. Nu se întâmplă nimic.

Dau din braț, cel pe care port brățara digitală, dar degeaba. O pană de curent? Încerc să-mi amintesc dacă există o cutie de siguranțe în dulapul femeii de serviciu. Dar nu poate să fie ăsta motivul. La parter era curent, altfel Menajera n-ar fi funcționat.

Atunci îmi dau seama care trebuie să fie cauza.

– Lua-te-ar naiba! Edward, spun eu cu voce tare. Voiam doar un nenorocit de duș.

Când mă uit mai îndeaproape la Menajeră, totul devine clar: *Unele dotări ale casei au fost dezactivate până la finalizarea evaluării.*

Măcar m-a lăsat să-mi fac cafea. Mă așez să răspund la întrebări.

ATUNCI: **EMMA**

Sexul e bun.

Bun, dar nu spectaculos.

Am senzația că se cenzurează, încercând să pară un gentleman, când, de fapt, un gentleman este ultima persoană cu care aș vrea să fiu în pat. Vreau să fie masculul alfa egoist pentru care e clar că are potențial.

Cu toate astea, are destule atuuri.

După, stau la masa de piatră îmbrăcată cu un halat și mă uit la el în timp ce gătește o mâncare chinezească. Își pune un șorț înainte să înceapă, ceea ce mi se pare un gest ciudat de feminin pentru un bărbat atât de masculin. Dar odată ce ingredientele sunt pregătite și el își ia avânt, totul devine concentrare și precizie, foc și energie. Aruncă ingredientele în aer și le prinde din nou ca pe o clătită uriașă și plină de sos. În câteva minute, masa e gata. Sunt lihnită.

– Mereu ai avut relații așa? întreb eu în timp ce mâncăm.

– Așa cum?

– Așa ca asta. Neîmpovărate. Semidetașate.

– Multă vreme, da. Nu e vorba că am ceva împotriva relațiilor convenționale, înțelegi. Numai că stilul meu de viață nu mi le permite. Așa că am luat o decizie conștientă să mă adaptez la relații mai scurte. Am descoperit că, atunci când faci asta, relațiile chiar pot fi mai frumoase: mai intense, un sprint în loc de un maraton. Îl apreciezi mai mult pe celălalt când ştii că nu o să dureze prea mult.

– Cât durează de obicei?

– Până când unul dintre noi hotărăşte să-i pună capăt, zice el fără să zâmbească. Asta funcţionează numai dacă ambele părţi vor acelaşi lucru. Şi să nu crezi că prin relaţie „neîmpovărată" înţeleg una fără angajament sau fără efort. Doar că e alt fel de angajament, alt fel de efort. Unele dintre relaţiile perfecte pe care le-am avut n-au durat mai mult de o săptămână, altele câţiva ani. Chiar nu contează durata. Numai calitatea.

– Povesteşte-mi despre cea care a durat câţiva ani, zic eu.

– Nu vorbesc niciodată despre fostele mele iubite, îmi spune el hotărât. La fel cum nu o să vorbesc niciodată cu altele despre tine. În fine, e rândul meu acum. Cum îţi organizezi condimentele?

– Condimentele?

– Da. Mă tot sâcâie de când am încercat să găsesc chimionul mai devreme. Clar nu sunt aranjate în ordine alfabetică sau după data de expirare. Atunci? După tipul de aromă? După continent?

– Glumeşti, nu-i aşa?

El se uită la mine.

– Vrei să spui că le ţii *la întâmplare?*

– Absolut la întâmplare.

– Uau! zice el.

Cred că e ironic. Dar, uneori, cu Edward, e greu să fii sigur. La plecare, îmi spune că a fost o seară minunată.

5b) *Acum aveți de ales între a dona o sumă mică de bani unui muzeu local care strânge fonduri pentru o operă de artă importantă și a trimite banii în Africa pentru a contribui la reducerea foametei. Ce alegeți?*

○ *Muzeul*
○ *Foametea*

ACUM: JANE

– Admir desfășurarea riguroasă a lucrării, cu o varietate de tipologii, anunță un bărbat îmbrăcat cu o jachetă de catifea, făcând gesturi vaste, expansive, cu mâna în care ține paharul cu șampanie, arătând spre acoperișul din sticlă și oțel.

– ... o fuziune de infrastructură necarteziană și funcționalitate socială... adaugă o femeie cu toată convingerea.

– Linii de dorință sugerate și apoi negate...

În afară de jargon, hotărăsc eu, petrecerile care marchează încheierea lucrărilor de construcții nu sunt foarte diferite de vernisajele la care mergeam când lucram în lumea artei: o grămadă de oameni în negru, o grămadă de șampanie, o grămadă de bărbi de hipsteri și de ochelari scandinavi scumpi. În seara asta, mă aflu la inaugurarea unei săli de concerte a lui David Chipperfield. Treptat, ajung să cunosc numele celor mai cunoscuți arhitecți britanici: Norman Foster, regretata Zaha Hadid, John Pawson, Richard Rogers. Mulți vor fi prezenți în seara asta, mi-a spus Edward. Mai târziu, va avea loc un spectacol de lasere și artificii, care va putea fi văzut prin acoperișul de sticlă și va fi vizibil până în Kent.

Mă plimb prin mulțime cu paharul de șampanie în mână, trăgând cu urechea. Mă plimb pentru că, deși Edward m-a invitat să-l însoțesc, sunt hotărâtă să nu fiu o povară. În orice caz, nu e greu să mă amestec într-o conversație când vreau. Mulțimea e formată mai ales din bărbați foarte încrezători și uşor ameţiţi. Câteva persoane m-au oprit şi m-au întrebat dacă „Ne cunoaştem?" sau „Tu unde lucrezi?" sau, pur şi simplu, m-au salutat.

Îl văd pe Edward uitându-se în direcţia mea, aşa că mă duc înapoi spre el. El se îndepărtează de grupul cu care e.

– Slavă Domnului, îmi şopteşte. Dacă mai aud un singur discurs despre importanţa cerinţelor programatice, cred că înnebunesc. Mă priveşte apreciativ. Ţi-a spus cineva că eşti cea mai frumoasă femeie din camera asta?

– De fapt, mi-au spus mai multe persoane. Port o rochie Helmut Lang fără spate, scurtă până la coapse, lejeră, care se unduieşte la fiecare mişcare a mea, asortată cu nişte balerini de la Chloé. Dar nu cu aşa de multe cuvinte.

Râde.

– Vino încoace!

Îl urmez după un zid scund. El îşi pune paharul de şampanie pe el, apoi îşi trece mâna de-a lungul coapsei mele.

– Porţi chiloţi, observă el.

– Da.

– Cred că ar trebui să-i dai jos. Îţi strică linia rochiei. Nu-ţi face griji, n-o să vadă nimeni.

O clipă, rămân nemişcată. Apoi mă uit în jur. Nu se uită nimeni în direcţia noastră. Îmi dau jos chiloţii cât de discret pot. Când vreau să mă aplec ca să-i ridic, el îmi pune o mână pe braţ.

– Aşteaptă!

Cu mâna dreaptă, îmi ridică tivul rochiei.

– N-o să vadă nimeni, repetă el.

Mâna îi alunecă în sus pe coapsa mea, apoi mi se strecoară între picioare. Sunt şocată.

– Edward, eu...

– Nu te mişca, îmi spune el încet.

Degetele i se mişcă înainte şi înapoi, abia atingându-mă. Simt cum mă înclin spre el, îndemnându-l să apese mai mult. „Asta nu sunt eu", mă gândesc. „Eu nu fac aşa ceva." El îmi încercuieşte clitorisul de două, trei ori, apoi, fără avertisment, îşi împinge încet un deget în mine.

Se întrerupe cât să-mi ia paharul din mână şi să-l pună jos, lângă al lui, apoi, brusc, îmi dau seama că are ambele mâini pe mine: din spate, cu una strecoară două degete în mine, înainte şi înapoi; din faţă, cealaltă cercetează şi mângâie. Zgomotul petrecerii pare să se atenueze. Fără suflare, las în seama lui grija că ar putea să ne observe cineva. El deţine controlul acum. În ciuda decorului nepotrivit, încep să mă inunde valuri de căldură.

– Vrei să mergem într-un loc mai ferit? şoptesc eu.

– Nu, răspunde el simplu.

Degetele lui măresc ritmul, foarte sigure pe ele. Simt cum mă apropii de orgasm. Genunchii mi se înmoaie şi mâinile lui îmi preiau o parte mai mare din greutate. Şi atunci se întâmplă, vibrez şi tremur lipită de el. Artificiile strălucesc şi pâlpâie deasupra noastră. Artificii adevărate, spectacolul de lasere care poate fi văzut până în Kent, îmi dau eu seama pe măsură ce reiau contactul cu realitatea. Asta aplaudă cu toţii, slavă Domnului. Nu pe mine.

Picioarele încă îmi tremură când îşi retrage mâna şi zice:

– Scuză-mă, Jane! Trebuie să vorbesc cu câţiva oameni.

Se apropie de cineva care, sunt destul de sigură, este cel mai distins arhitect din Marea Britanie, membru al Camerei Lorzilor, şi zâmbindu-i nonşalant îi întinde mâna. Aceeaşi mână care, în urmă cu câteva secunde, era în mine.

Încă mă clatin când petrecerea începe să se destrame. Chiar am făcut asta? Chiar am avut orgasm într-o cameră plină de oameni? Asta sunt eu acum? Mă duce la un restaurant japonez din apropiere, genul care are o tejghea de sushi în mijloc şi un bucătar în spatele ei. Ceilalţi clienţi sunt toţi asiatici, oameni de afaceri îmbrăcaţi în costume închise la culoare. Bucătarul îl întâmpină pe Edward ca şi cum l-ar cunoaşte bine, se înclină şi îi vorbeşte în japoneză. Edward răspunde în aceeaşi limbă.

– I-am spus să aleagă el cu ce să ne servească, îmi spune când ne aşezăm la o masă. E un semn de respect să ai încredere în judecata unui *itamae*.

– Vorbeşti fluent japoneza.

– Am făcut o clădire în Tokyo foarte recent.

– Ştiu.

Turnul lui japonez este un arc elicoid elegant, senzual, un burghiu uriaş care străpunge norii.

– A fost prima dată când te-ai dus acolo?

Bineînţeles, ştiu deja că nu a fost. Mă uit la el cum îşi aranjează beţişoarele, ca să fie perfect paralele unul cu altul.

– Am stat un an acolo după moartea soţiei şi a copilului, răspunde el încet, iar eu simt un fior la această primă licărire fugară de descoperire de sine, de intimitate. Nu era doar un loc în care mă simţeam ca acasă. Era şi cultura de acolo, cu accentele ei asupra disciplinei personale şi a reţinerii. În societatea noastră, austeritatea este asociată cu privaţiunile, cu sărăcia. În Japonia, este considerată cea mai înaltă formă de frumuseţe, ceva ce ei numesc *shibui*.

O chelneriţă aduce două boluri cu supă. Bolurile sunt făcute din bambus pictat, aşa de uşoare şi de mici încât încap într-o palmă.

– Uite, bolurile astea, de exemplu, zice el, ridicând unul. Sunt vechi şi nu prea se potrivesc între ele. Asta înseamnă *shibui*.

Iau o gură de supă. Ceva mă gâdilă pe limbă, e o senzaţie ciudată de mişcare.

– Sunt vii, apropo, adaugă el.

– Ce anume? zic eu speriată.

– Supa are creveţi mici. *Shirouo* – nou-născuţi. Bucătarul îi aruncă în ea în ultima clipă. E considerată o mare delicatesă.

Arată spre tejgheaua de sushi, unde bucătarul se înclină din nou spre noi.

– Specialitatea lui chef Atara este *ikizukuri*, fructe de mare vii. Sper că-ţi place.

Chelneriţa mai aduce un platou şi îl pune pe masă între noi. Pe el e un biban de mare, cu solzii arămii, strălucitori, în contrast cu feliile de ridiche albă. O parte a peştelui a fost feliată atent în sashimi, până la os. Dar creatura este încă vie şi coada i se curbează de parcă ar fi un scorpion, apoi cade inertă la loc; gura i se cască, ochii i se rotesc alarmaţi.

– O, Doamne! exclam eu, înspăimântată.

– Încearcă măcar. E delicios, te asigur.

Se întinde și ia o felie de carne albă cu bețișoarele.

– Edward, nu pot să mănânc asta.

– Nu-i nimic. Îți comand altceva.

Îi face un semn chelneriței, care vine lângă noi imediat. Dar supa din stomacul meu amenință brusc să vină înapoi. *Nou-născuți*. Cuvântul începe să-mi răsune puternic în cap.

– Jane. Te simți bine?

Mă privește îngrijorat.

– Nu, nu...

Una dintre ciudățeniile durerii este că se năpustește asupra ta când te aștepți mai puțin. Deodată, sunt înapoi la maternitate, o țin în brațe pe Isabel, îi învelesc capul cu pânza de înfășat, ca într-un șal, ca să nu las căldura – căldura *mea* – să-i părăsească trupușorul, încerc să amân momentul când mânuțele și piciorușele ei se vor răci. Mă uit la ochii ei, ochii ei mici, închiși, cu pleoapele fine ca niște săculeți, întrebându-mă ce culoare au ochii ei, dacă sunt albaștri, ca ai mei, sau căprui, ca ai tatălui ei.

Clipesc și amintirea dispare, dar povara de plumb a eșecului și a disperării m-a lovit din nou în moalele capului și, deodată, îmi acopăr hohotele cu încheietura mâinii.

– O, Doamne!

Edward își dă una peste frunte.

– *Shirouo*. Cum am putut să fiu atât de prost?

Vorbește cu chelnerița într-un șuvoi neîntrerupt de japoneză, arătând spre mine și comandând mai multă mâncare. Dar nu e timp pentru așa ceva acum, nu e timp pentru nimic. Deja mă reped spre ușă.

ATUNCI: **EMMA**

– Mulţumesc că ai venit, Emma, zice inspectorul Clarke. Un cubuleţ de zahăr, da?

Biroul inspectorului este mic şi înghesuit, plin de hârţoage şi dosare. Într-o fotografie înrămată, destul de veche, el se află în primul rând al unei echipe de rugby şi ţine în mână un trofeu ridicol de mare. Cana de nes pe care mi-o întinde are o poză cu Garfield pe ea, ceea ce pare neobişnuit de vesel pentru o secţie de poliţie.

– E în regulă, răspund eu agitată. Despre ce e vorba?

Inspectorul Clarke ia o gură din propria cafea şi pune cana pe birou. Lângă ea e o farfurie cu biscuiţi, pe care o împinge spre mine.

– Cei doi bărbaţi acuzaţi în legătură cu cazul tău au pledat nevinovaţi şi au cerut să fie eliberaţi pe cauţiune, zice el. În ceea ce priveşte complicele, Grant Lewis, nu putem să facem prea multe. Dar cu cel care te-a violat, Deon Nelson, s-ar putea ca lucrurile să stea altfel.

– Bine, zic eu, deşi nu prea înţeleg de ce m-a chemat la secţie ca să-mi explice asta.

Sunt veşti rele, bineînţeles, dar nu putea să-mi spună la telefon?

– Ca victimă, continuă inspectorul Clarke, ai dreptul să dai o declaraţie personală. E ceea ce presa numeşte uneori o declaraţie de impact. Poţi să spui la audierea pentru stabilirea cauţiunii cum te-a afectat infracţiunea, cum te simţi la gândul că e posibil ca Nelson să fie liber până la începerea procesului.

Încuviințez din cap. Cum mă simt? Nu prea simt nimic. Atâta timp cât el ajunge la închisoare în cele din urmă, asta e tot ce contează.

Văzând lipsa mea de entuziasm, inspectorul Clarke zice cu blândețe:

– Adevărul, Emma, este că Nelson e un bărbat deștept și violent. Personal, m-aș simți mult mai confortabil dacă aș ști că ar rămâne în spatele gratiilor chiar acum.

– Dar n-ar risca să facă asta din nou cât timp e eliberat pe cauțiune, nu-i așa? întreb eu. Apoi înțeleg la ce face aluzie inspectorul. Credeți că e posibil să fiu în pericol? întreb eu, holbându-mă la el. Că ar putea încerca să mă împiedice să depun mărturie?

– Nu vreau să te alarmezi, Emma. Din fericire, situațiile de intimidare a martorilor sunt foarte rare. Dar, în astfel de cazuri, când totul depinde de mărturia unei persoane, e mai bine să fim extrem de precauți, ca să nu ne pară rău mai târziu.

– Ce vreți să fac eu?

– Scrie o declarație personală pentru audierea de eliberare pe cauțiune. Putem să-ți dăm niște indicații, dar cu cât e mai personală, cu atât e mai bine. Face o scurtă pauză. Ar trebui totuși să-ți amintesc că, odată ce declarația ta e citită în instanță, devine un document juridic. Apărarea va avea dreptul să te interogheze în timpul procesului.

– Cine ar citi-o?

– Păi, ar putea s-o citească procurorul sau un polițist, dar impactul e mai mare dacă declarația vine direct de la victimă. Și judecătorii sunt oameni. Și eu cred că o să produci o impresie foarte puternică. Preț de o clipă, chipul inspectorului Clarke se îmblânzește și aproape că i se umezesc ochii. Apoi își drege glasul. Vom face o cerere pentru măsuri speciale. Asta înseamnă că poți să fii ascunsă de Nelson în timpul audierii. Nu va trebui să te uiți la el când citești declarația, iar el n-o să poată să te vadă.

– Dar *o să fie* acolo, zic eu. O să asculte.

Inspectorul Clarke încuviințează.

– Şi ce se întâmplă dacă judecătorul acceptă şi îl eliberează pe cauţiune? Nu există riscul ca astfel să înrăutăţesc lucrurile?

– Ne vom asigura că eşti în siguranţă, mă asigură inspectorul Clarke. Până la urmă, e bine că te-ai mutat. El nu ştie unde locuieşti. Bărbatul mă fixează cu privirea sa blândă, grijulie. Deci, Emma, vrei să scrii declaraţia şi s-o citeşti instanţei?

De asta sunt aici, îmi dau eu seama. Ştia că dacă doar mă suna, era posibil să refuz.

– Păi, dacă credeţi că o să ajute, mă trezesc spunând.

– Bravo! Eşti o fată bună, zice el. Din partea oricui altcuiva, ar fi părut o remarcă arogantă, dar uşurarea lui a fost aşa de evidentă, încât nu mă deranjează. Audierea va fi joi, adaugă el.

– Aşa de repede?

– Are un avocat foarte insistent, din păcate. Pe socoteala contribuabililor, bineînţeles. Inspectorul Clarke se ridică în picioare. O să rog pe cineva să-ţi găsească o sală goală. Poţi să începi să scrii declaraţia acum.

ACUM: JANE

La câteva zile după episodul de la restaurant, primesc două pachete. Unul e o cutie mare, subțire, cu marca distinctivă W de la Wanderer din Bond Street. Celălalt este mai mic, cam de mărimea unei cărți broșate. Îl ridic pe cel mai mare pe masa de piatră. În ciuda mărimii, nu cântărește aproape nimic.

Înăuntru, ambalată în hârtie, e o rochie. Se întinde singură pe brațul meu, cu materialul negru curgând mătăsos de o parte și de alta. Îmi dau seama imediat cât de senzuală și de catifelată o s-o simt pe piele.

Mă duc sus cu ea și o probez. Nu trebuie decât să ridic brațele și materialul îmi alunecă natural pe corp. Când mă învârt, materialul se mișcă odată cu mine, aproape jucăuș. Cercetez țesătura și văd că e tăiată în diagonală.

Ar merge un colier cu ea, mă gândesc eu și, instantaneu, ghicesc ce e în pachetul mai mic.

E și un bilețel, cu un scris frumos, aproape caligrafic. „Iartă-mă că am fost un prost insensibil. Edward." Și o cutie în formă de scoică în care, cuibărit în interiorul de catifea, se află un colier cu trei rânduri de perle. Perlele nu sunt mari, dar culoarea și forma lor sunt neobișnuite. Sunt crem, nu chiar rotunde, cu o licărire difuză în sidef.

Exact aceeași culoare ca pereții din One Folgate Street.

Colierul pare mic – *prea* mic, mă gândesc eu când îl pun la gât. E strâns în jurul gâtului și, o clipă, mă simt sugrumată de lipsa de elasticitate, așa de diferită de rochia curgătoare, senzuală. Dar apoi mă privesc în oglindă și combinația este uimitoare.

Îmi ridic părul cu o mână să văd cum îmi stă. Da, așa, desfăcut într-o parte. Îmi fac un selfie, să-i trimit Miei.

Și Edward ar trebui să mă vadă, mă gândesc eu. Îi trimit și lui fotografia. „Nu am ce să iert. Dar îți mulțumesc."

Îmi răspunde în mai puțin de un minut. „Bine. Pentru că sunt la două minute distanță și mă apropii."

Mă duc la parter și stau în fața ferestrei, cu fața la ușă, așezându-mă astfel încât să obțin efectul maxim. Așteptându-mi iubitul.

Mi-o trage pe masa de piatră, cu tot cu rochie și colierul de perle: rapid, direct, fără preambul și vorbărie fără rost.

Nu am mai avut niciodată o relație ca asta. Nu am mai făcut niciodată dragoste în alte locuri decât în pat. Mi s-a spus că sunt rezervată și distantă; un bărbat mi-a zis chiar că sunt plicticoasă când vine vorba de sex. Și totuși, cumva, iată-mă! Uite ce fac.

După, Edward parcă iese dintr-un fel de transă. Redevine politicos și atent, preluând din nou controlul. Gătește niște paste, făcând sos doar din ulei de măsline dintr-o sticlă fără etichetă, o mână de brânză proaspătă de capră și piper măcinat din belșug. Uleiul se numește *lacrima*, îmi zice, primele lacrimi valoroase care se ridică la suprafață când sunt spălate măslinele, înainte de presare. La fiecare recoltă, i se trimit câteva sticle din Toscana. Piperul e din Tellicherry, pe coasta Malabarului.

– Deși, uneori, folosesc boabe de piper de Kampot din Cambodgia. Sunt mai blânde, dar mai aromate.

Sex și mâncare bună, simplă. Uneori pare culmea sofisticării.

După ce înfulecăm pastele, încarcă mașina de spălat vase și curăță cratițele în care a gătit. Abia apoi scoate un document dintr-o geantă de piele.

– Ți-am adus rezultatele. M-am gândit că vrei să știi cum te descurci.

– Am trecut?

Nu zâmbește.

– Păi, punctajul total este optzeci.

– Cât ar trebui să fie?

– Nu există o referință reală, dar ne-ar plăcea să scadă la cincizeci sau poate chiar la mai puțin, în timp.

Fără voia mea, mă simt criticată.

– Ce greșesc?

Se uită peste hârtie, care observ că e acoperită cu șiruri de numere, ca o foaie de calcul.

– Ai putea să faci un pic mai multe exerciții fizice. Vreo două ședințe pe săptămână ar trebui să fie de ajuns. Ai slăbit ceva de când ai venit aici, dar probabil ai putea să mai slăbești puțin. În general, nivelurile de stres sunt într-un interval acceptabil. Debitul tău vocal tinde să crească atunci când vorbești la telefon, dar asta nu e ceva ieșit din comun. Nu prea bei alcool, ceea ce e bine. Temperatura, respirația și funcționarea plămânilor sunt în regulă. Somnul REM este adecvat și petreci un număr sănătos de ore în pat. Cel mai important, ai o viziune mai pozitivă asupra vieții. Ai un nivel în creștere de integritate personală, ești mai disciplinată și reușești să elimini calcarul de la duș.

Zâmbește ca să-mi arate că cel puțin ultima parte este o glumă, dar eu mă înec de indignare.

– Știi toate astea despre mine!

– Bineînțeles. Dacă ai fi citit cum trebuie termenii și condițiile, nu te-ar surprinde nimic din toate astea.

Furia dispare când îmi dau seama că, la urma urmei, la asta m-am angajat când am semnat și că ăsta este singurul motiv pentru care îmi permit să locuiesc în One Folgate Street.

– Ăsta e viitorul, Jane, adaugă el. Sănătatea și starea ta de bine monitorizate de mediul domestic. Dacă ar exista probleme majore, Menajera le-ar identifica cu mult timp înainte să te gândești tu să te duci la medic. Statisticile astea îți permit să-ți controlezi viața.

– Și dacă oamenii nu vor să fie spionați?

– Nu vor fi. Avem datele astea specifice despre tine pentru că încă suntem în faza beta. Pentru utilizatorii viitori, vom vedea numai tendințele generale, nu date individuale. Se ridică.

Mai lucrează la asta, zice el blând. Vezi dacă te obişnuieşti. Dacă nu poţi, ei bine, şi ăsta e un feedback folositor. Vom vedea cum putem schimba sistemul pentru a-l face mai acceptabil. Însă tot ce am aflat îmi spune că în curând o să ai o părere mult mai bună despre el.

ATUNCI: **EMMA**

Mă holbez la notițele pe care le-am făcut pentru declarația personală a victimei, întrebându-mă cu ce să încep, când îmi sună telefonul. Arunc o privire la ecran. *Edward.*

– Bună, Emma. Ai primit mesajul meu? mă întreabă amuzat, chiar vesel.

– Ce mesaj?

– Cel pe care ți l-am lăsat la birou.

– Nu sunt la muncă, zic eu. Sunt la o secție de poliție.

– E totul în regulă?

– Nu prea, răspund eu. Mă uit la notițe. Inspectorul Clarke mi-a spus să grupez principalele puncte în câteva idei principale: CE A FĂCUT EL. CUM M-AM SIMȚIT ATUNCI. EFECTUL ASUPRA RELAȚIEI MELE. CUM MĂ SIMT ACUM. Mă holbez la ce am scris. „Dezgustată." „Îngrozită." „Rușinată." „Murdară." Doar cuvinte. Cumva, nu mi-am imaginat niciodată că se va ajunge aici. Nu e deloc în regulă, zic eu.

– La ce secție de poliție?

– West Hampstead.

– Ajung în zece minute.

Telefonul amuțește. Imediat mă simt mai bine, mult mai bine, pentru că acum, mai mult decât orice altceva, vreau pe cineva puternic și hotărât, cineva ca Edward, care să vină și să strângă toate cioburile din viața mea și să le așeze într-o ordine, pentru ca totul să funcționeze cumva.

*

– Emma! Of, Emma! zice el.

Suntem într-o cafenea din West End Lane. Eu am plâns. Din când în când, ceilalți oameni ne aruncă priviri suspicioase – Cine e fata aia? Ce a făcut omul ăla de ea plânge în halul ăsta? –, dar Edward le ignoră. Ține o mână ușor peste mâna mea, ca să mă încurajeze.

Sună îngrozitor când e vorba despre ceva atât de oribil, dar mă simt specială. Îngrijorarea lui Edward este complet diferită de furia plină de nesiguranță a lui Simon.

Ia în mână schița mea de declarație.

– Îmi dai voie? întreabă el cu blândețe.

Încuviințez din cap, iar el o citește, încruntându-se din când în când.

– Ce mesaj era? întreb eu.

– A, mesajul. Doar un mic cadou. Ei, de fapt, două.

Ridică o sacoșă pe care o ținuse lângă el. Pe ea, e un logo mare, îngroșat *W*.

– Pentru mine? mă mir eu.

– Voiam să te invit să mergi cu mine la o chestie foarte plicticoasă, așa că am vrut să-ți iau ceva de îmbrăcat. Dar nu ai chef de așa ceva acum.

Bag mâna în sacoșă și scot o cutie în formă de scoică.

– Poți s-o deschizi, dacă vrei, spune el domol.

În cutie e un colier. Și nu orice colier. Mereu mi-am dorit un colier de perle la baza gâtului, cum avea Audrey Hepburn în *Mic dejun la Tiffany*. Și acum am unul. Nu este identic – are trei șiraguri, nu cinci, iar în față nu are buchet –, dar văd deja cum o să-mi vină în jurul gâtului, ca un guler înalt și strâmt.

– Ce frumos e! zic eu.

Întind mâna spre cutia mai mare, dar el mă oprește.

– Poate n-ar trebui aici.

– Ce ocazie era? Unde voiai să mă duci?

– La o festivitate de premiere pentru arhitecți. Foarte plicticoasă.

– Ai câștigat?

– Cred că da.

Îi zâmbesc, brusc fericită.

– Mă duc acasă şi mă schimb, îi zic.

– Vin cu tine, spune el. Se ridică în picioare şi-mi şopteşte la ureche: Pentru că ştiu că de îndată ce o să te văd în rochia aia, o să vreau să ţi-o trag în ea.

ACUM: JANE

Când mă trezesc, Edward nu mai e lângă mine. Probabil așa e și când ai o aventură cu un bărbat însurat, mă gândesc eu. Gândul ăsta mă face să mă simt mai bine. În Franța, de exemplu, unde oamenii sunt mai relaxați în privința asta, relația noastră ar fi considerată absolut normală.

Bineînțeles, Mia e convinsă că o să fie încă un dezastru; că el n-o să se schimbe niciodată, că cineva care a reușit să fie așa de rezervat atâta vreme nu mai poate fi altfel. Când protestez, pufnește exasperată.

– J, ai fantezia asta de școlăriță că tu o să fii aia care-i topește inima rece ca gheața. Dar adevărul e că el o să-ți frângă ție inima.

Numai că inima mea e deja frântă de Isabel, mă gândesc, iar incursiunile neregulate ale lui Edward în viața mea înseamnă că e ușor să-i ascund Miei cât de serioasă devine relația cu el.

Și se dovedește că Edward are dreptate: chiar e perfect când doi oameni sunt împreună fără așteptări sau pretenții. Nu sunt obligată să aud cum i-a mers în fiecare zi sau să ne ciondănim despre care dintre noi doi să ducă gunoiul. Nu avem de negociat programe comune, nu trebuie să ne obișnuim cu rutine domestice. Nu petrecem niciodată atât de mult timp împreună încât să ne plictisim.

Ieri, m-a făcut să am orgasm chiar înainte să se dezbrace. Am observat că-i place asta. Să stea complet îmbrăcat în timp ce îmi dă mie hainele jos, una câte una, lăsându-mi numai colierul, apoi, cu degetele şi limba, mă transformă într-o epavă tremurândă. De parcă n-ar fi de ajuns să aibă el controlul, trebuie să mă facă să mi-l pierd pe al meu. Numai atunci se simte în largul lui să-şi dea drumul.

Pare o reflecţie interesantă despre el şi zăbovesc asupra ei în timp ce cobor la parter. Pe prag, găsesc un teanc mic de corespondenţă umedă. L-am întrebat pe Edward de ce nu există o cutie de scrisori – pare ciudat să le fi scăpat din vedere tocmai aşa ceva la o casă care, în general, este atât de bine gândită –, iar el mi-a spus că, în momentul în care se construia One Folgate Street, partenerul lui, David Thiel, credea că e-mailul avea să înlocuiască de tot poşta clasică într-un deceniu.

Mă uit prin ele. Majoritatea sunt pliante electorale care au legătură cu alegerile locale ce vor avea loc în curând. Mă îndoiesc că o să mă înregistrez ca să mă duc la vot. Dezbaterile despre biblioteca din cartier şi frecvenţa de colectare a gunoiului nu prea sunt relevante pentru viaţa mea în One Folgate Street. Câteva scrisori îi sunt adresate doamnei Emma Matthews. Evident, sunt reclame, dar tot le readresez Camillei şi le pun deoparte.

Ultima scrisoare îmi este adresată mie. Exteriorul arată atât de tern încât, la început, presupun că sunt alte reclame. Apoi, văd logoul spitalului, şi inima încetează să-mi mai bată pentru o secundă.

Stimată doamnă Cavendish,
Rezultate autopsie: Isabel Margaret Cavendish (decedată).

Am fost de acord cu o autopsie pentru că voiam să primesc nişte răspunsuri. Când m-am dus la următoarea programare, doctorul Gifford mi-a spus că la autopsie nu se descoperise nimic, dar că voi primi oricum rezultatele. Asta se întâmpla în urmă cu o lună. Probabil că scrisoarea a fost blocată în sistem de atunci.

Mă aşez, capul mi se învârte, dar o citesc de două ori, încercând să înţeleg jargonul medical. Începe cu un scurt istoric al sarcinii mele. Se menţionează că, înainte cu o săptămână ca ei să-şi dea seama că ceva nu era în regulă, mă duruse spatele şi mă dusesem la spital pentru un control. Făcuseră nişte analize, verificaseră inima copilului şi apoi mă trimiseseră acasă să fac o baie fierbinte. Pe urmă o simţisem pe Isabel lovind destul de activ, aşa că mă liniştisem. Scrisoarea evidenţiază: „Cu ocazia respectivă, au fost urmate procedurile corecte, inclusiv evaluarea distanţei dintre simfiză şi fundul uterin, în conformitate cu orientările NICE". Urmează o descriere a următoarei mele vizite, când au descoperit că inima lui Isabel se oprise. În fine, rezultatele autopsiei. O mulţime de cifre care nu înseamnă nimic pentru mine – numărul de trombocite şi alte analize de sânge, urmate de comentariul:

„Ficat: normal."

La gândul că vreun patolog i-a înlăturat răbdător ficăţelul, mi se pune un nod în gât. Dar nu se termină aici.

„Rinichi: normal.
Plămâni: normal.
Inimă: normal."

Sar la rezumat.

„Deşi nu este posibil un diagnostic exact în această fază, semnele de tromboză placentară pot indica o *placenta abruptio* parţială, care să ducă la deces prin asfixiere."

Placenta abruptio. Sună ca o vrajă din Harry Potter, nu ca ceva care să-mi ucidă bebeluşul. Numele doctorului Gifford din josul paginii se înceţoşează pe măsură ce ochii mi se umplu de lacrimi şi încep să plâng din nou, cu hohote puternice, înecate, pe care nu pot să le controlez. Sunt prea multe de asimilat şi oricum nu înţeleg majoritatea cuvintelor. Tessa,

femeia cu care împart biroul la muncă, a fost moaşă. Hotărăsc
să iau scrisoarea cu mine la serviciu, ca să-mi explice ea tot.

Tessa citeşte scrisoarea cu atenţie, privindu-mă îngrijora-
tă din când în când. Sigur, ştie că am născut un copil mort.
Multe dintre femeile care se oferă să facă voluntariat la Still
Hope au un motiv personal similar pentru asta.

– Ştii ce înseamnă toate astea? întreabă ea în cele din urmă.

Clatin din cap.

– Păi *placenta abruptio* înseamnă placentă desprinsă. Mai
exact, spun că bebeluşul nu a mai primit nutrienţi şi oxigen
înainte să te duci tu la spital.

– Drăguţ din partea lor că vorbesc în engleză, zic eu.

– Da. Păi, s-ar putea să existe un motiv pentru asta. Ceva din
vocea ei mă face să mă uit la ea. Când te-ai dus cu durere de
spate, zice ea rar, ce s-a întâmplat mai exact?

Mă chinui să-mi amintesc.

– Era clar că le păream prea stresată, fiind la prima sarcină
şi aşa mai departe. Dar s-au purtat frumos. Nu-mi aduc amin-
te de fapt să fi făcut toate analizele alea de care zic ei...

– Evaluarea distanţei dintre simfiză şi fundul uterin este
doar limbajul medical pentru măsurarea umflăturii cu un cen-
timetru, mă întrerupe ea. Şi, deşi este adevărat că orientările
NICE prevăd să se facă o măsurare la fiecare vizită prenatală,
cu siguranţă nu poate să arate problemele de placentă. Au fă-
cut o cardiotocografie?

– Chestia cu monitorizarea inimii? Da, asistenta a făcut-o.

– Cui i-a arătat rezultatul?

Încerc să-mi amintesc.

– Cred că l-a sunat pe doctorul Gifford şi i l-a citit lui. Sau,
oricum, i-a zis că era normal.

– Şi alte analize? Ecografia obişnuită? Doppler?

Vocea Tessei are acum un ton sumbru.

Clatin din cap.

– Nimic. Mi-au zis să mă duc acasă, să fac o baie fierbinte
şi să încerc să nu-mi fac griji. Iar mai târziu am simţit-o pe
Isabel mişcându-se şi m-am gândit că au avut dreptate.

– *Cine* anume?

– Păi, asistenta, bănuiesc.

– A mai vorbit cu cineva? O moașă senioară? Un medic rezident?

– Din câte îmi aduc aminte, nu. Tessa, ce înseamnă asta?

– Doar că scrisoarea asta îmi dă impresia că a fost formulată cu foarte mare grijă ca să-ți dea impresia că moartea lui Isabel nu a avut legătură cu nici o neglijență medicală, zice ea direct.

Mă holbez la ea.

– Neglijență? Cum adică?

– Dacă pleci de la ideea că decesul unui bebeluș sănătos este un deces care ar fi trebuit evitat, atunci descoperi că a fost cauzat de unul din două lucruri. În primul rând, o naștere prost gestionată. Nu a fost cazul aici, evident. Dar cea mai comună cauză a nașterilor de copii morți este greșeala unei moașe sau a unui medic junior, care sunt atât de ocupați încât nu citesc corect rezultatele cardiotocografiei. În cazul tău, medicul de gardă ar fi trebuit să verifice rezultatele și, ținând cont de durerea de spate, care poate să indice probleme cu placenta, să fi cerut o ecografie Doppler.

Știu despre ecografiile Doppler: unul dintre obiectivele campaniilor Still Hope este ca fiecărei femei însărcinate să i se facă cel puțin una pe parcursul sarcinii. Ar costa cam cincisprezece lire pentru fiecare bebeluș, iar faptul că sistemul public de sănătate nu le asigură acum decât dacă un medic le cere în mod special este unul dintre motivele pentru care rata nașterilor de copii morți din Marea Britanie este printre cele mai mari din Europa.

– Mi-e teamă că loviturile pe care le-ai simțit după ce ai ajuns acasă nu erau un semn că totul era în regulă, ci dimpotrivă. Spitalul ăsta e cunoscut. Tot timpul are personal insuficient, mai ales în rândul medicilor. Numele doctorului Gifford apare în mod repetat. Programul lui este prea încărcat.

Abia dacă asimilez cuvintele. „Dar era așa de drăguț", mă gândesc eu.

– Sigur, poți să spui că nu a fost vina lui, adaugă ea. Dar numai acuzând medicul și dovedind că a greșit față de pacient vom putea forța spitalul să mărească numărul de angajați.

Mi-aduc aminte cum doctorul Gifford mi-a spus, chiar când m-a anunțat că Isabel murise, că în majoritatea cazurilor nu se găsea nici o cauză. Oare încerca să acopere greșelile echipei lui, chiar și atunci? Ce ar trebui să fac eu?

Tessa îmi dă scrisoarea înapoi.

– Scrie-le și cere-le copii după toate actele medicale. O să le trimitem la un specialist, să le analizeze, dar dacă pare că spitalul acoperă incompetența, ar trebui să ne gândim să-i dăm în judecată.

ATUNCI: **EMMA**

– Iar anul acesta, câştigătorul Premiului *Architects' Journal* pentru inovaţie este...

Prezentatorul face o pauză de efect, apoi deschide plicul.

– ... Monkford Partnership, anunţă el.

Cei de la masa noastră izbucnesc în strigăte de bucurie. Ecranele se umplu de imagini cu clădiri. Edward se ridică şi se îndreaptă către scenă, mulţumind politicos câtorva persoane care îl felicită pe drum.

„Nu e nici pe departe ca la petrecerile organizate de revista lui Simon", mă gândesc eu.

Edward ia premiul în mâini şi se apropie de microfon.

– Cred că trebuie să pun ăsta într-un raft, zice el privind nesigur în jos, spre bula din plexiglas.

Râsete. Minimalistul a dovedit că poate să râdă de el însuşi! Dar apoi devine brusc serios.

– Cineva a spus odată că diferenţa dintre un arhitect bun şi unul excepţional este că arhitectul bun cedează la fiecare tentaţie, iar cel excepţional nu.

Face o pauză. În sala imensă domneşte tăcerea. Arhitecţii adunaţi aici par sincer interesaţi de ce are el de spus.

– Ca arhitecţi, suntem obsedaţi de estetică, de crearea unor clădiri care să placă ochiului, însă, dacă acceptăm că adevărata funcţie a arhitecturii este aceea de a-i ajuta pe oameni să reziste tentaţiei, atunci poate că arhitectura...

Ezită, aproape ca și cum ar gândi cu voce tare.

– Poate că arhitectura nu înseamnă neapărat construcție. Acceptăm că urbanismul este un fel de arhitectură, la urma urmei. Rețelele de autostrăzi, aeroporturile – și acestea, la limită. Dar cum rămâne cu tehnologia? Cum rămâne cu arhitectura acelui oraș invizibil în care ne plimbăm, sau ne furișăm, sau ne jucăm cu toții: internetul? Cum rămâne cu matricea vieții noastre, cu legăturile care ne limitează, cu regulile și legile care ne guvernează, cu aspirațiile și dorințele noastre elementare? Nu sunt și ele un fel de structuri?

După încă o pauză, continuă:

– Mai devreme, vorbeam cu cineva. O tânără care a fost atacată în casa ei. Spațiul i-a fost violat. Bunurile i-au fost furate. Întreaga ei atitudine față de mediul înconjurător a fost modificată – ba aș putea chiar să spun distorsionată – de acest fapt simplu și tragic.

Nu se uită la mine, dar mă simt de parcă toată lumea din sala asta știe la cine se referă.

– Funcția adevărată a arhitecturii nu e să împiedice așa ceva? întreabă el. Să pedepsească intrusul, să vindece victima, să schimbe viitorul? Ca arhitecți, de ce să ne oprim la zidurile clădirilor noastre?

Tăcere. Publicul pare de-a dreptul uimit acum.

– Monkford Partnership este cunoscută drept o companie care lucrează la scară mică, cu clienți înstăriți, zice el. Dar acum înțeleg că viitorul nostru nu constă în construirea de refugii frumoase față de urâțenia societății, ci în construirea unui alt fel de societate.

Își ridică premiul.

– Vă mulțumesc pentru această onoare.

Aplauzele sunt politicoase, dar, când mă uit în jur, observ că oamenii își zâmbesc unii altora și-și dau ochii peste cap.

Aplaud și eu, mai tare decât toți ceilalți, pentru că bărbatului de acolo, iubitului meu, nu-i pasă câtuși de puțin dacă ei râd de el sau nu.

Seara, îl întreb despre soția lui.

Păstrez rochia pe mine în timp ce facem dragoste, dar după aceea o atârn cu grijă în dulapul minuscul din spatele panoului de piatră, înainte de a mă strecura goală, numai cu colierul, în locul cald de lângă el.

– Avocatul mi-a zis că familia ta e îngropată aici, îi spun eu ezitant.

– De unde... a, zice el. Planurile de la Cartea Funciară.

Tace așa de mult timp încât cred că ăsta e singurul răspuns pe care îl voi primi.

– A fost ideea ei, spune în cele din urmă. Citise despre *hitobashira* și a zis că asta vrea, în caz că moare înaintea mea. Sub pragul uneia dintre clădirile noastre. Sigur, nu ne-am imaginat niciodată...

– *Hitobashira?*

– Înseamnă „stâlp uman" în japoneză. Se spune că aduce noroc casei.

– Nu te deranjează să vorbești despre ea?

– Uită-te la mine! zice el brusc serios, și îmi întorc capul ca să-l privesc în ochi. Elizabeth a fost perfectă în felul ei, adaugă el pe un ton blând. Dar acum e în trecutul meu. Și ce se întâmplă acum, cu noi, e perfect. Tu ești perfectă, Emma. Nu e nevoie să mai vorbim vreodată despre ea.

A doua zi dimineață, după ce pleacă, caut pe internet informații despre soția lui, dar Menajera nu găsește nimic.

Cum era cuvântul ăla japonez? *Hitobashira.* Încerc să caut așa.

Mă încrunt. Conform internetului, *hitobashira* nu se referă la îngroparea morților sub clădiri, ci la îngroparea oamenilor vii.

„Obiceiul de a sacrifica o ființă umană ca parte a procesului de construire a unei case sau a unei fortărețe este foarte vechi. Pietrele și bârnele fundației erau așezate în sânge omenesc peste tot în lume, și, acum câteva secole acest obicei înfiorător se practica și în Europa. Se spune că Taraia, din bine-cunoscuta civilizație maori, și-a îngropat propriul copil de viu sub un stâlp din casa sa."

Sar la alt articol.

„Acest sacrificiu trebuie să corespundă cu importanța clădirii care urmează a fi ridicată. Pentru o casă obișnuită sau un cort, poate fi suficient un animal, pentru casa unui om bogat, un sclav; dar pentru o structură sacră, așa cum este un templu sau un pod, este nevoie de un sacrificiu de o valoare specială, poate unul care să implice durere sau suferință profundă pentru persoana care îl face."

Într-o clipă de nebunie, mă întreb dacă la asta se referea Edward, că și-a sacrificat soția și fiul. Apoi, găsesc alt articol care pare mai logic.

„Astăzi, ecoul acestor practici supraviețuiește în nenumărate obiceiuri populare din toată lumea: lansarea unui vapor cu o sticlă de șampanie, îngroparea unui ban de argint sub un prag sau împodobirea acoperișului unui zgârie-nori cu o creangă veșnic verde. În alte părți, se îngroapă inima unui animal, iar Henry Purcell a ales să fie înmormântat sub orga din Westminster Abbey. În unele culturi, mai ales în Orientul Îndepărtat, morții sunt comemorați cu o clădire construită în onoarea lor, o practică nu foarte diferită de botezarea câte unei clădiri după vreun filantrop cunoscut, cum ar fi Carnegie Hall sau Rockefeller Plaza."

Uf! Mă duc înapoi în pat și-mi îngrop nasul în pernă, căutând orice urmă a lui: mirosul, forma corpului imprimată în așternuturi. Cuvintele lui îmi revin în minte. „Ce se întâmplă acum e perfect." Adorm din nou cu un zâmbet pe față.

ACUM: JANE

– Ceea ce ați simțit când ați intrat pe ușa principală într-un hol mic, aproape claustrofobic, înainte de a pătrunde în spațiile fluide ale casei, este un plan arhitectural clasic de compresie și decompresie. Este o bună modalitate de a ilustra felul în care casele lui Edward Monkford, deși în aparență revoluționare, se bazează pe tehnici tradiționale. Dar, și mai important, îl evidențiază pe Monkford drept un arhitect al cărui scop principal este să afecteze felul în care *se simte* utilizatorul.

Ghidul merge spre bucătărie, cu un cârd de șase vizitatori care îl urmează ascultători.

– Utilizatorii au declarat că, într-o astfel de zonă, numită refectoriu, care pune accentul vizual pe austeritate și cumpătare, descoperă că mănâncă mai puțin decât înainte.

Camilla mi-a spus înainte să mă mut că, din când în când, va trebui să permit accesul vizitatorilor în One Folgate Street. Atunci nu mi s-a părut un inconvenient major, dar pe măsură ce se apropia prima zi de vizitare, mă temeam tot mai mult de ea. Nu doar casa avea să fie expusă, ci simțeam că și eu. În ultimele câteva zile, am tot făcut curat și ordine, atentă să nu încalc nici cea mai mică regulă.

– Arhitecții și clienții lor încearcă de mult timp să creeze clădiri cu un scop anume, continuă ghidul. Băncile par solide și impunătoare în special pentru că oamenii care le-au comandat vor să inspire încredere potențialilor deponenți. Tribunalele par să impună respect pentru lege și ordine. Palatele au fost gândite să impresioneze și să inspire smerenie celor care intrau în ele. Dar astăzi, unii arhitecți folosesc noile progrese ale tehnologiei și psihologia pentru a merge și mai departe.

Ghidul este foarte tânăr și are o barbă extrem de la modă, dar aerul autoritar cu care vorbește îmi spune că e un fel de conferențiar. Nu toți vizitatorii par studenți, însă. Unii ar putea fi vecini sau turiști curioși.

– Probabil nu vă dați seama, dar acum înotați într-o supă complexă de ultrasonice – forme de unde care potențează stările. Această tehnologie este abia la început, dar are implicații extinse. Imaginați-vă un spital a cărui structură devine parte a procesului de vindecare, sau un ospiciu pentru bolnavii de demență care chiar îi ajută să-și amintească. Casa aceasta poate fi simplă, dar scopul său e foarte ambițios.

Se întoarce și îi conduce spre scară.

– Vă rog să mă urmați în șir indian, având grijă mare la trepte.

Eu rămân la parter. Aud ghidul cum le explică faptul că iluminatul din dormitor întărește ritmurile circadiene ale utilizatorilor. Abia când coboară ei din nou mă strecor sus și eu, căutând un pic de intimitate.

Descopăr șocată că cineva se află încă în dormitor. A deschis dulapul și, deși e cu spatele la mine, sunt destul de sigură că se uită prin hainele mele.

– Ce naiba faci? întreb eu pe un ton aspru.

Se întoarce cu fața spre mine. E unul dintre cei pe care îi crezusem turiști. Din spatele ochelarilor fără rame, ochii lui sunt senini și calmi.

– Mă uit la felul în care sunt împăturite hainele.

Are un ușor accent. Danez sau poate norvegian. Cam treizeci de ani. Poartă un hanorac ce pare de armată. Păr blonduț, cu un început de chelie.

– Cum îndrăznești? izbucnesc eu. Îmi încalci intimitatea.

– Cine locuiește în casa asta nu ar trebui să se aștepte la intimitate. Ai semnat pentru asta, mai ții minte?

– Cine ești?

Pare mult prea informat pentru un turist.

– Am depus şi eu cerere. Să locuiesc aici. De şapte ori. Aş fi perfect pentru casa asta. În schimb, el te-a ales pe tine. Se întoarce la dulap şi începe să-mi desfacă şi să-mi rearanjeze tricourile, la fel de repede şi de ordonat ca un vânzător. Ce vede Edward la tine? Sex, presupun. Femeile sunt slăbiciunea lui. Furia m-a lăsat fără suflu, dar gândul că bărbatul care stă în dormitorul meu este aproape sigur nebun m-a paralizat. Se inspiră din mănăstiri şi din comunităţile religioase, dar uită că femeile au fost excluse din astfel de locuri cu un motiv. Ia o fustă şi o împătureşte din trei mişcări îndemânatice. Ar trebui să pleci, serios. Ar fi mult mai bine pentru Edward dacă ai pleca. La fel ca celelalte.

– Care celelalte? Despre ce vorbeşti?

Îmi zâmbeşte aproape la fel de candid ca un copil.

– A, nu ţi-a spus? Cele de dinainte. Vezi tu, nici una nu rezistă. Asta e şi scopul.

– Era nebun, zic eu. Înspăimântător. Şi felul în care vorbea... parcă te cunoştea.

Edward oftează.

– Bănuiesc că, într-un fel, mă cunoaşte. Sau cel puţin aşa crede el. Pentru că-mi ştie lucrările.

Stăm în zona refectoriului. Edward a adus vin, ceva fin, italienesc. Numai că eu încă tremur puţin şi, oricum, nu prea am băut de când m-am mutat în One Folgate Street.

– Cine e?

– La birou, se zice că e hărţuitorul meu, spune el zâmbind. Asta e o glumă, bineînţeles. De fapt, e destul de inofensiv. Jorgen nu-ştiu-cum. S-a lăsat de arhitectură din cauza unor probleme psihice şi a devenit uşor obsedat de clădirile mele. Nu e aşa de ieşit din comun. Barragán, Corbusier, Foster, toţi au fost urmăriţi de nişte indivizi tulburaţi, care credeau că au o legătură specială cu ei.

– Ai anunţat poliţia?

Ridică din umeri.

– Ce rost ar avea?

–Dar, Edward, nu înțelegi ce înseamnă asta? Când a murit Emma Matthews, a verificat cineva dacă tipul ăsta Jorgen era prin preajmă?

Mă privește precaut.

–Nu te gândești iar la asta, nu?

–S-a întâmplat chiar aici. Bineînțeles că mă gândesc la asta.

–Ai vorbit iar cu iubitul ei?

Ceva din tonul lui îmi dă de înțeles că nu i-ar plăcea asta. Clatin din cap.

–N-a mai venit pe aici.

–Bine. Crede-mă, Jorgen nu ar face rău nimănui.

Mai ia o gură de vin, apoi se apleacă să mă sărute. Are buzele dulci și sângerii de la vin.

–Edward... zic eu retrăgându-mă.

–Da?

–Tu și Emma ați fost iubiți?

–Contează?

–Nu, răspund eu, deși vreau să zic da.

–Am avut o aventură scurtă, zice el într-un târziu. S-a terminat cu mult timp înainte să moară.

–A fost... Nu știu cum să pun întrebarea. A fost la fel ca asta?

Se apropie foarte mult de mine, îmi cuprinde capul cu amândouă mâinile și mă fixează cu privirea.

–Ascultă-mă, Jane. Emma a fost o persoană fascinantă, zice el blând. Dar acum e în trecut. Ce se întâmplă acum, cu noi, e perfect. Nu e nevoie să mai vorbim vreodată despre ea.

În pofida cuvintelor lui, mă roade o curiozitate pe care nu prea am cum să mi-o satisfac.

Pentru că știu că, atunci când o să aflu mai multe despre femeile pe care le-a iubit, o să-l înțeleg mai bine.

O să sap pe sub zidurile pe care și le-a ridicat în jur, prin labirintul invizibil și ciudat care mă ține la distanță.

A doua zi dimineață, după ce pleacă, caut cartea de vizită pe care am găsit-o în sacul de dormit al Emmei. CAROL YOUN-SON. PSIHOTERAPEUT AUTORIZAT. Pe ea sunt trecute un website și un număr de telefon. Dau să caut site-ul pe laptop, când ceva îmi aduce aminte de ce mi-a zis bărbatul din dormitor. „Cine locuieşte în casa asta nu ar trebui să se aştepte la intimitate. Ai semnat pentru asta, mai ţii minte?"

Îmi iau telefonul şi mă duc în colţul extrem al camerei de zi, unde detectez o urmă slabă din reţeaua Wi-Fi nesecurizată a unui vecin, suficient ca să mă conectez şi să intru pe web-site-ul lui Carol Younson. Are studii în ceva ce se numeşte psihoterapie integrativă, iar specialităţile ei sunt: stresul post-traumatic şi consilierea în caz de viol şi de doliu.

Sun la numărul respectiv.

– Bună ziua, spun eu când răspunde o femeie. Am suferit recent o pierdere şi sunt în doliu. Mă întrebam dacă aţi putea să mă primiţi.

6. O persoană apropiată vă mărturisește că a lovit pe cineva cu mașina când era băută. Ca urmare, a renunțat definitiv la băutură. Vă simțiți obligată să raportați fapta poliției?

    O Raportez.
    O Nu raportez.

ATUNCI: **EMMA**

Când mă uit la Edward în timp ce se pregătește să gătească e ca și cum m-aș uita la un chirurg care se pregătește să intre în operație: totul este frumos aranjat la locul lui încă dinainte ca el să înceapă. Astăzi a adus doi homari, încă vii, cu cleștii mari cât niște mănuși de box, legați cu funie. Îi spun că vreau să fac și eu ceva și îmi dă să curăț și să rad o *daikon*, o ridiche albă japoneză.

E vesel în seara asta. Sper că e meritul meu, dar apoi îmi zice că a primit niște vești bune.

– Discursul pe care l-am ținut la Premiile *AJ*, Emma. Cineva care l-a auzit ne-a cerut să depunem proiecte pentru un concurs.

– Unul mare?

– Foarte. Dacă îl câștigăm, vom construi un oraș complet nou. E o șansă să fac ce spuneam, să proiectez mai mult decât clădiri. Poate un nou fel de comunitate.

– Un întreg oraș așa? întreb eu uitându-mă la minimalismul din One Folgate Street.

– De ce nu?

– Nu prea îmi vine să cred că există mulți oameni care și-ar dori o astfel de locuință, zic eu.

Nu-i spun că, de câte ori vine el pe aici, încă mă grăbesc cu disperare să îndes hainele murdare în dulapuri, să arunc la gunoi resturi de mâncare din farfurii şi să ascund reviste şi ziare sub pernele de pe canapea.

– Tu eşti dovada că poate să funcţioneze, zice el. Un om obişnuit schimbat de arhitectură.

– Eu am fost schimbată de *tine*, îi subliniez. Şi cred că nici măcar tu nu poţi să faci sex cu un oraş întreg.

A adus nişte ceai japonez care să meargă cu homarul. Frunzele sunt ambalate în nişte pacheţele mici din hârtie, ca un puzzle din origami.

– Din regiunea Uji, mă informează el. Ceaiul se numeşte Gyokuro, care înseamnă „rouă de jad".

Încerc să pronunţ şi mă corectează de câteva ori până când renunţă, prefăcându-se dezgustat.

Însă reacţia lui când scot ceainicul meu art deco nu este nici pe departe prefăcută.

– Ce naiba-i *aia*? întreabă încruntându-se.

– L-am primit cadou de la Simon de ziua mea. Nu-ţi place?

– Bănuiesc că o să ne descurcăm.

Lasă ceaiul în apa clocotită cât timp se ocupă de homari. Ia un cuţit şi strecoară lama sub carcase. După câteva clipe, le suceşte capetele cu un trosnet. Picioarele încă li se zbat când el trece la cozi, feliindu-le pe fiecare parte. Carnea alunecă uşor de pe ele, o bucată grasă de cartilaj albicios. După alte câteva mişcări, scoate pielea maronie şi clăteşte cozile din nou cu apă rece, înainte de a le tăia în *sashimi*. Ultimul detaliu: un sos făcut din suc de lămâie, sos de soia şi oţet de orez. Totul durează doar câteva minute.

Mâncăm cu beţişoare şi, dintr-una în alta, ajungem în pat. Aproape de fiecare dată ajung la orgasm înaintea lui, iar seara asta nu face excepţie. E intenţia lui, bănuiesc. Şi felul în care facem dragoste este la fel de bine planificat ca orice altă activitate a lui.

Mă întreb ce s-ar întâmpla dacă aş putea să-l fac să-şi piardă controlul, ce revelaţii sau adevăruri ascunse se află dincolo de stăpânirea asta de sine. Într-o zi o să aflu, decid eu.

După ce terminăm, în timp ce adorm, îl aud murmurând:

– Eşti a mea acum, Emma. Ştii asta, nu-i aşa? A mea.

– Mmmm, zic eu somnoroasă. A ta.

*

Când mă trezesc, nu mai e lângă mine. Mă duc tiptil până în capul scărilor şi îl văd în refectoriu, făcând curăţenie.

Încă flămândă, pornesc spre el. Sunt la jumătatea scărilor când îl văd luând în mână ceainicul de la Simon şi vărsând cu grijă restul ceaiului în chiuvetă. Apoi se aude un zgomot, şi ceainicul se zdrobeşte împrăştiindu-se pe toată podeaua.

Probabil m-a auzit, pentru că îşi ridică privirea:

– Îmi pare foarte rău, Emma, zice calm. Îşi ridică mâinile. Trebuia să mă şterg mai întâi.

Mă duc să-l ajut, dar mă opreşte.

– Nu desculţă. O să te tai. Evident, o să-l înlocuiesc, adaugă el. E unul bun de Marimekko Hennika. Şi Bauhaus este încă foarte frumos.

Mă duc oricum în bucătărie, mă ghemuiesc şi adun cioburile.

– Nu contează, zic eu. E doar un ceainic.

– Păi, exact, zice el pe un ton liniştit. E doar un ceainic.

Şi simt un fior mic şi ciudat de satisfacţie, de proprietate. „Eşti a mea.“

ACUM: JANE

Carol Younson are cabinetul pe o străduță liniștită, cu mulți copaci, din Queens Park. Când deschide ușa, mă privește ciudat, aproape speriată, dar își revine repede și mă conduce într-o încăpere. Mă invită să stau jos, arătându-mi canapeaua și îmi spune că aceasta va fi doar o ședință exploratorie, să vadă dacă poate să mă ajute. Dacă hotărâm să continuăm, ne vom întâlni la aceeași oră în fiecare săptămână.

– Așa, zice ea când termină cu introducerea. Ce te aduce la terapie, Jane?

– Păi, mai multe lucruri, spun eu. În principal, așa cum am spus și la telefon, faptul că am născut un copil mort.

Carol încuviințează din cap.

– Când vorbim despre durerea noastră, ne punem ordine în gânduri, începem procesul de separare a emoțiilor necesare de cele distructive. Altceva?

– Da... Cred că ați tratat pe cineva cu care am o legătură. Aș vrea să știu ce probleme avea.

Carol Younson clatină hotărât din cap.

– Nu pot să discut despre ceilalți clienți ai mei.

– Cred că s-ar putea să fie diferit în cazul ăsta. Vedeți, ea e moartă. O chema Emma Matthews.

Nu mi se pare: Carol Younson este în mod evident șocată. Însă își revine repede.

– Tot nu pot să-ți spun despre ce am discutat cu Emma. Dreptul unui client la confidențialitate nu se încheie odată cu decesul său.

– E adevărat că semăn un pic cu ea?

Ezită o clipă, apoi încuviințează.

– Da. Am observat de îndată ce am deschis ușa. Ești rudă cu ea, să înțeleg? Sora ei? Îmi pare rău.

Clatin din cap.

– Nu ne-am întâlnit niciodată.

Pare nedumerită.

– Atunci care e legătura, dacă nu te superi că întreb?

– Locuiesc în casa în care a locuit și ea, casa în care a murit. Acum e rândul meu să ezit. Și am o relație cu același bărbat.

– Simon Wakefield? zice ea rar. Iubitul ei?

– Nu, deși l-am cunoscut și pe el când a venit să lase niște flori. Bărbatul despre care vorbesc este arhitectul care a proiectat casa.

Carol mă privește îndelung.

– Vreau să fiu sigură că am înțeles corect. Locuiești în One Folgate Street, la fel ca Emma. Și ești iubita lui Edward Monkford. La fel cum a fost și Emma.

– Corect.

Edward vorbise despre relația lui cu Emma ca și cum ar fi fost doar o aventură scurtă, dar mă hotărăsc să nu influențez martorul.

– În cazul ăsta, o să-ți spun despre ce am discutat cu Emma la terapie, Jane, spune ea încet.

– În ciuda a ceea ce tocmai mi-ați spus? întreb eu, destul de surprinsă că am convins-o așa de ușor.

– Da. Vezi tu, există o circumstanță specială în care avem voie să încălcăm obligația profesională de confidențialitate. Face o pauză. Atunci când asta nu poate face rău clientului, dar poate preîntâmpina comiterea unui rău asupra altcuiva.

– Nu înțeleg, îi spun eu. Ce rău? Și cui?

– Despre tine vorbesc, Jane, zice ea. Cred că ești în pericol.

ATUNCI: **EMMA**

– Deon Nelson mi-a furat fericirea, zic eu. Mi-a distrus viața și m-a făcut să-mi fie frică de orice bărbat pe care îl întâlnesc. M-a făcut să-mi fie rușine de propriul corp.

Mă întrerup și iau o gură de apă dintr-un pahar. Sala de judecată e cufundată într-o liniște deplină. La prezidiu, doi magistrați, un bărbat și o femeie, mă privesc fără să clipească. E foarte cald în sala bej, fără ferestre, iar avocații transpiră pe sub peruci.

Ca să nu fiu văzută de pe banca acuzaților, au fost montate două paravane. Simt prezența lui Deon Nelson dincolo de ele. Dar nu sunt speriată. Chiar dimpotrivă. Nenorocitul se va duce la închisoare.

În timp ce mi-am citit declarația, am plâns, dar acum vorbesc tare.

– A trebuit să mă mut pentru că am crezut că o se întoarcă, zic eu. Am suferit de pierderi de memorie și am început să merg la terapie. Relația cu iubitul meu s-a destrămat.

Avocata lui Nelson, o femeie scundă, suplă, îmbrăcată într-un costum elegant ce denotă autoritate, pe sub roba neagră, își ridică brusc privirea, gânditoare, și-și notează ceva.

– Ce părere am eu despre posibilitatea ca Deon Nelson să fie eliberat pe cauțiune? întreb eu. Mi se face greață. După ce am fost amenințată cu cuțitul de el, după ce am fost jefuită și violată de el în cel mai umilitor mod cu putință, știu de ce e în stare.

Gândul că ar putea să meargă liber pe stradă mă îngrozeşte. Aş fi înspăimântată doar la gândul că este în libertate.

Am adăugat acest ultim detaliu la sugestia inspectorului Clarke. Avocata lui Nelson poate să afirme că clientul ei nu are nici o intenţie să se apropie de mine. Dacă eu mă simt ameninţată de faptul că el e liber, există un risc să-mi retrag mărturia şi atunci procesul s-ar nărui. În momentul de faţă, sunt cea mai importantă persoană din sala de judecată.

Ambii magistraţi se uită încă la mine. Oamenii din public sunt şi ei tăcuţi. Înainte să încep, aveam emoţii, dar acum mă simt puternică, simt că eu deţin controlul.

– Deon Nelson nu doar m-a violat, continui eu. M-a făcut să trăiesc cu teama că va trimite tuturor cunoscuţilor mei înregistrarea cu ce a făcut. Aşa operează el, cu ameninţări şi intimidări. Sper că sistemul de justiţie îi va trata cererea de eliberare pe cauţiune în mod corespunzător.

„Bravo", îmi zice o voce din mintea mea.

– Mulţumim, domnişoară Matthews. Cu siguranţă vom ţine cont cu toată seriozitatea de părerea dumneavoastră, zice blând magistratul bărbat. Puteţi să vă aşezaţi în boxa martorilor, dacă doriţi. Apoi, când vă simţiţi mai bine, puteţi să vă retrageţi.

În timp ce-mi adun lucrurile, sala rămâne în linişte. Avocata lui Nelson este deja în picioare, aşteptând să se apropie de prezidiul magistraţilor.

ACUM: **JANE**

– Cum adică sunt în pericol? Ridicolul situației mă face să zâmbesc, dar Carol Younson este cât se poate de serioasă. Nu din partea lui Edward, cu siguranță!

– Emma mi-a spus... Carol se oprește și se încruntă, de parcă nu îi e ușor să încalce acest tabu. Ca terapeut, îmi petrec cea mai mare parte a timpului desfăcând tiparele comportamentale inconștiente. Când cineva mă întreabă: „De ce sunt toți bărbații *așa*?", răspunsul meu este „De ce sunt toți bărbații pe care îi alegi *tu* așa?" Freud vorbește despre compulsia la repetiție, adică un tipar în care cineva traduce în act[1] la nesfârșit o psihodramă sexuală, cu oameni diferiți, cărora le atribuie aceleași roluri. La nivel inconștient sau poate chiar conștient, persoana respectivă speră să schimbe rezultatul, să îndrepte ce nu a mers înainte. Însă, inevitabil, relația este distrusă în exact același fel chiar de defectele și imperfecțiunile pe care le-a adus cu ea.

– Ce legătură are asta cu Emma și cu mine? întreb eu, deși deja am început să intuiesc.

– În orice relație, există două compulsii la repetiție: a lui și a ei. Interacțiunea dintre cele două poate fi benignă sau poate

---

[1] Conceptul de *acting out*, numit în română *activism* sau *traducere în act*, se referă la manifestarea impulsivității resimțite atât de intens încât nu mai poate fi menținută doar în registrul interiorității psihice, prin urmare este expulzată brusc și în forma ei brută.

fi distructivă, îngrozitor de distructivă. Emma avea o părere foarte proastă despre sine, care s-a înrăutățit când a fost agresată sexual. La fel ca multe victime ale violului, s-a învinovățit pe ea, pe nedrept, bineînțeles. În Edward Monkford a găsit persoana care să-i ofere abuzul la care, într-un anumit fel, tânjea.

– Stați puțin, zic eu șocată. Edward să *abuzeze?* L-ați cunoscut?

Carol clatină din cap.

– Eu n-am decât informațiile de la Emma. Și, apropo, asta nu a fost deloc ușor. Mereu avea rețineri în a fi sinceră cu mine – un semn clasic de părere proastă despre sine.

– Pur și simplu nu se poate, o contrazic eu pe un ton categoric. Chiar îl cunosc pe Edward. Nu ar lovi niciodată pe nimeni.

– Abuzul nu este neapărat fizic, zice Carol încet. Nevoia de control absolut este un alt fel de maltratare.

Control absolut. Cuvintele mă lovesc ca o palmă, pentru că înțeleg că, dintr-un anume punct de vedere, ce spune ea se potrivește.

– Comportamentul lui Edward i s-a părut suficient de rezonabil Emmei atât timp cât a fost complice cu el, adică atât timp cât i-a permis să o controleze, continuă Carol. Au fost lucruri care ar fi trebuit să o pună în gardă: aranjamentul ciudat cu casa, felul în care lua decizii mici în locul ei sau faptul că o îndepărtase de prieteni și de familie. Toate astea sunt comportamente clasice ale unui sociopat narcisist. Dar adevăratele probleme au început când a încercat să se despartă de el.

Sociopat. Știu că specialiștii nu folosesc termenul ăsta la fel de ușor ca restul oamenilor, dar chiar și așa nu pot să nu mă gândesc la ce spusese fostul iubit al Emmei – Simon Wakefield, cum i-a zis Carol – atunci, în fața casei. „Mai întâi i-a otrăvit mintea. Apoi a omorât-o...“

– Îți sună cunoscut ceva din toate astea, Jane? mă întreabă ea. Nu-i răspund direct.

– Ce s-a întâmplat cu Emma? După toate lucrurile astea, adică?

– În cele din urmă, cu ajutorul meu, a început să înţeleagă cât de distructivă devenise relaţia ei cu Edward Monkford. S-a despărţit de el, dar a rămas deprimată şi retrasă; chiar paranoică. Face o pauză. Atunci a încetat să mai vină la mine.

– Staţi puţin, zic eu nedumerită. Atunci de unde ştiţi că el a omorât-o?

Carol Younson se încruntă.

– Nu am spus că el *a omorât-o*, Jane.

– Ah, exclam eu uşurată. Şi atunci *ce anume* spuneţi?

– După mine, depresia ei, paranoia, sentimentele negative şi proasta părere de sine, pe care relaţia cu el le-a încurajat, au fost factori determinanţi.

– Credeţi că a fost vorba despre o *sinucidere*?

– Asta a fost părerea mea profesională, da. Cred că Emma s-a aruncat pe scări când suferea de depresie extremă.

Rămân pe gânduri şi tac.

– Povesteşte-mi despre relaţia ta cu Edward, îmi propune Carol.

– Păi, asta e ciudat. Din câte se pare, nu prea sunt multe asemănări. A început la scurt timp după ce m-am mutat. Mi-a spus foarte direct că mă vrea, dar şi că nu îmi oferă o relaţie convenţională. A zis...

– Stai, mă întrerupe Carol. Vreau să aduc ceva. Iese din cameră şi se întoarce după scurt timp cu un carneţel roşu. Notiţele mele de la şedinţele cu Emma, îmi explică în timp ce dă paginile. Ce spuneai?

– A zis că o relaţie neîmpovărată de convenţii...

– Are un soi de puritate, termină Carol fraza în locul meu.

– Da. Mă uit la ea uluită. Exact astea au fost cuvintele lui. Cuvinte pe care se pare că le-a mai spus şi altcuiva.

– Din ce mi-a spus Emma, Edward este un perfecţionist extrem, aproape obsesiv. Eşti de acord?

Încuviinţez fără prea mare tragere de inimă.

– Dar sigur că relaţiile noastre trecute nu pot fi îmbunătăţite, indiferent de câte ori le întruchipăm. Fiecare eşec succesiv pur şi simplu întăreşte comportamentul neadaptat. Cu alte cuvinte, tiparul devine mai pronunţat de-a lungul timpului. Şi mai disperat.

– Un om nu se poate schimba?

– Ciudat, și Emma m-a întrebat același lucru. Se gândește o clipă. Uneori da, însă e un proces dureros și îndelungat, chiar și cu ajutorul unui terapeut bun. Și e narcisist să credem că *noi* vom schimba natura fundamentală a altcuiva. Singurii pe care îi putem schimba cu adevărat suntem noi înșine.

– Spuneți că sunt în pericol să o iau pe urmele ei, protestez eu, dar, din ceea ce aud, ea nu pare să fi fost deloc ca mine.

– Poate. Dar mi-ai spus că ai născut un copil mort. E ciudat, nu-i așa, că amândouă erați într-un fel suferinde când v-a cunoscut el. Sociopații sunt atrași de persoanele vulnerabile.

– De ce a încetat Emma să mai vină la terapie?

Chipul lui Carol este străbătut de o urmă de regret.

– Sincer, nu știu. Dacă ar fi continuat terapia, poate că astăzi ar fi în viață.

– Avea cartea dumneavoastră de vizită cu ea, zic eu. I-am găsit sacul de dormit în podul din One Folgate Street, împreună cu niște conserve de mâncare. Părea că dormise acolo o vreme. Probabil intenționa să vă sune.

Încuviințează încet.

– Tot e ceva. Mulțumesc.

– Dar nu cred că aveți dreptate în celelalte privințe. Dacă Emma era deprimată, motivul era despărțirea de Edward, nu faptul că el o controla. Iar dacă s-a sinucis, în fine, asta este extrem de trist, dar nu e vina lui. După cum ați spus și dumneavoastră, cu toții trebuie să ne asumăm răspunderea pentru propriile acțiuni.

Carol doar zâmbește trist și clatină din cap. Am impresia că a mai auzit ceva asemănător și înainte, poate chiar de la Emma.

Brusc, m-am săturat de camera asta, cu decorațiunile și îngrămădeala ei, cu pernele și șervețelele și toată pălăvrăgeala asta. Mă ridic în picioare.

– Mulțumesc că m-ați primit. A fost interesant, dar, până la urmă, nu cred că vreau să vorbesc cu dumneavoastră despre fiica mea. Sau despre Edward. Nu o să mai vin.

ATUNCI: **EMMA**

Nu pot să mă duc în public după ce mi-am citit declarația, din cauza măsurilor speciale. Așa că mă învârt pe afară. Nu peste mult timp, inspectorul Clarke și sergentul Willan ies în grabă, părând tulburați. Alături de ei este și procurorul, domnul Broome.

– Emma, vino pe aici, zice sergentul Willan.

– De ce? Ce se întâmplă? întreb eu în timp ce ei mă îndeamnă să merg în altă parte a holului.

Mă uit înapoi spre sala de judecată chiar când iese avocata lui Nelson. Lângă ea, văd un adolescent de culoare, îmbrăcat în costum. Se întoarce spre mine și ochii îi sclipesc când mă recunoaște. Apoi, avocata îi spune ceva și el se întoarce spre ea.

– Emma, magistrații l-au eliberat pe cauțiune, zice sergentul Willan. Îmi pare rău.

– Cum? zic eu. De ce?

– Magistrații au fost de acord cu doamna Fields, avocata apărării, că au existat niște probleme cu speța noastră.

– Probleme? Ce înseamnă asta? întreb eu.

Se deschide o altă ușă dinspre locurile rezervate publicului și de acolo iese Simon. Vine glonț spre mine.

– Probleme de procedură, zice aspru inspectorul Clarke. În principal legate de identificare.

– Adică faptul că nu a existat ADN?

– Și nici amprente, zice procurorul.

Inspectorul Clarke nu se uită la el.

– În momentul respectiv, nu era nici o reclamație de viol. Cazul a fost clasificat drept spargere. Ofițerul de serviciu a hotărât să nu se preleveze amprente. Oftează. Apoi, probabil că ar fi trebuit să-l includem pe Nelson într-o acțiune de identificare. Dar cum ne-ai zis că purtase cagulă, nu părea să aibă vreun sens. Din păcate, un avocat isteț poate să folosească lucrurile de genul ăsta ca să sugereze că poliția a tras concluzii pripite.

– Dar dacă asta e problema, de ce să nu-l identific acum? întreb eu.

Între Clarke și procuror are loc un schimb de priviri.

– Ar putea fi util când se ajunge la proces, răspunde procurorul gânditor.

– Asta e foarte important, Emma, îmi spune inspectorul Clarke. L-ai văzut pe acuzat astăzi, oricând în timpul audierii?

Clatin din cap. La urma urmei, nu sunt sigură că adolescentul pe care l-am văzut *era* Nelson. Și chiar dacă era, de ce să scape nepedepsit doar pentru că polițiștii sunt așa de incompetenți?

– Cred că ar trebui să luăm asta în considerare, zice procurorul încuviințând.

– Emma? mă strigă Simon, disperat să întrerupă conversația. Emma, știu că ai vorbit serios.

– La ce te referi? zic eu.

– Că ne-am despărțit numai din cauza nenorocitului ăluia.

– Ce? Nu, zic eu clătinând din cap. Asta era pentru instanță, Si. Nu am vrut... Nu mă întorc la tine.

– Emma, se aude vocea calmă și autoritară a lui Edward în spatele nostru. Mă întorc recunoscătoare spre el. Bravo! zice el. Ai fost nemaipomenită.

Mă strânge în brațe și văd groaza de pe chipul lui Simon când își dă seama ce înseamnă asta.

– Doamne! șoptește el. Doamne, Emma! Nu se poate!

– Ce nu se poate, Simon? întreb eu sfidătoare. Nu se poate să aleg cu cine să mă văd?

Polițiștii și Broome, înțelegând că sunt martorii unei scene personale, își coboară privirile și dau să plece stânjeniți. Ca de obicei, Edward preia controlul.

– Vino cu mine, zice el.

Mă cuprinde cu un braț și mă îndepărtează. Îmi întorc privirea o dată și îl văd pe Simon uitându-se după noi, mut de nefericire și de furie.

ACUM: JANE

În weekendul acela, Edward mă duce la British Museum, unde o asistentă deschide un dulap şi ne lasă singuri să examinăm o sculptură mică, preistorică. Contururile i-au fost roase de timp, dar tot se pot recunoaşte doi iubiți înlănțuiți.

– E veche de unsprezece mii de ani. Cea mai veche reprezentare a sexului din lume, zice Edward. Din civilizația natufiană, primii oameni care au creat comunități.

E greu să mă concentrez. Mă gândesc întruna că i-a spus şi Emmei exact aceleaşi cuvinte. Pot să ignor alte observații de-ale lui Carol, având în vedere că nu l-a întâlnit niciodată pe Edward, dar e mai greu să ignor dovada palpabilă a carnețelului.

Apoi, mă gândesc că toți suntem vinovați de adoptarea aceloraşi expresii familiare, a aceloraşi scurtături lingvistice. Toți spunem aceleaşi anecdote unor oameni diferiți, uneori chiar aceloraşi oameni, adesea cu aceleaşi cuvinte. Cine nu se repetă uneori? *Compulsia la repetiție* şi *traducerea în act* nu sunt oare doar nişte termeni simandicoşi pentru faptul că suntem ființe supuse obiceiurilor?

Apoi, Edward îmi dă sculptura să o țin şi imediat toată atenția mi se concentrează asupra ei. Mă trezesc gândindu-mă că e incredibil că oamenii fac dragoste de atâtea milenii; sigur, este una dintre puținele constante ale istoriei omenirii. Acelaşi act repetat de-a lungul generațiilor.

După aceea, întreb dacă putem merge să vedem piesele de marmură Elgin, dar Edward refuză.

– Galeriile publice vor fi pline de turişti. În plus, mi-am făcut o regulă să nu mă uit decât la un singur lucru într-un muzeu. Dacă vezi mai multe lucruri odată, creierul tău devine supraîncărcat.

Dă să se întoarcă pe unde am venit.

Îmi revin în minte cuvintele lui Carol Younson. „Comportamentul lui Edward i s-a părut suficient de rezonabil Emmei atât timp cât a fost complice cu el, adică atât timp cât i-a permis să o controleze...“

Mă opresc brusc.

– Edward, chiar vreau să le văd.

Se uită la mine nedumerit.

– Bine, dar nu acum. O să aranjez cu directorul, putem să ne întoarcem când e închis muzeul...

– Acum, zic eu. Trebuie să fie acum.

Îmi dau seama că par puerilă şi agitată. O asistentă de la un birou îşi ridică privirea şi se încruntă.

Edward ridică din umeri.

– Foarte bine.

Mă conduce prin altă uşă în zona publică a muzeului. Oamenii se îngrămădesc în jurul exponatelor ca peştii care se hrănesc din corali. Edward îşi face drum printre ei fără să privească în lături.

– Aici, zice el.

Sala e şi mai aglomerată decât cealaltă, plină de elevi care au mape în mâini şi pălăvrăgesc în franceză. Apoi, sunt dependenţii de cultură, care încuviinţează din cap la spusele ghidurilor audio; cuplurile care se ţin de mână şi se plimbă prin sală; oameni care împing cărucioare, turişti cu rucsacul în spate, oameni care îşi fac selfie-uri. Dincolo de această masă mişcătoare, după o balustradă metalică, se află câteva socluri pe care stau fragmente dintr-o sculptură deteriorată şi faimoasa friză.

Degeaba. Încerc să mă uit la ea cum trebuie, dar nu regăsesc magia pe care am simţit-o ţinând în mână sculptura aceea minusculă, veche de câteva milenii.

– Ai avut dreptate, zic eu tristă. Sunt hidoase.

El zâmbeşte.

– În cel mai bun caz, sunt anoste. Dacă n-ar fi toată agitaţia asta cu dreptul de proprietate asupra lor, lumea nici măcar nu s-ar uita la ele. Chiar şi clădirea de unde au provenit, Partenonul, este îngrozitor de plicticoasă. Ironic e că a fost construită ca simbol al puterii imperiului. Aşa că e adecvat ca un alt imperiu lacom să fi furat bucăţi din ea. Mergem?

Ne oprim pe la biroul lui să luăm o geantă mică de voiaj din piele şi apoi la o pescărie, unde Edward a comandat ingredientele pentru o tocană. Bărbatul de acolo se scuză: unul dintre peştii de pe lista lui Edward era merluciu, dar fusese nevoit să-l înlocuiască cu undiţar.

– Acelaşi preţ, bineînţeles, domnule, deşi în mod normal undiţarul este mai scump.

Edward clatină din cap. Reţeta cere merluciu.

– Ce pot să fac, domnule? ridică din mâini neputincios vânzătorul. Dacă nu se prinde, nu putem să-l vindem.

– Vreţi să spuneţi, întreabă Edward încet, că nu a existat merluciu *deloc* în Billingsgate în dimineaţa asta?

– Numai la preţuri ridicol de mari.

– Şi de ce nu le-aţi plătit?

Omului îi piere zâmbetul.

– Undiţarul e mai bun, domnule.

– Am comandat merluciu, zice Edward. M-aţi dezamăgit. Nu voi mai veni aici.

Se răsuceşte pe călcâie şi iese ofensat din magazin. Vânzătorul ridică din umeri şi se întoarce la peştele pe care îl fileta, dar nu înainte de a-mi arunca mie o privire ciudată. Simt cum îmi ard obrajii.

Edward aşteaptă pe stradă.

– Hai să mergem, zice el, ridicând mâna să cheme un taxi.

Imediat, o maşină întoarce şi se opreşte lângă noi. Am observat că are talentul ăsta: şoferii de taxi par să-l observe imediat.

Nu l-am mai văzut nervos până acum şi nu ştiu cât va dura starea asta. Dar el, calm, începe să vorbească despre altceva, de parcă altercaţia de mai devreme nici n-ar fi avut loc.

Dacă Carol ar avea dreptate şi el ar fi sociopat, nu ar tuna şi fulgera acum? Hotărăsc că asta este încă o dovadă că nu avea dreptate în privinţa lui.

Edward îmi aruncă o privire.

– Am impresia că nu asculţi, Jane. S-a întâmplat ceva?

– Ah, scuze. Eram cu mintea în altă parte. Nu trebuie să las conversaţia cu terapeuta să intervină în prezent, hotărăsc eu. Arăt spre geantă. Unde te duci?

– M-am gândit să mă mut cu tine.

Pentru o clipă, mi se pare că nu am auzit bine.

– Să te muţi?

– Dacă mă primeşti, bineînţeles.

Sunt şocată.

– Edward...

– E prea curând?

– Nu am mai locuit cu nimeni până acum.

– Pentru că nu ai întâlnit niciodată persoana potrivită, zice el rezonabil. Înţeleg, Jane, pentru că, în anumite privinţe, cred că ne asemănăm. Ţii la intimitatea ta şi eşti reţinută şi un pic distantă. E unul dintre nenumăratele lucruri pe care le iubesc la tine.

– Da? zic eu, deşi în realitate mă gândesc „Sunt distantă? Şi Edward chiar a spus cuvântul *iubesc*?"

– Nu vezi? Suntem perfecţi unul pentru altul. Mă atinge pe mână. Mă faci fericit. Şi cred că şi eu pot să te fac fericită.

– Sunt fericită acum, zic eu. Edward, deja m-ai făcut fericită.

Şi îi zâmbesc pentru că e adevărat.

ATUNCI: **EMMA**

Data următoare când vine, Edward aduce o geantă mică de voiaj din piele şi nişte peşte pentru o tocană.

– Secretul stă în sosul *rouille*, îmi spune el în timp ce aşază totul pe blat. Atâţia oameni omit şofranul.

Eu nici măcar nu ştiu ce sunt sosul *rouille* şi şofranul.

– Te duci undeva? îl întreb uitându-mă la geantă.

– Într-un fel. Sau, mai degrabă, vin undeva. Dacă mă primeşti, bineînţeles.

– Vrei să-ţi ţii nişte lucruri aici? întreb eu surprinsă.

– Nu, zice el amuzat. Astea sunt toate lucrurile mele.

Geanta este foarte frumoasă, ca toate lucrurile lui, pielea e moale şi lustruită, ca şaua unui cal. Sub mâner e o etichetă discretă, pe care sunt scrise în relief cuvintele SWAINE ADENEY, PRODUCĂTORI DE BAGAJE. FURNIZORI AI FAMILIEI REGALE. O deschid. Înăuntru, totul e frumos împachetat, ca motorul unei maşini. Iau obiectele pe rând şi le descriu pe măsură ce le scot.

– Şase cămăşi Commes des Garçons, toate albe, foarte bine călcate şi împăturite, aş putea adăuga. Două cravate de mătase de la Maison Charvet. Un MacBook Air. O agendă Fiorentina legată în piele. Un creion mecanic de oţel. O cameră digitală Hasselblad. O husă de bumbac înfăşurată în care sunt, ia să vedem, trei cuţite japoneze.

– Nu le atinge! mă avertizează el. Sunt foarte ascuţite.

Înfășor cuțitele la loc și le pun deoparte.

– O trusă cu obiecte de toaletă. Două pulovere negre din cașmir. Două perechi de pantaloni negri. Opt perechi de șosete negre. Opt perechi de boxeri negri. Asta e tot, serios?

– Bine, mai am câteva lucruri la birou: un costum și așa mai departe.

– Cum te descurci cu atât de puține lucruri?

– Ce altceva îmi mai trebuie? zice el. Nu mi-ai răspuns la întrebare, Emma.

– E atât de brusc, îi spun eu, deși, în sinea mea, îmi vine să sar de bucurie.

– Poți să mă dai afară oricând vrei.

– De ce aș face asta? *Tu* o să te saturi de mine.

– N-o să mă satur niciodată de tine, Emma, mă asigură el pe un ton cât se poate de serios. În tine, cred că am găsit, în sfârșit, femeia perfectă.

– Dar de ce? întreb eu.

Nu prea înțeleg. Credeam că aveam doar o relație neîmpovărată sau cum i-o fi zis el.

– Pentru că nu pui niciodată întrebări, îmi răspunde liniștit. Se întoarce la pește. Vrei să-mi dai cuțitele?

– Edward!

Se preface că oftează.

– Of, bine! Pentru că ai tu ceva, ceva vibrant și viu, care mă face și pe mine să mă simt viu. Pentru că ești impulsivă și extrovertită și tot ce nu sunt eu. Pentru că ești diferită de toate femeile pe care le-am cunoscut vreodată. Pentru că mi-ai reaprins dorința de a trăi. Pentru că tu ești tot ce-mi trebuie. Sunt suficiente explicațiile astea?

– Deocamdată sunt suficiente, încuviințez eu, incapabilă să-mi șterg zâmbetul de pe față.

7. *Prietena dumneavoastră vă arată o lucrare făcută de ea. Evident, este mândră de aceasta, deși nu e foarte bună. Cum procedați?*

○ *Îi oferiți o părere critică sinceră, obiectivă.*
○ *Îi sugerați o îmbunătățire minoră, ca să vedeți cum reacționează.*
○ *Schimbați subiectul.*
○ *Scoateți niște sunete vagi, încurajatoare.*
○ *Îi spuneți că e foarte bună.*

ACUM: JANE

– Am impresia că, de fapt, vrei să ți se ceară scuze, îmi spune mediatoarea spitalului. E o femeie de vârstă mijlocie, îmbrăcată într-un cardigan gri, din lână, și cu o atitudine atentă, înțelegătoare. Nu-i așa, Jane? O confirmare din partea conducerii a celor suferite de tine te-ar ajuta să lași în urmă această pierdere?

De cealaltă parte a mesei stă doctorul Gifford, tras la față, flancat de un administrator al spitalului și de un avocat. Mediatoarea, Linda, stă în capul mesei, ca și cum ar vrea să-și sublinieze poziția neutră. Lângă mine stă Tessa.

Vag, îmi dau seama că, într-o singură frază, Linda a reușit cumva să reducă scuzele oferite la o recunoaștere a suferinței mele. Seamănă cu scuzele politicienilor vicleni, care spun că le pare rău dacă alți oameni sunt supărați.

Tessa pune mâna pe brațul meu, dându-mi de înțeles că răspunde ea.

– Sigur că ar fi binevenită o *recunoaștere*, zice ea silabisind cuvântul, din partea spitalului că, într-adevăr, s-au făcut greșeli care puteau fi evitate și că acestea au contribuit la decesul lui Isabel. Ar fi un prim pas.

Linda oftează, nu e clar dacă din empatie profesională sau pentru că a înțeles că e un caz dificil.

– Poziția spitalului – corectează-mă dacă greșesc, Derek – este că ar prefera să cheltuiască fonduri importante pe tratarea pacienților și nu pe litigii sau pe onorariile avocaților.

Se întoarce spre administrator, care încuviințează bine-voitor din cap.

– Da, de acord, continuă Tessa, dar dacă ați fi cerut eco-grafii Doppler pentru fiecare femeie însărcinată, nu am mai fi astăzi aici. În loc de asta, cineva s-a uitat la cifre și a cal-culat că ar fi mai ieftin să plătească onorarii avocaților și despăgubiri pentru numărul mic, dar semnificativ din punct de vedere statistic, de cazuri în care aceste ecografii ar fi schim-bat rezultatul. Și situația va continua până când organizații precum Still Hope vor reuși să facă această abordare dură și inumană așa de costisitoare ca bani și timp, încât cifrele să nu mai fie convenabile.

„Unu la zero pentru Tessa", mă gândesc.

Intervine Derek, administratorul.

– Dacă trebuie să îl suspendăm pe domnul Gifford, și vom fi nevoiți să facem asta în cazul în care acesta devine un ING, activitatea sa va fi preluată de un înlocuitor provizoriu și mulți pacienți nu vor mai putea beneficia de grija unui spe-cialist experimentat și respectat.

ING. Asta înseamnă un incident negativ grav. Încet și du-reros, mă acomodez cu jargonul. Auscultare intermitentă. Monitorizare CTG. Partograme. Diferența dintre numărul de angajați din centrul de nașteri[1], unde am fost eu, și cel din sala de nașteri, unde ar fi trebuit să fiu.

Întâlnirea aceasta a fost organizată de spital aproape ime-diat după ce Tessa a depus o cerere formală pentru a avea acces la fișele mele medicale. Sigur așteptaseră să vadă dacă scrisoa-rea lor diplomată și liniștitoare avusese efect. Faptul ăsta în sine, adică gândul că au încercat să scape de mine și că, dacă nu era Tessa, ar fi reușit, mă înfurie aproape la fel de mult ca moartea lui Isabel.

---

[1] Spre deosebire de sala de nașteri, care face parte din spital și are ca personal medici și asistente, centrul de nașteri este un mediu mai con-fortabil, care simulează condițiile de acasă și care poate să se afle sau nu în cadrul unui spital. Acesta se recomandă, în general, pentru nașterile fără riscuri, unde mamele pot fi ajutate de moașe să nască.

– Ideea e că, dacă s-ar ajunge la despăgubiri, ăsta ar fi un caz scump pentru ei, îmi explicase Tessa pe drum spre întâlnire.

– De ce? Știu cât sunt despăgubirile pentru bebelușii care nu ar fi trebuit să moară... aproape ridicol de mici.

– Despăgubirea în sine ar putea să nu fie mare, dar mai e și pierderea veniturilor. Aveai un job bine plătit. Dacă Isabel nu murea, îți luai concediul de maternitate și apoi te-ai fi întors, nu?

– Cred că da, dar...

– Iar acum lucrezi cu salariul minim pentru o organizație caritabilă care se ocupă de problema bebelușilor morți la naștere. Dacă adăugăm salariul la care ai renunțat, se face o sumă frumușică.

– Dar asta a fost alegerea mea.

– O alegere pe care nu ai fi făcut-o dacă circumstanțele ar fi fost altele. Nu fi blândă cu spitalul, Jane! Cu cât le faci o pagubă mai mare, cu atât sunt mai mari șansele să-și schimbe politica.

Îmi dau seama că e extraordinară. E ciudat când crezi că cunoști o persoană și, de fapt, nu o cunoști deloc. La Still Hope, împărțind biroul cu ea, am văzut o femeie haioasă, plină de viață, cu un zâmbet fără griji și o înclinație spre bârfa de birou. Aici, în sala asta prăfuită de ședințe, văd o luptătoare experimentată, care evită loviturile conducerii spitalului cu o ușurință căpătată în timp.

– Eu am impresia, zice ea acum, că încercați să o șantajați moral pe doamna Cavendish spunându-i că vor muri și alți copii dacă merge mai departe cu cazul. S-a notat. Dar o poziție mult mai responsabilă ar fi să creșteți numărul angajaților, nu să îl reduceți, cel puțin până avem un rezultat clar la ING.

Chipurile din fața noastră ne privesc înmărmurite.

În cele din urmă, vorbește doctorul Gifford.

– Doamnă Cavendish... Jane. Aș vrea doar să spun, mai întâi de toate, că îmi pare foarte rău pentru pierderea suferită. Apoi, vreau să-mi cer scuze pentru greșelile care s-au făcut. Nu pot să spun că, dacă am fi identificat problemele mai repede, Isabel ar fi în viață. Însă, cu siguranță, ar fi avut șanse mai mari. Se uită la suprafața mesei când vorbește și își alege cu grijă cuvintele, dar acum își ridică privirea și o întâlnește pe a mea. Ochii îi sunt roșii de oboseală. Eu am fost medicul de gardă. Îmi asum întreaga responsabilitate.

Urmează o tăcere lungă. Derek, administratorul, face o grimasă și ridică mâinile, de parcă ar vrea să spună „Acum am încurcat-o". Linda e cea care intervine precaut:

– Păi, cred că toți avem nevoie de timp să ne gândim la asta și la celelalte lucruri bune care au fost punctate astăzi.

– A fost chinuitor, îi povestesc lui Edward mai târziu. Dar nu așa cum mă așteptasem. Brusc mi-am dat seama că, dacă merg mai departe, o să-i distrug cariera omului, deși ce s-a întâmplat nu e nici pe departe vina lui. Chiar cred că e un om de treabă.

– Poate că, dacă nu era așa de treabă și angajații erau mai speriați de el, moașa ar fi verificat mai bine ecografia.

– Nu pot să-l distrug doar pentru că e un șef blând.

– De ce nu? Dacă e un mediocru, merită.

Știu, desigur, că pentru a construi clădiri perfecte ca cele ale lui Edward este nevoie de o anumită cruzime. Mi-a povestit cum, odată, se luptase cu autoritatea de urbanism timp de șase luni ca să nu instaleze o alarmă de fum pe tavanul unei clădiri. Responsabilul de urbanism a avut o cădere nervoasă, iar Edward a scăpat de obligația de a instala alarma. Cred că nu mi-a plăcut niciodată să mă gândesc la latura asta a lui.

Pe neașteptate, aud vocea lui Carol Younson. „Toate trăsăturile unui sociopat narcisist..."

– Povestește-mi despre Tessa, îmi sugerează Edward, turnându-și niște vin.

Niciodată nu-și pune în pahar mai mult de jumătate, am observat. Îmi oferă și mie, dar refuz dând din cap.

– Pare o fire pătimașă, comentează el când termin de schițat descrierea Tessei.

– Este. Adică, nu acceptă rahaturi de la nimeni. Dar are și simțul umorului.

– Și *ea* ce părere are despre dragul tău doctor Gifford?

– Crede că a avut discursul pregătit dinainte, recunosc eu.

„Asta e diferența dintre responsabilitate și răspundere, Jane", îmi spusese ea apoi, când ne-am oprit la Starbucks pentru fursecuri și latte. „Între greșeala unui doctor și eșecurile instituționale ale unei organizații. Sunt în stare de orice ca să nu implice conducerea spitalului."

– Deci acum trebuie să te hotărăști dacă vrei ca fiica ta să facă parte din cruciada personală a acestei femei, adaugă Edward gânditor.

Mă uit la el surprinsă.

– Crezi că ar trebui să renunț la asta?

– Păi, sigur că e decizia ta, dar se pare că prietena ta e hotărâtă să se lupte cu orice cost.

Mă gândesc la asta. E adevărat. Sunt destul de sigură că în Tessa *mi-am făcut* o prietenă. Mă simt bine cu ea, dar cel mai mult o admir că e o dură. Vreau să mă placă și ea pe mine și sigur că, dacă m-aș retrage, aș putea pierde asta.

„A îndepărtat-o pe Emma de prieteni și familie..."

– Nu ai o problemă cu asta, nu? întreb eu.

– Sigur că nu, răspunde el relaxat. Doar că vreau să fii fericită, atâta tot. Apropo, o să schimb canapeaua asta.

– De ce?

Canapeaua este foarte frumoasă: o întindere lungă și joasă de in crem, catifelat.

– Acum că locuiesc aici, am observat câteva lucruri care ar putea fi îmbunătățite, atâta tot. Tacâmurile, de exemplu. Nu știu ce-a fost în capul meu când am ales Jean Nouvel. Și cred că această canapea invită la leneveală. Serios, două fotolii ar fi mai bune. Poate LC3 de Le Corbusier. Sau scaunul-fantomă al lui Philippe Starck. O să mă mai gândesc la asta.

Deja am observat o schimbare în scurtul timp de când s-a mutat Edward aici, nu atât în relația mea cu el, ci în relația mea cu One Folgate Street. Senzația aceea că jucam pentru un public invizibil a fost înlocuită de știința, de omniprezența ochiului pătrunzător al lui Edward; o senzație că eu și casa facem acum parte dintr-o regie indivizibilă. Simt cum viața mea devine mai valoroasă, mai *frumoasă*, știind că el o apreciază. Totuși, din același motiv, îmi devine tot mai greu să interacționez cu lumea de dincolo de acești pereți, lumea în care domnesc haosul și urâțenia. Dacă să alegi tacâmurile e atât de dificil, cum o să decid vreodată dacă să dau spitalul în judecată sau nu?

– Altceva? întreb eu.

Edward se gândește.

– Trebuie să fim mai disciplinați cu obiectele de toaletă. De exemplu, azi-dimineață am observat că nu ai pus șamponul la loc.

– Știu. Am uitat.

– Ei, nu-ți face griji. E nevoie de disciplină ca să trăiești așa. Dar cred că deja descoperi că recompensele merită efortul.

ATUNCI: **EMMA**

Îmi fusese teribil de frică de momentul alinierii suspecților pentru identificare. Îmi imaginasem cum o să mă uit direct în ochii lui Deon Nelson în timp ce pășeam încet de-a lungul unui șir de bărbați într-o cameră mică, luminoasă, ca în filme. Numai că nu se face deloc așa acum.

– Asta e VIPER, mă informează binevoitor inspectorul Clarke în timp ce așază două căni de cafea pe biroul lui, lângă laptop. Se pare că e prescurtarea de la Video Identification Parade Electronic Recording[1], deși, dacă mă întrebi pe mine, cineva de la Interne s-a gândit că un acronim sexy va prinde mai repede. Practic, facem o înregistrare video a suspectului, apoi sistemul folosește un software de recunoaștere facială ca să găsească în baza de date alte opt persoane care seamănă cu el. Înainte să avem aplicația asta, dura câteva săptămâni ca să facem o identificare. Începem?

Scoate niște documente dintr-o folie de plastic.

– Înainte de asta, îmi spune el scuzându-se, trebuie să semnezi niște formulare în care să declari că l-ai văzut pe acuzat numai când a avut loc presupusa infracțiune.

– Sigur, încuviințez eu fără să ezit. Aveți un pix?

– Emma, zice el arătând un pic stânjenit, e foarte important să fii absolut sigură că nu l-ai zărit la audierea pentru cauțiune.

---

[1] Înregistrare electronică video a alinierii suspecților pentru identificare

– Din câte ştiu eu, nu, zic şi îmi vine să-mi dau una.

Dacă spun că mi-l aduc aminte pe Nelson de la jaf suficient de bine încât să îl identific sigur, ar trebui să ştiu dacă l-am văzut în altă parte. Cu toate astea, inspectorul Clarke nu pare să fi sesizat scăparea.

– Sigur, eu te cred pe cuvânt, dar ar trebui să ştii, pentru că e posibil să fie invocat lucrul ăsta la proces, că acuzatul pretinde că aţi schimbat o privire în faţa sălii de judecată.

– Ei, asta e o prostie! izbucnesc eu.

– Mai mult, avocata lui zice că el a şi făcut un comentariu despre asta în momentul respectiv. Zice că s-a uitat şi ea şi te-a văzut trecând la patru-cinci metri de clientul ei.

Mă încrunt.

– Nu cred, zic eu.

– Da. Mă rog, avocata a fost foarte agitată din cauza asta. A făcut o reclamaţie formală şi o notificare că, ăăă, credibilitatea martorei va fi o problemă la proces.

– Credibilitatea martorei... repet eu. Adică dacă spun adevărul?

– Mă tem că da. S-ar putea să lege chestia asta de amnezie. O să fiu sincer cu tine, Emma: nu e o experienţă prea plăcută când un avocat şmecher al apărării încearcă să găsească puncte slabe în varianta ta. Dar asta e treaba ei. Şi paza bună trece primejdia rea, nu-i aşa? Tu doar spune exact ce s-a întâmplat şi o să fie bine.

Semnez formularele, îl identific pe Nelson şi mă duc pe jos acasă, clocotind de nervi. Deci, urmează să fiu atacată la tribunal de o avocată hotărâtă să-mi submineze versiunea. Am o senzaţie îngrozitoare că, încercând să repar greşelile poliţiei, mai mult am înrăutăţit lucrurile.

Sunt aşa de adâncită în gândurile mele încât, la început, nici nu-l observ pe puştiul de pe bicicleta BMX care a încetinit aşa de mult încât merge în ritm cu mine. Când îl observ, în cele din urmă, văd că e un adolescent, cam de paisprezece sau cincisprezece ani. Instinctiv, mă dau la o parte, apropiindu-mă de zid.

Fără efort, urcă bicicleta pe bordură. Încerc să mă întorc pe unde am venit, dar el îmi taie calea. Se apleacă în față. Mă încordez, așteptând să mă lovească, dar el se răstește la mine:

– Fă! Ești o târfă mincinoasă! Ăsta-i un mesaj, pizdă! Știi tu de la cine.

Aproape nonșalant, coboară iar de pe bordură, se întoarce brusc și pedalează mai departe. Înainte de asta însă, îmi face un gest de înjunghiere.

– Târfă! mai strigă el o dată, așa, să fie.

Edward mă găsește ghemuită în dormitor, suspinând. Fără să spună vreun cuvânt, mă ia în brațe și mă ține așa până când mă opresc din tremurat și îi povestesc ce s-a întâmplat.

– Probabil doar încerca să te sperie, îmi spune el când termin. Ai anunțat poliția?

Încuviințez cu lacrimi în ochi. Îl sunasem pe inspectorul Clarke de îndată ce ajunsesem acasă, omițând doar partea în care tipul mă făcuse mincinoasă. Inspectorul spusese că o să-mi arate niște poze cu persoane din anturajul lui Nelson, dar că, aproape sigur, folosise pe cineva care nu era cunoscut de poliție.

– Între timp, Emma, adăugase inspectorul, îți dau numărul meu personal. Dă-mi un mesaj oricând te simți amenințată. O să urgentăm răspunsul, trimitem pe cineva la tine imediat.

Edward ascultă cu atenție în timp ce îi povestesc toate astea.

– Deci poliția crede că e doar o încercare de a te intimida? Adică s-ar opri dacă ți-ai retrage mărturia?

Mă uit la el uluită.

– Vrei să zici, dacă l-aș lăsa pe Nelson să scape basma curată?

– Nu sugerez neapărat că asta ar trebui să faci. Numai că e o opțiune. Dacă vrei să te eliberezi de tot stresul ăsta. Poți să lași totul în urmă și să nu te mai gândești niciodată la Deon Nelson. Mă mângâie ușor pe păr, aranjându-mi o șuviță rebelă după ureche. Mă duc să fac ceva de mâncare, zice el.

ACUM: JANE

Stau nemişcată, cu corpul întors spre fereastră ca să capteze lumina.

Singurul sunet care se aude este scârţâitul uşor al creionului lui Edward în timp ce mă desenează. Are o agendă legată în piele, pe care o ţine mereu cu el, alături de un creion mecanic de oţel Rotring, greu ca un glonţ. Aşa se relaxează el, desenând. Uneori îmi arată desenele lui. Totuşi, cel mai adesea, pur şi simplu rupe pagina cu un oftat şi o duce la coşul de reciclat construit în colţul refectoriului.

– Ăsta ce a avut? l-am întrebat o dată.

– Nimic. Aşa te obişnuieşti să arunci lucruri care-ţi plac, dar care nu-ţi trebuie. Iar un tablou – orice tablou – lăsat la vedere devine invizibil pentru ochi în câteva minute.

Demult, ăsta mi s-ar fi părut un lucru ciudat, chiar uşor comic, dar acum ajung să-l înţeleg mai bine. Într-o anumită măsură, sunt de acord. Atât de multe lucruri din modul acesta de viaţă, care odată mi se păreau apăsătoare, acum sunt obişnuite. Acum mă descalţ când intru în holul mic din One Folgate Street fără să mă gândesc. Îmi aranjez condimentele în ordine alfabetică, aşa cum îi place lui, şi nu mi se pare deloc greu să le pun la loc după ce le folosesc. Îmi împăturesc cămăşile şi pantalonii după metoda unui guru japonez care a scris câteva cărţi despre acest subiect. Ştiind că Edward nu poate să doarmă dacă folosesc baia după el, în caz că un prosop a fost

lăsat la întâmplare pe jos, le întind după fiecare duș și mă
întorc să mă ocup de ele când se usucă. Ceștile și farfuriile
sunt spălate, uscate și puse la loc la câteva minute după ce au
fost folosite. Toate au locul lor bine definit, iar dacă ceva nu-și
găsește locul, probabil este inutil și ar trebui oricum aruncat.
Viața noastră împreună a căpătat o seninătate eficientă; o se-
rie de ritualuri domestice liniștite.

Și el face compromisuri. Nu există nici o bibliotecă în casă,
dar tolerează un teanc ordonat de cărți cartonate în dormitor,
cu condiția ca marginile să fie perfect aliniate și construcția
dreptunghiulară. Numai când teancul începe să se încline se
încruntă și el, în timp ce se îmbracă.

– Prea înalt?

– Poate puțin, da.

Tot nu-mi vine să arunc cărți, nici măcar să le dau la reci-
clat, dar magazinul caritabil de pe Hendon High Street este re-
cunoscător pentru aceste daruri impecabile, aproape neatinse.

Edward rareori citește de plăcere. O dată l-am întrebat de ce
și mi-a spus că e din cauză că paginile nu au cuvinte simetrice.

– Asta e o glumă? Niciodată nu-mi dau seama când glumești.

– Poate zece la sută e glumă.

Uneori, când desenează, vorbește sau, mai degrabă, gân-
dește cu voce tare și acelea sunt cele mai prețioase momente.
Nu-i place să fie întrebat despre trecutul lui, dar nici nu îl evită
dacă vine vorba despre el într-o conversație. Aflu că mama lui
a fost o femeie dezorganizată, haotică; nu chiar alcoolică, nu
chiar dependentă de medicamente pe rețetă; un alt copil care
ar fi avut copilăria lui Edward ar fi putut să ajungă absolut
normal, însă pe el sensibilitatea sau încăpățânarea l-au făcut
să urmeze o altă cale. La rândul meu, povestesc despre părinții
mei și despre neînduplecarea cu care își păstrau standardele
înalte; despre tatăl greu de impresionat, care m-a îndemnat
printr-un e-mail corporatist să încerc mai mult, să am rezul-
tate mai bune, să câștig mai multe premii; despre obiceiuri-
le de conștiinciozitate și sârguință cu care m-am pricopsit
pe viață. Suntem complementari, hotărâm noi. Nici unul
din noi nu ar putea accepta un partener care s-ar mulțumi să
fie mediocru.

Acum își termină schița, o studiază câteva clipe, apoi dă pagina fără să o rupă.

– Mă păstrezi de data asta?

– Deocamdată.

– Edward... zic eu.

– Jane?

– Nu m-am simțit în largul meu cu unele lucruri pe care le-am făcut în pat azi-noapte.

El se pregătește pentru o nouă schiță, mijindu-și ochii la picioarele mele pe deasupra vârfului creionului.

– Azi-noapte păreai să te simți bine, zice el într-un târziu.

– Sub impulsul momentului, da. Dar după aceea... Pur și simplu n-aș vrea să devină ceva obișnuit, asta-i tot.

Începe să deseneze, trasând cu ușurință linii cu creionul de-a lungul paginii.

– De ce să-ți refuzi ceva care-ți oferă plăcere?

– Poate să nu-ți placă ceva, chiar dacă tolerezi pe moment. Dacă ți se pare greșit. Tu ar trebui să înțelegi asta.

Mișcările moi de du-te-vino ale creionului nu ezită, ca acul unui seismograf într-o zi calmă, fără cutremure.

– Va trebui să fii mai clară, Jane.

– Chestiile dure.

– Continuă.

– În general, orice provoacă vânătăi. Folosirea forței, legarea de mâini sau de picioare, lăsatul de semne pe piele sau trasul de păr, la fel. Și dacă tot suntem la subiectul ăsta, să știi că nu-mi place gustul de spermă, iar sexul anal este absolut exclus.

Creionul se oprește.

– Îmi faci cumva *reguli*?

– Cred că da. În orice caz, stabilesc limite. E valabil și invers, bineînțeles, adaug eu. Dacă vrei să-mi zici și tu ceva, te rog.

– Numai că ești o femeie absolut remarcabilă. Se întoarce la schița lui. Chiar dacă ai o ureche un pic mai mare decât cealaltă.

– *Ea* a intrat în joc?

– Cine?

– Emma.

Ştiu că am intrat pe un teritoriu periculos, dar nu mă pot abţine.

– *Dacă a intrat în joc?* repetă el. Interesant mod de a pune problema. Numai că eu nu discut niciodată despre fostele mele partenere. Ştii asta.

– Înţeleg că răspunsul e afirmativ.

– Înţelege ce vrei, dar nu mai da din picior aşa.

La cursul de istoria artei, am făcut un modul despre palimpseste – foi de pergament medievale atât de scumpe, încât atunci când textul nu mai era util, foile erau şterse şi refolosite, scrisul vechi rămânând abia vizibil sub cel nou. Mai târziu, artiştii renascentişti au folosit cuvântul *pentimenti*, remuşcări, pentru a descrie greşeli sau modificări care erau acoperite cu vopsea nouă şi care au fost descoperite abia după mulţi ani sau chiar după câteva secole, pe măsură ce vopseaua se subţia în timp, lăsând la vedere şi originalul, şi corecţia.

Câteodată, mi se pare că aşa e şi casa asta – relaţia noastră în ea, cu ea, unul cu altul – ca un palimpsest sau un *pentimento*; că, oricât am încerca să vopsim peste Emma Matthews, ea se tot întoarce: o imagine vagă, un zâmbet enigmatic, care se strecoară într-un colţ al ramei.

ATUNCI: **EMMA**

– Dumnezeule!

Podeaua de piatră e plină de cioburi. Hainele mele sunt sfâşiate. Cearşaful de pe pat s-a desfăcut şi a fost aruncat într-un colţ. De-a lungul coapsei am o urmă întinsă de sânge, nu ştiu de unde. În colţul camerei, văd o sticlă spartă şi nişte mâncare călcată în picioare.

Mă dor părţi din corp la care nici nu vreau să mă gândesc.

Ne uităm unul la altul ca doi supravieţuitori ai unui cutremur sau ai unei explozii, de parcă am fost inconştienţi şi abia acum ne revenim.

Ochii lui îmi caută faţa. Arată îngrozit. Spune:

– Emma, eu... Vocea i se pierde. Mi-am pierdut controlul, zice el încet.

– Nu-i nimic, îl liniştesc eu. Nu-i nimic. Repet asta de mai multe ori, aşa cum ar face cineva care ar vrea să calmeze un cal fugar. Ne strângem tare de mână, epuizaţi, de parcă patul ar fi o plută, iar noi am fi naufragiaţi. N-a fost numai din cauza ta, adaug eu.

Totul a pornit de la un fleac. De când Edward s-a mutat aici, am tot încercat să păstrez curăţenia, dar uneori asta însemna să arunc lucrurile în dulap cu doar câteva minute înainte să se întoarcă el. A deschis un sertar şi l-a găsit plin de, nu ştiu, farfurii murdare sau ceva. I-am spus că nu contează, am încercat să-l fac să vină în pat în loc să se ocupe de ele.

Și atunci... Bum!

S-a enervat.

Și am avut parte de cel mai bun sex din viața mea.

Mă târăsc în colțișorul calm dintre brațul și pieptul lui și repet cuvintele pe care i le-am strigat nu cu mult timp în urmă.

– Da, tati, da!

8. *Încerc să fac lucrurile bine chiar şi atunci când nu e nimeni lângă mine care să vadă asta.*

    Sunt de acord O O O O O *Nu sunt de acord*

ACUM: JANE

– Trebuie să plec într-o călătorie.

– Așa de curând?

Au trecut doar câteva săptămâni de când Edward s-a mutat aici. Am fost fericiți împreună. Știu asta pentru că o simt, dar și pentru că eu și Edward am făcut evaluări împreună. El a obținut cincizeci și opt de puncte; eu un pic mai mult, șaizeci și cinci, dar tot e o mare îmbunătățire față de început.

– E nevoie de mine pe șantier. Urbaniștii sunt dificili. Nu înțeleg că noi nu vom termina clădirile, pentru ca apoi să lăsăm oamenii să facă ce vor cu ele. Nu e vorba doar despre cărămidă și mortar, ci despre construirea unui nou tip de comunitate. Una în care oamenii au și responsabilități, și drepturi.

Se referă la orașul ecologic pe care firma lui îl construiește în Cornwall. Edward nu prea vorbește despre munca lui, dar din ce a spus, am înțeles că pentru New Austell a fost o muncă titanică; nu numai din cauza dimensiunii mari a proiectului, ci și a prostiilor și a scurtăturilor pe care dezvoltatorii au încercat să i le impună în timp. Bănuiește că l-au ales pe el numai ca să reabiliteze, prin numele lui, o inițiativă urbană controversată. Mai bănuiește și că exact aceiași oameni organizează acum o campanie de relații publice împotriva lui, în încercarea de a-l presa să înghesuie mai multe unități, să ignore regulile și, astfel, să facă totul mai profitabil. În presă, ideea de „oraşe Monk[1]", nişte comunităţi austere de o simplitate monahală, a devenit o glumă la modă.

– Mai ţii minte ce ai spus când ne-am întâlnit prima dată? Că ar trebui să le spun clienţilor tăi cum mi se pare mie modul ăsta de viaţă? Mi-ar face plăcere să vorbesc cu ei, dacă crezi că ar ajuta.

– Mulţumesc, dar am deja datele tale. Ridică o mână în care are un teanc de hârtii. Apropo, Jane. Menajera arată că ai căutat informaţii despre Emma Matthews.

– Ah. Da, poate o dată sau de două ori. De fapt, de cele mai multe ori mi-am băgat nasul de la birou sau folosind reţeaua Wi-Fi a vecinilor, dar uneori, seara târziu, am fost neglijentă şi am folosit internetul din One Folgate Street. E o problemă?

– Nu cred că poate să ducă la nimic bun. Trecutul s-a terminat. De asta e trecut. Renunţă, te rog!

– Dacă vrei.

– Vreau să promiţi.

Vocea lui e blândă, dar privirea e tăioasă.

– Promit.

– Mulţumesc. Mă sărută pe frunte. Lipsesc câteva săptămâni, poate un pic mai mult. Dar o să mă revanşez faţă de tine când mă întorc.

---

[1] Aluzie şi la numele personajului, Monkford, dar şi la austeritatea unor astfel de oraşe, *monk* în engleză însemnând „călugăr"

ATUNCI: EMMA

La birou, caut pe net numele Elizabeth Monkford şi salvez imaginile pe computerul meu. Nu mă surprinde să descopăr că soţia lui semăna oarecum cu mine. Bărbaţii aleg adesea acelaşi tip de femeie. Şi femeile procedează la fel, desigur. Numai că, de obicei, noi nu căutăm asemănarea fizică, ci de personalitate.

Simon a fost o abatere de la regulă, îmi dau seama acum. De fapt, eu sunt atrasă de bărbaţi ca Edward. Masculi alfa.

Studiez fotografiile cu atenţie. Elizabeth Monkford avea părul mai scurt decât mine, ceea ce-i dădea un aer uşor băieţesc, franţuzesc.

Intru în baie şi stau în faţa oglinzii, strângându-mi bretonul cu o mână şi restul părului care-mi cade pe ceafă cu mâna cealaltă, astfel încât să nu se vadă. Îmi place, hotărăsc eu. Aduce aşa cu Audrey Hepburn. Şi va pune în evidenţă colierul.

Mă întreb dacă şi lui Edward i-ar plăcea, şi, la gândul ăsta, mi se cam înmoaie genunchii.

Dacă nu-i place, dacă se supără, măcar îl provoc să aibă o reacţie.

„Dar dacă se supără de-adevăratelea?" îmi şopteşte o voce din mintea mea.

„Da, tati, te rog."

Îmi răsucesc capul în toate părţile. Îmi place că îmi face gâtul să pară mai delicat. Edward îl poate cuprinde cu o mână. Încă mai văd urmele lăsate de degetele lui noaptea trecută.

Încă mă privesc când intră Amanda. Îmi zâmbește, dar pare obosită și trasă la față. Îmi las părul să cadă la loc.

– Te simți bine? întreb eu.

– Nu prea, zice ea. Își dă cu apă pe față. Asta e problema când lucrezi în aceeași firmă cu soțul îmi spune ea sfârșită. Când se duce naibii totul, nu ai cum să scapi.

– Ce s-a întâmplat?

– Eh, ca de obicei. Și-a făcut de cap. Din nou.

Începe să plângă și smulge șervețele de hârtie de la distribuitor, ca să se șteargă la ochi.

– A zis el asta?

– Nu-i nevoie să zică el, spune ea. Când m-am culcat eu cu el prima dată, era însurat cu Paula. Ar fi trebuit să știu că n-o să fie fidel. Se privește în oglindă și încearcă să repare „daunele" machiajului. S-a tot dus prin cluburi cu Simon, zice ea. Dar bănuiesc că știai asta deja. De când v-ați despărțit voi, Saul tânjea după libertatea de burlac. Ceea ce-i de-a dreptul amuzant, pentru că Simon nu vorbește decât despre cum să se împace cu *tine*. Privirea ei o surprinde pe a mea în oglindă. Bănuiesc că asta nu o să se întâmple, nu-i așa?

Clatin din cap.

– Păcat. Te adoră, să știi!

– Problema e, zic eu, că m-am săturat să fiu adorată. Cel puțin, de cineva așa de slab ca Simon. Ce ai de gând să faci cu Saul?

Ridică din umeri deznădăjduită.

– Nimic, bănuiesc. Cel puțin, deocamdată. Nu se vede cu cineva anume. Sunt sigură că sunt doar aventuri de-o noapte după ce a băut mai mult. Probabil vrea să-i dovedească lui Simon că și el poate să înscrie.

La gândul că Simon se culcă cu alte femei, simt un atac brusc de gelozie. Îl alung. Simon nu era potrivit pentru mine.

– În fine, când o să-l cunoaștem pe Edward? întreabă ea. Abia aștept să văd dacă e așa grozav cum zici tu.

– Mai durează. Pleacă din oraș mâine, are un proiect uriaș în Cornwall. Asta e ultima noastră seară împreună.

– Ceva planuri speciale?

– Oarecum, zic eu. O să mă tund scurt.

ACUM: JANE

Ar trebui să mă simt altfel acum că Edward nu e aici, dar, în realitate, casa asta face atât de mult parte din el încât îi simt prezența și când e plecat.

Totuși, e plăcut să pot să las o carte undeva în timp ce gătesc, apoi să revin la ea și să citesc în timp ce mănânc. E plăcut să am un coș cu fructe pe blatul din refectoriu, din care să ronțăi. Și e plăcut și să lenevesc prin casă în tricou, fără sutien, nestingherită de obligația de a mă păstra pe mine sau One Folgate Street impecabilă în absolut orice moment.

Edward mi-a lăsat trei seturi de tacâmuri, să le încerc: Piano 98, creat de Renzo Piano, Citterio 98, de Antonio Citterio, și Caccia, de Luigi Caccia Dominioni și frații Castiglioni. Mă simt flatată că am fost implicată în acest „proiect", dar bănuiesc că e și un fel de test, ca să vadă dacă decizia mea coincide cu a lui.

Treptat, totuși, îmi dau seama că ceva mă sâcâie. La fel cum Edward nu poate să ignore o linguriță uitată pe afară sau un teanc de cărți care nu este aliniat perfect, la fel și mintea mea curată, conștiincioasă, refuză să stea departe de misterul morții Emmei Matthews.

Mă străduiesc să rezist tentației. Doar am promis. Numai că, astfel, conflictul mintal devine și mai insistent. Iar promisiunea pe care mi-a smuls-o el nu a ținut cont de faptul că tocmai acest mister este o barieră în calea intimității noastre, a perfecțiunii liniștite a vieții noastre. Serios, ce rost are să alegi exact furculița ideală – iar în momentul ăsta țind să aleg curbele grele, senzuale, ale modelului Piano – când deasupra capetelor noastre atârnă umbra asta monstruoasă și urâtă din trecut?

Casa vrea să aflu, sunt sigură de asta. Dacă pereții ar putea vorbi, One Folgate Street mi-ar spune ce s-a întâmplat aici.

O să-mi satisfac curiozitatea, hotărăsc eu, dar în secret. Și odată ce trimit fantomele astea să-și găsească liniștea, n-o să le mai aduc înapoi. N-o să mai vorbesc cu el despre ce am aflat.

Carol Younson l-a descris pe Edward ca pe un sociopat narcisist, așa că primul pas este să caut ce înseamnă asta, de fapt. Conform mai multor site-uri de psihologie, un sociopat se caracterizează prin:

> „farmec superficial"
> „senzația că i se cuvine"
> „minciuni patologice".

Apoi,

> „se plictisește ușor"
> „este manipulator"
> „este lipsit de regrete"
> „are o gamă emoțională limitată".

Persoanele care suferă de o personalitate narcisistă:

> „se cred superioare altora"
> „insistă să aibă ce e mai bun din toate"
> „sunt egocentrice și lăudăroase"
> „se îndrăgostesc ușor, pun obiectul iubirii lor
> pe un piedestal, dar la fel de ușor îi găsesc defecte".

Toate astea sunt greșite, mă gândesc eu. Da, Edward este diferit de alți oameni, dar asta pentru că are un obiectiv bine stabilit, nu pentru că s-ar crede superior. Încrederea lui în sine nu degenerează niciodată în laudă și nu cere atenție. Și cred că nu minte niciodată. Integritatea este foarte, foarte importantă pentru el.

Prima listă s-ar apropia mai mult, dar tot nu mi se pare potrivită. Sigur, rezerva lui Edward, indisponibilitatea lui ar putea fi considerate dovezi că are o gamă emoțională limitată. În realitate, nu cred că acest lucru este adevărat. După ce am locuit cu el, chiar dacă pentru scurt timp, cred mai degrabă că este...

Mă gândesc, să-mi caut cuvintele potrivite.

...că mai degrabă e închis în el. Că a fost rănit în trecut și, ca reacție, s-a retras în spatele unor bariere ridicate chiar de el, într-o lume perfectă, ordonată, pe care și-a creat-o singur.

Oare i s-a întâmplat ceva în copilărie?

Oare a fost vorba despre moartea soției și a copilului lui?

Ar fi putut să fie chiar moartea Emmei Matthews?

Sau a fost vorba de cu totul altceva, ceva ce încă nu intuiesc?

Indiferent de motiv, mi pare ciudat că terapeuta ar putea să se înșele atât de mult în privința lui Edward. Sigur, nu l-a întâlnit niciodată. Se bazează numai pe ce i-a povestit Emma.

Ceea ce sugerează că și Emma s-a înșelat în privința lui. Sau – îmi vine alt gând în minte – că Emma și-a derutat intenționat terapeuta. Dar de ce să fi făcut asta?

Îmi scot telefonul și caut un număr.

– Hampstead Homes and Properties, răspunde Camilla.

– Camilla, sunt Jane Cavendish.

Urmează o pauză scurtă, timp în care își amintește cine sunt.

– Bună, Jane. S-a întâmplat ceva?

– Totul e în regulă, o liniștesc eu. Voiam numai să-ți spun că am găsit în pod aici niște lucruri care cred că i-au aparținut Emmei Matthews. Se întâmplă cumva să ai datele de contact ale bărbatului cu care s-a mutat aici, Simon Wakefield?

– Ah, exclamă Camilla rezervată. Înțeleg că ai aflat despre... accidentul Emmei. Atunci am preluat noi proprietatea, de fapt. Foștii agenți au pierdut contractul după anchetă. Așa că nu am detalii despre chiriașii de dinainte.

– Cine a fost agent înainte?

– Mark Howarth, de la Howarth and Stubbs. Pot să-ți trimit un SMS cu numărul lui.

– Mulțumesc. Ceva mă face să adaug: Camilla... Spui că agenția ta a preluat One Folgate Street acum trei ani. Câți chiriași au locuit aici de atunci?

– În afară de tine? Doi.

– Dar ai spus că a fost goală aproape un an.

– Așa e. Prima chiriașă a fost o asistentă. A rezistat două săptămâni. A doua a reușit să rămână acolo trei luni. Într-o dimineață, am găsit chiria pe o lună îndesată pe sub ușa de la birou și un bilet în care zicea că dacă mai stă o zi acolo, o ia razna.

– Deci amândouă au fost femei? zic eu rar.

– Da. De ce?

– Nu ți se pare ciudat?

– Nu prea. Adică, nu mai ciudat decât celelalte lucruri legate de casa aia. Dar îmi pare bine că *tu* ești OK. Lasă cuvintele să atârne în aer, de parcă m-ar invita să o contrazic. Nu spun nimic. Păi, bine atunci, pa, Jane.

ATUNCI: **EMMA**

Pleacă fără prea multă tragere de inimă, după ce luăm un ultim mic dejun împreună, timp în care geanta Swaine Adeney îl așteaptă pe masa de piatră.

– Nu durează mult, zice el. Și o să mă întorc pentru câte o noapte sau două când o să pot. Mai aruncă o privire prin casă, la spațiile deschise, luminoase. O să mă gândesc la tine, zice el arătând spre mine. Îmbrăcată așa. Locuind așa. În felul pentru care a fost concepută casa asta.

Port una dintre cămășile lui albe Commes des Garçons și o pereche de boxeri negri de-ai lui în timp ce-mi mănânc pâinea prăjită. Deși spun eu asta, funcționează. O casă minimală, haine minimale.

– Devin puțin obsedat de tine, Emma, adaugă el.

– Numai puțin?

– Poate că pauza asta o să ne prindă bine.

– De ce? Nu vrei să fii obsedat de mine?

Privirea lui se plimbă de la gâtul meu la noua mea tunsoare scurtă, aproape prea scurtă ca mâinile lui să aibă ce prinde atunci când mi-o trage.

– Obsesiile mele nu sunt niciodată sănătoase, zice el încet.

După ce pleacă, îmi deschid computerul.

A venit momentul să aflu mai multe despre misteriosul domn Monkford.

Reacția lui de aseară, când mi-a văzut tunsoarea, mi-a dat o idee. O idee așa de nebunească încât nici mie nu-mi vine să cred.

– Domnul Ellis? strig eu. Tom Ellis?

La auzul vocii mele, un bărbat se întoarce spre mine. Poartă costum, o cască galbenă și are un aer dezaprobator.

– Ăsta e un șantier, zice el. Nu puteți intra aici.

– Mă numesc Emma Matthews. Mi-au spus de la birou că vă găsesc aici. Vreau doar să vorbesc puțin cu dumneavoastră, atât.

– Despre ce? Barry, ne vedem mai târziu, îi zice el bărbatului cu care vorbea.

Bărbatul dă scurt din cap și se întoarce spre una dintre clădirile terminate pe jumătate.

– Edward Monkford.

Înlemnește.

– Ce-i cu el?

– Încerc să aflu ce s-a întâmplat cu soția lui, zic eu. Vedeți, cred că e posibil să mi se întâmple și mie același lucru.

Asta chiar că îi atrage atenția. Mă duce la o cafenea de lângă șantier, o speluncă soioasă de modă veche, unde muncitorii din construcții, în veste reflectorizante, înfulecă ouă prăjite și fasole.

Nu a fost ușor să dau de al patrulea membru al firmei inițiale Monkford Partnership. În cele din urmă, am găsit un articol vechi din *Architects' Journal*, prin care se anunța constituirea societății. Patru tineri proaspăt absolvenți priveau încrezători dintr-o fotografie neclară, alb-negru. Chiar și atunci, era clar că Edward era liderul lor. Cu brațele încrucișate, cu fața impasibilă, era flancat de Elizabeth, de o parte, și de un David Thiel tot cu coadă de cal, dar mult mai slab, de partea cealaltă. Tom Ellis era în dreapta imaginii, puțin separat de ceilalți, singurul care zâmbea la cameră.

Aduce două căni de ceai de la tejghea și își pune două linguri de zahăr în a lui. Chiar dacă știu că poza din *Architects' Journal* a fost făcută în urmă cu mai puțin de zece ani, arată foarte diferit acum. Mai solid, mai gras, cu părul mai rar.

– De obicei nu vorbesc despre Edward Monkford, zice el. De fapt, despre ceilalţi fondatori.

– Ştiu, zic, abia dacă am găsit ceva online. De-asta am sunat la biroul dumneavoastră. Deşi, trebuie să recunosc, nu mă aşteptam să vă găsesc lucrând pentru o firmă ca Town and Vale Construction.

Angajatorul lui Tom Ellis este o companie imensă, care construieşte loturi de case aproape identice pentru cei care fac naveta.

– Văd că Edward v-a antrenat bine, zice el sec.

– Cum adică?

– Town and Vale construieşte case pentru oamenii care vor să-şi facă o familie, la preţuri pe care aceştia şi le pot permite. Le amplasează lângă mijloace de transport, şcoli, cabinete medicale şi baruri. Casele au grădini în care să se joace copiii şi sunt izolate termic, pentru ca facturile să fie mici. Poate că nu câştigă premii pentru arhitectură, dar oamenii sunt fericiţi în ele. Care e problema?

– Deci aţi avut opinii diferite de ale lui Edward, zic eu. De asta aţi plecat din firmă?

După o clipă, Tom Ellis clatină din cap.

– El m-a obligat să plec, zice.

– Cum?

– Într-o mie de feluri diferite. Contrazicând tot ce sugeram eu. Râzând de ideile mele. Era destul de rău şi înainte să moară Elizabeth, dar după ce s-a întors din concediul sabatic şi ea n-a mai fost acolo să-l ţină în frâu, s-a transformat într-un monstru.

– A fost devastat, zic eu.

– Devastat, repetă el. Sigur. Ăsta e marele mit pe care l-a ţesut Edward Monkford în jurul lui, nu? Geniul chinuit care şi-a pierdut iubirea vieţii şi, prin urmare, a devenit un arhitect minimalist.

– Nu credeţi că e adevărat?

– Ştiu că nu e adevărat. Tom Ellis mă studiază de parcă dezbate în sinea lui dacă să continue sau nu. Edward şi-ar fi conceput celulele alea goale de la început, dacă l-am fi lăsat, zice el într-un final. Elizabeth a fost cea care l-a reţinut. Atât timp cât eu şi ea ne susţineam reciproc, el era practic în minoritate. Lui David nu-i păsa decât de partea inginerească. Dar eu şi Elizabeth eram apropiaţi. Vedeam lucrurile la fel. Asta s-a văzut în primele proiecte ale firmei.

– Cum adică apropiaţi?

– Destul de apropiaţi. Adică, bănuiesc că eram îndrăgostit de ea. Tom Ellis se uită la mine. Semănaţi un pic cu ea, de fapt. Dar cred că ştiţi deja asta.

Încuviinţez din cap.

– Nu i-am spus niciodată lui Elizabeth ce simţeam pentru ea. Mă rog, abia când a fost prea târziu. Am crezut că, dacă ea nu simţea la fel, lucrurile puteau deveni dificile, având în vedere că lucram împreună aşa de aproape. Dar sigur că asta nu l-a oprit pe Edward.

– Dacă Edward ar fi vrut-o, i-ar fi spus asta, zic eu.

– Singurul motiv pentru care s-a dat la Elizabeth a fost să mi-o ia mie, zice Tom Ellis sec. A fost numai o chestie de putere şi de control. Aşa cum e mereu cu Edward. Făcând-o să se îndrăgostească de el, el a câştigat un aliat, iar eu am pierdut unul.

Mă încrunt.

– Credeţi că a fost din cauza *clădirilor*? Credeţi că s-a însurat cu ea doar ca să se asigure că firma construia genul de case pe care îl voia el?

– Ştiu că pare o nebunie, zice Tom Ellis, dar Edward Monkford *e* nebun, într-un fel.

– Nimeni nu-i atât de lipsit de scrupule.

Râsul lui sună fals.

– Nu ştiţi nici jumătate.

– Dar prima casă pe care a construit-o firma – cea din One Folgate Street – urma să fie foarte diferită iniţial, protestez eu.

– Da. Dar asta numai pentru că Elizabeth a rămas însărcinată. Asta nu făcuse parte deloc din planul lui Edward. Brusc, ea a vrut o casă potrivită pentru o familie, cu două dormitoare şi o grădină. Uşi care să închidă camerele, în loc de spaţii deschise, fluide. S-au certat din cauza asta. Doamne, cum s-au mai certat! Dacă o vedeai, Elizabeth dădea impresia că era o fiinţă dulce, blândă, dar era la fel de încăpăţânată ca el, în felul

ei. O femeie extraordinară. Ezită. Într-o noapte, înainte de
nașterea lui Max, am găsit-o la birou, plângând. Mi-a zis că
nu suportă să se întoarcă acasă la el, că erau atât de nefericiți
împreună. El nu putea să facă nici cel mai mic compromis,
așa a zis. Privirea lui Tom Ellis se îndepărtează de mine, goală.
Am luat-o în brațe, zice. Am sărutat-o. M-a oprit, era complet
onorabilă, n-ar fi făcut nimic pe la spatele lui Edward. Dar
mi-a zis că are de luat o hotărâre.

– Dacă să-l părăsească, adică?

– A doua zi, mi-a spus să uit ce s-a întâmplat, că fusese su-
părată din cauza hormonilor, atât. Că da, poate Edward era
dificil, dar ea era hotărâtă să facă mariajul ăla să meargă. Pro-
babil obținuse vreun compromis de la el, pentru că proiectele
definitive chiar au fost bune. Nu, mai mult decât bune. Casa
era minunată. Folosea perfect spațiul disponibil. Nu ar fi câști-
gat nici un premiu. Probabil n-ar fi pus firma pe harta interna-
țională. Arhitectura confortabilă, bine gândită, nu are niciodată
efectul ăsta. Dar ei trei ar fi fost fericiți acolo. Face o pauză.
Numai că Edward a avut alte idei.

– Adică?

– Știți cum a murit Elizabeth? întreabă el încet.

Clatin din cap că nu.

– Elizabeth și Max au fost omorâți când un excavator par-
cat a alunecat într-un teanc de plăci de beton aflate lângă ei.
La anchetă, s-a sugerat că plăcile nu fuseseră depozitate corect
și că teancul nu era stabil. În plus, e posibil ca excavatorul să
fi fost parcat în pantă, cu frâna de mână netrasă. Am vorbit
cu maistrul de șantier. Mi-a zis că teancul era solid și exca-
vatorul parcat corect când a plecat el de pe șantier, vineri
după-amiază. Accidentul s-a întâmplat a doua zi.

– Edward unde era?

– În partea opusă a șantierului, verifica executarea lucră-
rilor. Sau așa a declarat la anchetă.

– Și maistrul? El a spus ce știa?

– A minimalizat dovezile. A zis că erau vagabonzi pe acolo,
care dormeau pe șantier, și ar fi putut să spargă excavatorul.
La urma urmei, Edward era încă șeful lui.

– Vă aduceți aminte cum îl chema pe maistru?

214 | J.P. DELANEY

– John Watts, de la Watts and Sons. E o firmă de familie.

– Deci, ca să ne înțelegem. Dumneavoastră credeți că Edward și-a omorât familia doar pentru că era un obstacol pentru genul de casă pe care voia el s-o construiască.

Spun asta ca și cum l-aș crede nebun pe Tom Ellis, ca și cum ideea în sine este atât de exagerată încât nu pot s-o cred. În realitate, pot. Adică, știu că Edward este capabil de orice se hotărăște să facă.

– Spuneți *doar*, răspunde Ellis fără ezitare. Nu există *doar* atunci când e vorba de Edward Monkford. Pentru el, nu e nimic mai important decât să obțină ce vrea el. A, nu mă îndoiesc că a iubit-o pe Elizabeth, în felul lui, dar nu cred că i-a păsat de ea, dacă înțelegeți ce vreau să spun. Știați că există o specie de rechin atât de crudă încât embrionii se devorează între ei încă din pântec? De îndată ce dezvoltă primii dinți, se atacă unii pe alții până când rămâne numai cel mai mare și acela se naște. Așa e și Edward. Nu se poate abține. Dacă te pui împotriva lui, te distruge.

– Ați spus ceva din toate astea la poliție?

Tom Ellis pare să aibă o privire hăituită.

– Nu, recunoaște el.

– De ce?

– După anchetă, Edward a plecat din țară. Mai târziu, am aflat că locuia în Japonia. Nici măcar nu lucra ca arhitect, pur și simplu se întreținea făcând diverse munci. Eu și David am crezut că nici n-o să-l mai vedem.

– Dar s-a întors, zic eu.

– În cele din urmă, da. Într-o zi a intrat în birou de parcă nu se întâmplase nimic și a anunțat că, începând din momentul ăla, firma va urma o direcție nouă. Isteț, i-a prezentat-o lui David ca pe o fuziune între simplitatea vizuală și noua tehnologie și l-a convins că eu le stăteam în cale. Asta a fost răzbunarea pentru că îi luasem partea lui Elizabeth împotriva lui.

– Deci, cât timp a fost plecat, nu ați vrut scandal pentru că ați crezut că firma v-a rămas dumneavoastră. De asta nu ați spus nimic.

Tom Ellis ridică din umeri.

– Poate fi una dintre interpretări.

– Mie mi se pare că încercați să profitați de pe urma talentului lui Edward.

– Credeți ce vreți, dar am fost de acord să vorbesc cu dumneavoastră pentru ați spus că sunteți speriată.

– N-am spus că sunt speriată. Sunt doar curioasă în privința lui, atât.

– Dumnezeule! Și dumneavoastră sunteți îndrăgostită de el, nu-i așa? zice acru Tom Ellis, fixându-mă cu privirea. Cum face asta, cum hipnotizează femeile? Nici după ce v-am spus că și-a omorât nevasta și copilul, tot nu sunteți dezgustată. E ca și cum asta v-ar excita, v-ar face să credeți că, într-adevăr, e un fel de geniu. De fapt, e doar un pui de rechin în pântec.

ACUM: JANE

E nevoie de un pic mai multe investigații ca să îl găsesc pe Simon Wakefield. Reușesc să vorbesc cu Mark, agentul care s-a ocupat de One Folgate Street înainte de Camilla, dar nici el nu știe cum să-l contacteze pe fostul iubit al Emmei.

– Dacă totuși vorbești cu el, spune Mark, transmite-i salutări din partea mea. A fost nasol ce i s-a întâmplat.

– Adică moartea Emmei?

– Și asta, dar chiar dinainte, cu spargerea de la fostul lor apartament și toate alea.

– Au fost jefuiți? Nu știam.

– Păi de asta și voiau să se mute în One Folgate Street, pentru siguranță. Face o pauză. E ironic, de fapt. Dar Simon ar fi făcut orice pentru Emma. El nu ținea neapărat să locuiască acolo, dar cum ea a zis că-i place, asta a fost. Poliția m-a întrebat dacă am văzut vreodată dovezi că el ar fi fost violent cu ea. Le-am zis că asta iese din discuție. O adora.

Îmi ia ceva timp să înțeleg ce spune.

– Stai puțin, poliția credea că *Simon* ar fi putut s-o omoare?

– Eh, n-au zis asta explicit, dar după ce a murit, a trebuit să țin legătura cu ei ca să las echipa de criminaliști în casă și așa mai departe. Așa că am ajuns să-l cunosc destul de bine pe detectivul care conducea investigația. El a întrebat despre Simon. Se pare că Emma pretinsese că el o rănise. Vorbește mai încet. Ca să fiu sincer, nu prea îmi plăcea Emma. Trebuia

să fie mereu în centrul atenţiei, înţelegi ce zic? O mică divă.
Simon nu părea să aibă nici un cuvânt de spus.

Poate că Mark nu are detaliile lui de contact, dar şi-a amin-
tit unde lucra Simon şi asta îmi e de ajuns ca să-l găsesc pe
LinkedIn. Revista pentru care lucra s-a închis acum şi, ca toţii
freelancerii, îşi păstrează profilul şi CV-ul publice. Chiar şi
aşa, ezit înainte să-l contactez. O fi lăsat el flori pentru Emma
în faţa casei din One Folgate Street, dar din ce tocmai mi-a spus
Mark, Simon a fost şi suspect în anchetarea morţii ei. Nu ştiu
dacă ar fi inteligent din partea mea să încep să-l chestionez
despre ce s-a întâmplat.

O să fiu atentă, hotărăsc eu, şi o să mă asigur că nu-l pre-
sez şi nu-l ameninţ în nici un fel. Din punctul lui de vedere,
eu doar o să încerc să mă revanşez pentru flori.

Îi trimit un e-mail neutru, în care îl întreb dacă putem sta
puţin de vorbă. Primesc răspuns peste câteva minute; zice că
i-ar plăcea şi sugerează Costa Coffee din Hendon.

Ajung devreme, dar şi el la fel. Soseşte îmbrăcat cam la fel
ca atunci, în faţa casei: tricou polo, pantaloni de bumbac, pan-
tofi la modă; uniforma elegant-comodă a lucrătorului din
mass-media londoneză. Are o faţă plăcută, deschisă, însă pri-
virea îi e tulburată când se aşază în faţa mea, de parcă ar şti
că o să fie o conversaţie dificilă.

– Deci, ai devenit curioasă, zice el după ce facem cunoştinţă
cum trebuie. Nu mă surprinde.

– Mai degrabă confuză. Toţi cei cu care am vorbit par să aibă
versiuni diferite despre felul în care a murit Emma. De exem-
plu, terapeuta ei crede că Emma s-a sinucis pentru că suferea
de depresie. Decid să fiu directă. Şi am auzit o poveste cum că
poliţia te-a interogat pe *tine*, din cauza unei afirmaţii pe care
o făcuse Emma. Ce-a fost cu povestea asta?

– Nu ştiu. Adică, habar n-am de ce a zis aşa ceva sau dacă
chiar a zis. Eu n-aş fi lovit-o pentru nimic în lume. Mă pri-
veşte în ochi, subliniind fiecare cuvânt. Veneram pământul
pe care călca.

Am venit aici hotărâtă să fiu precaută, să nu iau de bun tot
ce-mi spune omul ăsta, dar chiar şi aşa, îl cred.

– Povesteşte-mi despre ea, îi propun.

Simon oftează încet.

– Ce poți să spui despre cineva pe care îl iubești? Am fost norocos să fiu cu ea, mereu am știut asta. A fost la o școală particulară de fete, apoi la o facultate bună. Și era frumoasă, foarte frumoasă. Mereu era abordată de agenți de modelling. Mă privește pe furiș. Semeni un pic cu ea, apropo.

– Așa mi s-a spus.

– Dar nu ai... Se încruntă, încercând să găsească termenul potrivit și simt că probabil încearcă să fie delicat. *Vitalitatea* ei. De fapt, avea tot felul de probleme din cauza asta. Era așa de prietenoasă încât bărbații simțeau întotdeauna că pot să o abordeze fără să fie refuzați. Le-am spus polițiștilor, singura dată când Emma m-a văzut doar amenințând cu violența era când vreun idiot nu o lăsa în pace. Atunci, îmi arunca o privire și ăsta era semnalul să intervin și să-i zic tipului să renunțe.

– Atunci de ce să fi spus că ai lovit-o?

– Chiar nu știu. Atunci am crezut că poliția a inventat asta ca să mă enerveze, să mă facă să cred că aveau mai multe dovezi despre mine decât aveau, de fapt. Și, ca să fiu corect, și-au cerut scuze și mi-au dat drumul chiar repede. Cred că erau doar procedurile de rutină. Majoritatea crimelor sunt făcute de cineva apropiat de victimă, nu? Așa că îl aduc la interogatoriu pe fostul iubit, pentru că asta e procedura obișnuită. Tace o vreme. Numai că s-au înșelat în privința iubitului. Le-am tot zis că pe Edward Monkford ar trebui să-l ancheteze, nu pe mine.

La menționarea numelui lui Edward, simt cum mi se ridică părul pe ceafă.

– De ce?

– Foarte convenabil, Monkford nu prea a fost prin zonă după moartea Emmei: a fost plecat să lucreze la nu știu ce proiect important. Totuși, eu n-o să accept niciodată că nu el a omorât-o.

– De ce ar fi făcut așa ceva?

– Pentru că se despărțise de el. Se apleacă în față, cu privirea intensă. Cam cu o săptămână înainte să moară, mi-a spus că a făcut o greșeală îngrozitoare, că își dăduse seama că el era obsedat de control, agresiv și manipulator. A spus – și cred că e o ironie, având în vedere faptul că el nu suporta ca ea să aibă vreun lucru care să-i aparțină – că o trata ca pe un accesoriu, încă un lucru care să arate frumos în casa lui. Nu suporta ca ea să aibă gânduri proprii sau independență.

– Dar nimeni nu omoară un om doar pentru că gândește singur, obiectez eu.

– Emma a spus că el s-a schimbat complet de-a lungul timpului. Când s-a despărțit de el, Monkford aproape că a luat-o razna.

Încerc să-mi imaginez un Edward razna. Da, au fost momente când am simțit patimă sub calmul acela nefiresc, un tumult de emoții bine ținute în frâu. Furia lui atunci cu peștele, de exemplu. Însă a durat numai câteva secunde. Pur și simplu, nu recunosc portretul pe care i-l face Simon.

– Și mai e ceva, zice Simon. Încă un posibil motiv să-i dorească moartea Emmei.

Atenția îmi revine la el.

– Continuă!

– Emma a aflat că își omorâse soția și copilul mic.

– Ce? zic eu, nedumerită. Cum?

– Soția lui l-a înfruntat, i-a cerut să facă un compromis în privința planurilor lui pentru One Folgate Street. Din nou, sfidare și independență. Din cine știe ce motiv, Edward Monkford e patologic incapabil să le facă față.

– Ai spus toate astea poliției?

– Sigur că da. Au spus că nu sunt suficiente dovezi ca să redeschidă investigația. M-au și avertizat să nu repet acuzațiile de la ancheta din cazul Emmei, fiindcă ar putea fi considerate calomnie. Cu alte cuvinte, au hotărât să le ignore. Își trece degetele prin păr. Am făcut și eu câteva săpături de atunci și am adunat ce dovezi am putut. Dar chiar și ca jurnalist, e greu să ajungi undeva fără genul de putere pe care o are poliția.

Numai pentru o clipă, simt un val de compasiune pentru Simon. Un tip atât de drăguț, de încredere, monoton, care nu poate crede ce noroc a picat pe el când a pus mâna pe o fată cam prea bună pentru el. Apoi, s-au întâmplat o serie de evenimente nefericite și, brusc, ea a fost pusă în situația de a alege între el și Edward Monkford. Nu că ar fi putut să fie vreo competiție între ei. Și atunci, nu-i de mirare că lui i-a fost imposibil să treacă peste asta. Nu-i de mirare că a trebuit să creadă că în spatele morții ei se afla vreo conspirație sau vre-un secret.

– Până la urmă, ne-am fi împăcat dacă nu murea, adaugă el. Sunt absolut sigur de asta. Da, despărțirea noastră n-a fost frumoasă; odată a vrut să semnez niște hârtii, m-am dus în One Folgate Street, să încerc s-o recâștig, dar eram un pic beat și nu m-am descurcat prea bine. Cred că încă de atunci eram gelos pe Monkford. Așa că știam că aveam mult de muncit ca să mă revanșez față de ea. Primul pas era s-o conving să plece din casa aia îngrozitoare. Și a fost de acord, oricum, în prin-cipiu – erau probleme cu contractul de închiriere, un fel de penalizare de reziliere. Dacă ar fi reușit să plece, cred că astăzi ar fi fost în viață.

– Casa nu e îngrozitoare. Îmi pare rău că ai pierdut-o pe Emma, dar nu poți să dai vina pe One Folgate Street.

– Într-o zi, o să-mi dai dreptate. Simon se uită direct la mine. La *tine* s-a dat deja?

– Ce vrei să spui? protestez eu.

– Monkford. Mai devreme sau mai târziu, o să se dea la tine. Asta dacă nu a făcut-o deja. Apoi o să-ți spele și ție creie-rul. Asta face el.

Poate pentru că știu că, dacă recunosc că suntem iubiți, asta ar confirma convingerea lui Simon că femeile fac orice pentru Edward, mă trezesc spunând:

– Ce te face să crezi că aș accepta?

El încuviințează din cap.

– Bun. Ei, dacă faptul că vorbesc despre moartea Emmei salvează măcar o persoană din ghearele nenorocitului ăluia, înseamnă că merită să fac asta.

Cafeneaua se umple de oameni. Un bărbat se așază la masa de lângă noi, ținând strâns în mână un sendviș cu cârnați și ceapă. Un damf înțepător de aluat ieftin și rânced și de ceapă arsă adie până la noi.

– Doamne, mirosul ăsta e grețos! zic eu.

Simon se încruntă.

– Nu simt nimic. Deci, ce ai de gând să faci mai departe?

– E vreo șansă ca Emma să fi exagerat, ce crezi? Tot mi se pare ciudat că a făcut niște afirmații așa bizare despre Edward Monkford față de tine și alte afirmații, la fel de bizare, la poliție despre *tine*. Ezit. Cineva cu care am vorbit a descris-o ca pe o persoană căreia îi plăcea să fie în centrul atenției. Uneori, oamenii de genul ăsta au nevoie să simtă că sunt importanți într-un fel. Chiar dacă asta înseamnă să inventeze lucruri.

El clatină din cap.

– E adevărat, Emmei îi plăcea să se simtă specială, dar *era* specială. Cred că ăsta a fost și unul dintre motivele pentru care i-a plăcut One Folgate Street; nu era vorba doar despre siguranță, ci de faptul că era așa de diferită. Dacă zici că asta o face fantezistă... Nici vorbă.

Pare deranjat.

– Bine, zic eu repede, lasă asta.

– Pot să mă așez aici?

O femeie cu un sendviș în mână arată spre scaunul gol de lângă noi. Simon încuviințează cam reticent; am impresia că ar vrea să continue să vorbească despre Emma toată ziua. În timp ce femeia se așază, simt mirosul grețos de ciuperci prăjite. Miroase a câine ud și cearșafuri murdare.

– Mâncarea de aici chiar e dezgustătoare, zic eu încet. Chiar nu știu cum poate cineva s-o mănânce.

Simon îmi aruncă o privire iritată.

– Preferai să te întâlnești cu cineva mai stilat, bănuiesc. Ar fi fost mai pe genul tău.

– Nu e asta, zic eu și-mi fac o notă mintală că Simon Wakefield e cam frustrat. Îmi place Costas în mod normal. Doar că ăsta pare să miroasă neobișnuit de urât.

– Pe mine nu mă deranjează.

Îngrețoșată, mă ridic, nerăbdătoare să ies la aer curat.

– Păi, mersi că te-ai întâlnit cu mine, Simon.

Se ridică și el.

– N-ai pentru ce. Uite, ia o carte de vizită. Mă anunți dacă mai afli ceva? Și-mi dai și numărul tău? În caz...

– În caz că ce?

– În caz că, în sfârșit, găsesc dovezi că Edward Monkford este un criminal, zice el fără să-și schimbe tonul. Dacă e așa, aș vrea să pot să te anunț.

Înapoi în One Folgate Street, urc în baie și mă dezbrac în fața oglinzii. Când îmi ating sânii, mi se par dureroși și umflați. Sfârcurile mi s-au întunecat sesizabil și în jurul fiecărei areole sunt puncte mici, ridicate, ca atunci când ai pielea de găină.

Menstruația trebuie să-mi vină abia peste o săptămână, așa că un test n-ar fi relevant. Nici nu am nevoie să fac unul. Sensibilitatea sporită la mirosuri, greața, sfârcurile întunecate, micile umflături despre care moașa mi-a spus că se numesc glandele Montgomery sunt exact ce s-a întâmplat ultima dată când am fost însărcinată.

9. Mă supăr când lucrurile nu merg conform
    planului.

    Sunt de acord ○ ○ ○ ○ ○ Nu sunt de acord

ATUNCI: EMMA

– Nu te-am mai văzut de mult, Emma, zice Carol.

– Da, am fost ocupată, zic eu, trăgându-mi picioarele sub mine pe canapea.

– Ultima dată când am vorbit, tocmai îl rugaseși pe Simon să plece din casa în care locuiați împreună. Și am discutat despre cum supraviețuitorii unor traume sexuale se gândesc adesea să facă schimbări majore ca parte a procesului lor de recuperare. Cum ți se par ție aceste schimbări?

De fapt, vrea să întrebe „Te-ai răzgândit în privința lui Simon?" Încep să-mi dau seama că, deși jură că meseria ei nu e să judece sau să orienteze ședințele spre vreo concluzie anume, Carol exact asta face uneori.

– Păi, zic eu, am o relație nouă.

Tăcere.

– Și merge bine?

– E cu bărbatul care a conceput casa, One Folgate Street. Sincer, e ca o gură de aer proaspăt după Simon.

Carol ridică din sprâncene.

– De ce crezi asta?

– Simon e un băiat. Edward e bărbat.

– Și nu ai avut deloc problemele sexuale pe care le-ai întâmpinat cu Simon?

– Absolut deloc. Ceva mă face să adaug: Totuși, e ceva despre care aș vrea să vorbesc cu tine. Ceva anume.

– Sigur, zice ea. Probabil ezit, pentru că adaugă: Indiferent ce mi-ai spune, sunt sigură că mi s-a mai spus de multe ori înainte, Emma.

– Mă trezesc gândindu-mă la scene în care sunt dominată, zic eu.

– Înțeleg, spune ea precaut. Și asta te excită?

– Cred că da.

– Dar te și tulbură?

– Doar mi se pare... ciudat. După ce s-a întâmplat. Nu ar trebui să fie invers?

– În primul rând, nu există *ar trebui* sau *n-ar trebui*, începe ea. Și, de fapt, nu este așa ieșit din comun. Cam o treime dintre femei spun că au frecvent fantezii în care se produce un transfer de putere. În plus, există și un aspect fizic, numit câteodată transfer de excitație. Odată ce ai experimentat adrenalină într-o situație sexuală, creierul tău poate să caute mai multă, la nivel inconștient. Ideea este că nu ai de ce să te rușinezi. Nu înseamnă că ți-ar plăcea în viața reală. Nici pe departe.

– Nu mă rușinez. Și îmi place în viața reală.

Carol clipește.

– Ai pus în practică ideile astea?

Încuviințez.

– Cu Edward?

Încuviințez din nou.

– Vrei să-mi povestești?

Deși pretinde că nu judecă pe nimeni și nimic, Carol arată așa de stânjenită încât brodez un pic pe marginea poveștii, doar ca s-o șochez.

– E ciudat, trag eu concluzia, dar când îl înfurii pe el, eu mă simt mai puternică într-un fel.

– Evident pari mai sigură pe tine astăzi, Emma. Mai încrezătoare în alegerile tale. Mă întreb doar dacă aceste alegeri sunt sănătoase pentru tine în momentul de față.

Mă prefac că mă gândesc la asta.

– Probabil sunt, hotărăsc eu.

Clar nu ăsta e răspunsul pe care Carol spera că îl va primi la întrebarea ei atât de atent formulată.

– Când experimentezi, e foarte important ce partener îți alegi, zice ea.

– De fapt, nu le-aș numi experimente, zic eu, ci mai degrabă descoperiri.

– Dar dacă totul e așa de minunat, Emma, zice ea încet, de ce ai venit aici?

„Bună întrebare", mă gândesc eu.

– Am mai vorbit înainte despre faptul că, uneori, supraviețuitoarele unui viol se pot învinui pe ele, în mod greșit, adaugă ea. Ele simt că merită să fie pedepsite sau că valorează mai puțin decât alți oameni. Nu pot să nu mă întreb dacă nu cumva și asta se întâmplă aici.

O spune atât de sincer încât, preț de o clipă, aproape că mă prăbușesc.

– Dar dacă nu am fost violată deloc? întreb eu. Dacă a fost totul un fel de fantezie?

Carol se încruntă.

– Nu înțeleg ce spui, Emma.

– Nimic. Dar să presupunem că am aflat ceva despre cineva, despre o crimă pe care a comis-o. Dacă ți-aș spune ție, ai fi obligată să declari asta la poliție?

– Dacă crima nu a fost raportată sau dacă a fost raportată, dar dovezile tale ar putea să schimbe cursul investigației, atunci situația este complexă, zice ea. După cum știi, terapeuții au un cod de etică profesională care include confidențialitatea. Însă suntem obligați și să respectăm legea. Dacă apare un conflict între cele două, legea are prioritate.

Tac și analizez bine implicațiile.

– Ce ai pe suflet, Emma? mă încurajează ea blând.

– Nimic, serios, zic eu și schițez un zâmbet.

ACUM: JANE

Un test sangvin la medicul de familie confirmă. Deocamdată nu spun nimănui în afară de Mia, Beth și Tessa. Sigur că prima întrebare a Miei este:

– A fost planificat?

Clatin din cap.

– Pe Edward l-a cam luat valul într-o noapte.

– Domnul Control, luat de val? Nu sunt sigură dacă ar trebui să-mi fac griji sau să mă simt ușurată că, până la urmă, e om și el.

– S-a întâmplat o singură dată. Am discutat pe urmă despre asta, de fapt.

Sunt sigură că Mia va crede că mă refer la lipsa contracepției. Nu intru în detalii.

– El știe?

– Încă nu. Adevărul e că nu sunt sigură ce părere o să aibă despre asta.

Mia deja mi-a luat-o înainte.

– Corectează-mă dacă greșesc, dar una dintre reguli nu era „fără copii"?

– Regulile casei, da, dar nu e același lucru acum.

– Nu e? ridică ea din sprânceană. Știm toate cât le plac bărbaților sarcinile neplanificate.

Nu zic nimic.

– Iar tu? adaugă ea. *Tu* cum te simți, J?

– Speriată, recunosc eu. Îngrozită. Pentru că, dincolo de tot tăvălugul de emoții – uimire, bucurie, anxietate, euforie, durere împrospătată pentru Isabel, fericire –, când trec toate, nu rămân decât cu frică pură. N-aș putea să trec din nou prin așa ceva. Dacă s-ar întâmpla ceva cu copilul ăsta. Atâta... *nefericire*. Pur și simplu n-aș putea. M-ar distruge.

– Atunci au zis că nu există nici un motiv pentru care următorul tău copil să nu fie perfect sănătos, îmi amintește ea.

– Nici data trecută n-a fost nici un motiv și tot s-a întâmplat.

– Dar îl păstrezi, nu-i așa?

Sunt foarte puțini oameni pe lume care ar putea să mă întrebe așa ceva și încă și mai puțini cărora le-aș da un răspuns sincer: că o parte din mine mi-a tot zis „Nu face asta!" Te-ai întors la lumină după ce ai trăit atâta vreme în singurătate și suferință. De ce să dai din nou cu zarul? E aceeași parte din creierul meu care se uită prin casa din One Folgate Street și se gândește „De ce să risc toate astea?"

Dar o altă parte din mine, aceea care a ținut un copil mort în brațe, care i-a privit fața perfectă și tot a simțit bucuria extatică a maternității, n-ar putea niciodată să ia în calcul avortul unui făt sănătos din cauza lașității.

– Da, o să-l păstrez, zic eu. O să nasc copilul ăsta. Copilul lui Edward. Știu că nu o să-i placă ideea la început, dar sper să se obișnuiască cu ea.

ATUNCI: **EMMA**

După două săptămâni în care n-am primit nici o veste de la Edward, îi trimit un selfie.

Mi-am făcut un tatuaj, tati. Îți place?

Reacția este imediată.

CE AI FĂCUT?

Știu că ar fi trebuit să-ți cer voie mai întâi, dar am vrut să văd ce se întâmplă dacă sunt rea, foarte rea...

Adevărul este că tatuajul este mic, extrem de drăguț și invizibil cu haine normale. Este o reprezentare stilizată a aripilor unui pescăruș chiar deasupra fesei drepte. Numai că știu cât de mult le disprețuiește Edward.

P.S. Doare destul de rău.

Răspunsul vine după câteva minute.

Și o să doară și mai rău. În seara asta. Mă întorc la Londra. Furios.

E cel mai lung SMS pe care mi l-a trimis vreodată. Zâmbesc în timp ce răspund.

Atunci, mai bine să mă pregătesc.

Fac un duș, mă usuc cu atenție și îmi ating pielea cu un strop minuscul de parfum. Port rochia și colierul de perle, dar rămân desculță. Deja simt furnicături în corp. Senzația de anticipare este delicioasă, dar este amestecată cu un entuziasm plin de emoții. Oare l-am forțat prea mult? Pot să suport ce o să-mi facă?

Mă aranjez pe canapea. Nu am mult de aşteptat. Aud sunetul slab al Menajerei când senzorii indică o prezenţă la uşă, apoi un „ping" când îl lasă să intre. Edward vine spre mine, negru la faţă.

–Arată-mi! mârâie el.

Abia dacă am timp să mă întorc înainte să mă înşface de mâini şi să mă îndoaie pe canapea, aproape smulgându-mi rochia în timp ce, cu cealaltă mână, mi-o ridică.

Încremeneşte.

–Ce nai...

Încep să râd în neştire.

El mă scutură furios de mâini.

–De-a ce naiba te joci?

–Era al Amandei, reuşesc eu să strecor, cu răsuflarea întretăiată. Şi-a făcut un tatuaj ca să sărbătorească despărţirea de soţul ei. Am mers cu ea la salon.

–Mi-ai trimis o poză cu fundul altcuiva? zice el rar.

Încuviinţez din cap, încă râzând isteric.

–Am anulat o cină cu primarul şi cu comitetul de urbanism ca să mă întorc aici în seara asta, mârâie el.

–Ei, ce o să fie mai amuzant? zic eu dând din fund ademenitor.

El mă ţine în continuare strâns de încheieturi.

–Sunt furios pe tine, zice el nesigur. M-ai înfuriat intenţionat. Meriţi fiecare bucăţică din ce o să primeşti.

Încerc să-mi trag braţele, ca să testez strânsoarea, dar mă ţine bine.

–Bine ai venit acasă, tati! oftez eu fericită.

Mai târziu, mult mai târziu, înainte să plece, îi dau o scrisoare.

–Nu o citi acum, zic eu. Citeşte-o când eşti singur. Gândeşte-te la ea când stai în şedinţele tale plicticoase. Nu-i nevoie să răspunzi. Dar am vrut să mă explic.

ACUM: JANE

Prima programare la maternitate. În fața mea, dincolo de un birou urât de spital, stă doctorul Gifford.

În urmă cu câteva zile, am primit o scrisoare generată de computer prin care mi se explica faptul că, deși nu aveam nici un motiv de îngrijorare, dat fiind istoricul meu medical, sarcina fusese încadrată automat în categoria de risc sporit și, drept consecință, urma să mă aflu în grija unui specialist, doctorul Gifford.

Evident, cineva și-a dat seama de greșeală, pentru că în aceeași zi, m-au sunat și mi-au spus că ei înțeleg complet dacă vreau un alt medic. În orice caz, să știu că doctorul Gifford își depusese demisia.

Se spune că sarcina îți îngreunează gândirea. Până acum, am constatat opusul. Sau poate e vorba doar de faptul că unele decizii sunt mai ușor de luat acum. În sfârșit, știu care e calea corectă de urmat.

– Ideea este, îi zic eu, că nu cred că ar trebui să vă dați demisia pentru ceva ce nu s-a întâmplat din vina dumneavoastră. Și știm amândoi că înlocuitorul dumneavoastră va fi la fel de suprasolicitat.

El aprobă cu prudență.

– Așa că iată ce vă propun. Vă sugerez să colaborăm ca să punem presiune asupra spitalului. Eu o să le scriu că nu vreau ca moartea lui Isabel să devină un ING, dar vreau asigurări că vor mări numărul de angajați și că vor introduce mai multe ecografii Doppler. Dacă le spuneți că acestea sunt și condițiile dumneavoastră pentru a vă retrage demisia, sunt șanse să vadă în asta o ocazie de a cădea la învoială. Cum vi se pare?

Tessa nu o considerase o idee bună și ar fi preferat să meargă mai departe cu investigația oficială și soluția de amploare. Însă am fost fermă și, în cele din urmă, se împăcase cu ideea.

– Mereu e așa? o întrebase pe Mia cu mâhnire.

– Înainte de Isabel, era, a răspuns Mia zâmbindu-mi. Persoana cea mai organizată, mai încăpățânată și mai meticuloasă pe care o cunosc. Cred că, în sfârșit, Jane pe care o știam s-a întors.

Nici doctorul Gifford nu este pe deplin convins la început.

– Într-un moment în care resursele sunt sărace... începe el precaut.

– Într-un moment în care resursele sunt sărace, este mai important ca oricând să luptați cu armele dumneavoastră, îl întrerup eu. Știți la fel de bine ca mine că ecografiile și un număr mai mare de medici vor salva mai multe vieți decât vreun medicament nou și scump împotriva cancerului. Nu fac decât să ajut departamentul dumneavoastră să-și facă vocea auzită.

După o vreme, încuviințează din cap.

– Mulțumesc.

– Iar acum, ar fi bine să mă examinați. Dacă tot o să fiu în îngrijirea dumneavoastră, aș putea să profit din plin de asta.

Examinarea este amănunțită; mult mai amănunțită decât cea care mi s-a făcut când eram în faza asta cu Isabel. Știu că primesc tratament special din cauza celor prin care am trecut cu doctorul Gifford, dar nu mă deranjează. Nu mă mai consider parte din turmă, o persoană mediocră.

Mărimea și poziția uterului sunt bune. Mi se face testul Papanicolau, ca să detecteze dacă am cancer cervical, și mi se prelevează țesut ca să testeze dacă există BTS. Nu-mi fac griji. Nu e absolut nici un risc ca Edward cel fanatic de meticulos să aibă vreo BTS netratată. Tensiunea arterială este bună. Totul e în ordine. Doctorul Gifford zice că e mulțumit.

– Mereu am fost bună la examene, glumesc eu.

În timp ce stau culcată acolo, îi povestesc cum aş fi vrut s-o nasc pe Isabel: în apă, cu lumânări Diptyque şi cu muzică. El îmi spune că nu există motive medicale pentru care să nu pot naşte aşa de data asta. Apoi vorbim despre suplimente. Acid folic, evident; el sugerează opt sute de micrograme. Şi vitamina D este recomandabilă. Trebuie să evit multivitaminele care ar putea conţine vitamina A, dar să iau în considerare vitamina C, calciul şi fierul.

Sigur că o să le iau pe toate. Nu sunt genul de persoană care să ignore recomandări sau să nu facă ceva, oricât de mic, care ar putea ajuta. Cumpăr pastilele necesare în drum spre casă, verificând de două ori etichetele ca să mă asigur că nu s-a strecurat din greşeală vitamina A. Primul lucru pe care îl fac după ce îmi atârn haina în cuier este să mă duc la laptop ca să văd la ce alte schimbări de dietă ar trebui să mă gândesc.

Jane, te rog să notezi următoarele afirmaţii cu puncte de la 1 la 5, unde 1 înseamnă „Sunt complet de acord", iar 5 înseamnă „Nu sunt deloc de acord".

Unele dotări ale casei au fost dezactivate până la finalizarea evaluării.

Mă opresc că trăsnită. Mi se pare că testele astea de evaluare au fost mai frecvente de când a plecat Edward. Parcă m-ar verifica tocmai de la biroul lui îndepărtat, ca să se asigure că încă sunt calmă şi senină şi că trăiesc conform regulilor.

Mai important, dacă aplicaţia nu ar fi fost dezactivată, aş fi introdus „regim recomandat pentru sarcină" în Menajeră fără să mă gândesc. Trebuie să ţin minte să folosesc reţeaua Wi-Fi a vecinului pentru orice de acum înainte. Cel puţin până când îi spun lui Edward.

Şi, mă gândesc eu, până când aflu ce s-a întâmplat în realitate cu Emma. Pentru că cele două – divulgarea secretului meu lui Edward şi descoperirea propriilor lui secrete – sunt legate între ele acum şi au devenit mai urgente decât înainte. Pentru binele copilului meu, trebuie să ştiu adevărul.

ATUNCI: EMMA

Inspectorul Clarke mă cheamă la secție pentru încă o discuție. E evident că procedurile juridice avansează rapid pentru că, de data asta, nu mă duce în chichineața lui de birou, ci într-o sală de reuniuni mare și luminoasă. Sunt cinci persoane aliniate pe o parte a mesei. Un bărbat poartă uniformă; cred că are o funcție foarte înaltă. Lângă el, e o femeie micuță îmbrăcată cu un costum cu pantaloni, de culoare închisă. Apoi urmează John Broome, procurorul de la audierea pentru cauțiune, și sergentul Willan, polițista desemnată să-mi acorde sprijin, care stă la o oarecare distanță de ceilalți, ca pentru a arăta că nu este suficient de avansată în grad pentru a participa de-adevăratelea la această întâlnire.

Inspectorul Clarke, care până acum a fost vesel, ca de obicei, îmi face semn să mă așez în fața femeii mignone, iar el se așază în partea opusă sergentului Willan. Observ că pe masă, în fața mea, se află o carafă cu apă și un pahar, dar nu sunt biscuiți și nici cafea. Astăzi nu sunt căni cu Garfield.

– Mulțumim că ai venit, Emma, zice femeia. Eu sunt procuror specialist Patricia Shapton, iar acesta este chestorul de poliție Peter Robertson.

Barosanii.

– Bună ziua, spun eu. Eu sunt Emma.

Patricia Shapton zâmbește politicos și continuă:

– Suntem aici ca să discutăm despre apărarea lui Deon Nelson la acuzațiile tale de viol și jaf deosebit de grav. După cum știi, probabil, în prezent este obligatoriu ca acuzarea și apărarea să se informeze reciproc înainte de proces, pentru a evita situațiile în care se ajunge în instanță fără să fie necesar.

Nu știam asta, dar încuviințez oricum din cap.

– Deon Nelson susține că s-a produs o eroare de identificare, continuă ea.

Ia un document din teancul din fața ei și își pune ochelari de citit. Apoi, mă privește pe deasupra ochelarilor, ca și cum ar aștepta un răspuns din partea mea.

– Nu l-am văzut la audierea pentru cauțiune, spun eu repede.

– Sunt câțiva martori care spun că l-ai văzut, însă nu despre subiectul acesta ne-am adunat să discutăm acum.

Dintr-un motiv oarecare, nu mă simt ușurată când aud asta. Ceva din tonul ei și chipurile tăcute, atente, ale celorlalți mă stânjenesc. Atmosfera a devenit serioasă. Chiar agresivă.

– Deon Nelson a furnizat dovezi medicale – *intime* – cum că nu poate fi el bărbatul care s-a înregistrat în timp ce primea sex oral de la tine, zice Shapton. Dovezile sunt convingătoare. De fapt, am spune chiar că sunt incontestabile.

Simt cum mă ia amețeala, care se transformă încet în greață.

– Nu înțeleg, spun eu.

– Din punct de vedere juridic, desigur, aceste dovezi sunt suficiente pentru ca apărarea să obțină achitarea, continuă ea ca și cum eu nici n-aș fi vorbit. Mai ia câteva documente. Însă apărarea a mers mult mai departe. Acestea sunt declarații date sub jurământ de câțiva dintre colegii tăi de la Flow Water Supplies. Cea mai relevantă pentru scopul nostru este declarația lui Saul Aksoy, în care acesta descrie o relație sexuală recentă cu tine în care, spune el, la cererea ta, ați făcut un videoclip împreună care se potrivește cu descrierea celui găsit pe telefonul tău de inspectorul Clarke.

Există o vorbă: „Voiam să mă înghită pământul". Nu descrie nici pe departe ce se întâmplă atunci când tot universul tău face implozie, când toate minciunile pe care le-ai spus se prăbușesc brusc în jurul tău. Urmează o pauză lungă, îngrozitoare. Simt cum îmi dau lacrimile și mă străduiesc să nu plâng.

Ştiu că Patricia Shapton va crede că e doar un subterfugiu ca să le stârnesc mila.

Reuşesc să spun:

– Dar celelalte telefoane pe care le-aţi găsit? Aţi spus că Deon Nelson a mai făcut asta şi înainte. Nu puteţi să spuneţi că e nevinovat.

Răspunde chestorul Robertson.

– Înainte, se considera că există o legătură între comiterea jafurilor şi privitul la filme porno *hardcore*, zice el. Asta era din cauză că hoţii aveau de obicei colecţii mari de DVD-uri cu filme explicite. Apoi, cineva şi-a dat seama că hoţii doar luau pornografia pe care o găseau în casele oamenilor. Şi Nelson a făcut la fel cu telefoanele. Le-a păstrat pe cele cu imagini sexuale. Atâta tot.

Patricia Shapton îşi dă jos ochelarii şi-i strânge.

– Deon Nelson te-a obligat să-i faci sex oral, Emma?

Urmează o tăcere lungă, lungă.

– *Nu*, şoptesc eu.

– De ce ai declarat la poliţie că te-a obligat?

– M-aţi întrebat de faţă cu Simon! explodez eu. Acum chiar că-mi dau lacrimile, lacrimi de autocompătimire şi furie, însă eu continui să vorbesc, disperată să-i fac să înţeleagă că nu este numai vina mea, ci şi a lor, în egală măsură. Arăt spre sergentul Willan şi inspectorul Clarke. Ei au spus că au găsit videoclipul şi că părea că era Nelson care mă forţa, zic eu. Au spus că nu i se vedeau faţa şi cuţitul. Ce era să fac? Să-i spun lui Simon că făcusem sex cu altcineva?

– Ai acuzat un bărbat că te-a violat în timp ce te ameninţa cu cuţitul şi că te-a ameninţat că va trimite imagini obscene ale acelui atac.familiei şi prietenilor tăi. Ai continuat minciuna când au apărut probleme cu povestea ta. Chiar ai citit o declaraţie de victimă în instanţă.

– Inspectorul Clarke m-a obligat, zic eu. Am încercat să renunţ, dar nu m-a lăsat. Oricum, Nelson o merita. E un hoţ. Mi-a furat lucrurile.

Cuvintele atât de patetice şi de meschine rămân agăţate în aer. Zăresc faţa inspectorului Clarke, care reflectă o mulţime de emoţii. Dispreţ. Milă. Furie – furie că s-a lăsat înşelat de mine, că i-am exploatat dorința de a mă proteja, servindu-i minciună după minciună.

Urmează încă o tăcere îngrozitoare. Patricia Shapton îl privește pe chestorul Robertson. Acesta este în mod evident un semnal stabilit între ei, pentru că el zice:

– Ai un avocat, Emma?

Clatin din cap. Ar fi tipul care a întocmit actul adițional când s-a mutat Simon din casă, dar nu cred că ar putea să mă ajute prea mult în această situație.

– Emma, o să te arestez acum. Asta înseamnă că vei avea acces la un avocat din oficiu mai târziu, când te vom întreba despre această formalitate.

Mă holbez la el.

– Cum adică?

– Luăm foarte în serios cazurile de viol. Asta înseamnă că plecăm de la premisa că fiecare femeie care spune că a fost violată ne spune adevărul. Reversul medaliei este că luăm la fel de în serios și acuzațiile false de viol. După ce am auzit astăzi aici, avem destule dovezi să te arestăm în baza suspiciunii de denunț fals și că ai încercat să influențezi cursul justiției.

– Mă arestați *pe mine?* zic eu nevenindu-mi să cred. Dar cum rămâne cu Nelson? El este infractorul.

– Va trebui să renunțăm la acuzațiile împotriva lui Deon Nelson, zice Patricia Shapton. Toate acuzațiile. Dovezile tale sunt complet discreditate acum.

– Dar mi-a furat lucrurile. Nimeni nu contestă asta, nu?

– Ba da, de fapt, zice chestorul Robertson. Deon Nelson pretinde că a cumpărat telefoanele de la un bărbat, într-un bar. Chiar dacă nu îl credem, nu avem absolut nici o dovadă care să îl lege de tine.

– Dar nu se poate să credeți... încep eu.

– Emma Matthews, te arestez în baza suspiciunilor de influențare a cursului justiției și denunț fals, ceea ce contravine secțiunii 5.2 din Legea justiției penale din 1967. Nu ești obligată să declari nimic, dar apărarea ta poate fi periclitată dacă la întrebările puse nu menționezi ceva pe care te vei baza mai târziu în instanță. Orice declari poate fi folosit drept probă. Înțelegi?

Nu pot să vorbesc.

– Emma, trebuie să răspunzi. Înțelegi natura acuzațiilor care ți se aduc?

– Da, șoptesc eu.

După aceea, am o senzație vagă că am pășit printr-o oglindă. Brusc, nu mai sunt victima, să fiu tratată cu mănuși și să mi se ofere căni de cafea. Brusc, sunt într-o cu totul altă parte a secției, unde becurile sunt îngrădite cu metal, iar podelele put a vomă și a clor. Un polițist de la închisoare mă privește de sus, din spatele unui birou înalt, și îmi explică drepturile. Îmi golesc buzunarele. Mi se înmânează un exemplar din Regulamentul arestului preventiv și mi se spune că voi primi o masă caldă dacă voi mai fi aici la ora cinei. Mi se iau pantofii și sunt escortată într-o celulă. În afară de un pat încastrat în perete și de un raft mic pe peretele opus, celula este complet goală. Pereții sunt albi, mocheta gri, lumina difuzată prin tavan. Îmi trece prin minte că Edward s-ar simți ca acasă aici, dar sigur că nu ar fi chiar așa, pentru că aici e murdar, urât mirositor, lipsit de confort și ieftin.

Aștept trei ore să vină un avocat din oficiu. La un moment dat, polițistul aduce o copie a cazierului meu. Când îl văd scris, sună și mai sumbru decât înainte.

Încerc să nu mă gândesc la expresia de pe fața inspectorului Clarke când am ieșit din cameră. Nu mai era furios, îi rămăsese doar dezgustul. Crezuse în mine, iar eu îl dezamăgisem.

Într-un final, în celulă este condus un bărbat tânăr și dolofan, cu părul dat cu gel și o cravată cu un nod Windsor prea mare. Rămâne în picioare în prag și dă mâna cu mine peste un braț plin de dosare.

– Ăăă, Graham Keating, zice el. Mă tem că toate sălile rezervate pentru avocați sunt ocupate. Va trebui să stăm de vorbă aici.

Stăm unul lângă altul pe patul tare, ca doi studenți timizi care nu prea știu să intre în vorbă, iar el mă roagă să-i povestesc cu cuvintele mele ce s-a întâmplat. Chiar și mie mi se pare jalnic.

– Ce o să se întâmple cu mine? întreb eu când termin.

– Depinde dacă vor urmări acuzația de denunț fals sau pe cea de influențare a cursului justiției. În primul caz, dacă pledezi vinovată, ai putea primi ca pedeapsă prestarea de servicii în folosul comunității sau o sentință cu suspendare. În a doua situație, ei bine, acolo nu există nici o limită, judecătorul poate da orice sentință. În cel mai rău caz, e închisoare pe viață. Bineînțeles, asta e numai pentru cazurile extreme. Ar trebui să te avertizez, totuși: asta este o infracțiune pe care judecătorii au tendința să o ia în serios.

Încep să plâng din nou. Graham scotocește în servietă și găsește un pachet de șervețele. Gestul lui îmi amintește de Carol, care, în schimb, îmi amintește o altă problemă.

– Nu vor putea să o chestioneze pe terapeuta mea, nu-i așa? zic eu.

– Ce fel de terapeută?

– Am început să merg la o psihoterapeută imediat după ce am fost jefuită. Mi-a fost recomandată de poliție.

– Și terapeutei i-ai spus adevărul?

– Nu, răspund eu amărâtă.

– Înțeleg, zice el, deși e clar că e încurcat. Păi, atât timp cât nu aducem în discuție starea psihică, nu există motive ca ei s-o facă. Tace preț de o clipă. Și așa ajungem la apărarea pe care o s-o urmăm. Sau, mai bine spus, la circumstanțele atenuante. Adică, ai spus deja la poliție ce s-a întâmplat, dar nu ai spus și de ce.

– Cum adică?

– Când vine vorba despre VISG – viol și infracțiuni sexuale grave, totul depinde de context. Având în vedere că acuzațiile acestea provin dintr-o alegație de viol, ele vor continua să se supună regulilor VISG. De exemplu, au fost cazuri în care femeile pe care le-am apărat se simțiseră presate sau intimidate să facă sau să retragă o acuzație. Asta ajută mult.

– Asta nu s-a... încep eu, apoi mă opresc. Vrei să zici că dacă mi-a fost frică de cineva, aș putea să scap?

– Nu de tot, zice el, dar asta ar putea reduce semnificativ sentința.

– Păi *chiar* mi-a fost frică, zic eu. Mi-a fost frică să-i spun lui Simon. Uneori e violent.

– Bine, spune Graham.

Nu spune „Acum avem de unde să pornim", dar asta exprimă limbajul corpului când deschide un carnet galben și se pregătește să ia notițe.

– În ce fel violent?

ACUM: JANE

– Domnul inspector Clarke?

Bărbatul în hanorac maro, care trage de jumătate de halbă de bere, își ridică privirea.

– Eu sunt. Dar nu mai sunt inspector. Numai domn. James, dacă preferi. Se ridică în picioare să dea mâna cu mine. La picioarele lui se află o sacoșă plină cu fructe și legume. Arată spre bar: Pot să-ți ofer ceva de băut?

– Îmi iau singură. Mulțumesc că ați acceptat să ne întâlnim.

– N-ai pentru ce. Oricum miercurea vin în oraș, la piață.

Îmi cumpăr o bere de ghimbir și mă întorc la masa lui. Sunt uimită de cât de ușor este să găsești pe cineva în prezent. Cu un telefon la Scotland Yard, am aflat că inspectorul Clarke ieșise la pensie, ceea ce păruse un obstacol, dar, tastând pur și simplu „Cum găsesc un ofițer de poliție pensionat?" într-un motor de căutare – nu Menajera, bineînțeles –, am dat peste o organizație numită NARPO – Asociația Națională a Ofițerilor de Poliție Pensionați[1]. Pe site era un formular de contact, așa că am trimis o cerere. Am primit răspuns în aceeași zi. Nu puteau să-mi dea detalii despre membri, dar transmiseseră întrebarea mea mai departe.

Bărbatul din fața mea nu pare destul de în vârstă ca să fie la pensie. Probabil bănuiește ce gândesc, pentru că zice:

---

[1] În original, National Association of Retired Police Officers

– Am lucrat în poliție timp de douăzeci și cinci de ani. Suficient ca să pot ieși la pensie, deși nu am încetat munca de tot. Am o mică firmă împreună cu un alt fost detectiv, instalăm alarme de securitate. Bani cinstiți, fără presiune prea mare. Înțeleg că vrei să discutăm despre Emma Matthews?

Încuviințez din cap.

– Vă rog.

– Ești rudă cu ea?

Evident, a observat asemănarea.

– Nu chiar. Sunt actuala chiriașă din One Folgate Street, locul unde a murit ea.

– Hm!

La prima impresie, James Clarke pare un tip obișnuit, așezat, genul de om al muncii ajuns cu stare, care ar putea să aibă o vilă în Portugalia, pe lângă un teren de golf. Dar acum văd că ochii lui sunt vicleni și încrezători.

– Ce anume vrei să știi?

– Știu că Emma a făcut niște afirmații referitoare la fostul ei iubit, Simon. La scurt timp după aceea, a murit. Am auzit explicații contradictorii despre cine sau ce ar fi omorât-o: depresia, Simon, chiar bărbatul cu care a avut o relație. Intenționat nu menționez numele lui Edward, în caz că Clarke detectează că mă interesează persoana lui. Încerc doar să înțeleg ce s-a întâmplat. Cum locuiesc acolo, e greu să nu fiu curioasă.

– Emma Matthews m-a păcălit, zice sec inspectorul Clarke. Asta nu mi s-a întâmplat prea des ca detectiv. De fapt, aproape niciodată. Dar uite că m-am trezit față în față cu o femeie foarte credibilă, care zicea că îi fusese prea frică să raporteze un atac sexual foarte neplăcut pentru că atacatorul o filmase cu telefonul ei și o amenințase că trimite filmulețul tuturor contactelor din agenda ei. Am vrut să fac ceva pentru ea. În plus, în perioada aia eram presați să creștem numărul condamnărilor în cazurile de viol. Am crezut că, în sfârșit, cu toate dovezile pe care le aveam, puteam să-mi mulțumesc șefii, să fac dreptate pentru Emma și, în același timp, să bag la închisoare pentru multă vreme un gunoi, Deon Nelson. Ghinion triplu. Se pare că m-am înșelat în toate cele trei privințe. Ea ne-a îndrugat o grămadă de minciuni încă de la început.

– Deci era o mincinoasă pricepută?

– Sau am fost eu un prost de vârstă mijlocie. Ridică trist din umeri. Sue a mea se dusese cu un an înainte. Și fata asta, care putea să-mi fie fiică... Poate că am fost prea credul. Cel puțin, așa a reieșit din investigația internă pe urmă. Un ofițer în pragul pensionării, o tânără drăguță, judecata lui o ia razna. Și a fost ceva adevăr acolo. Oricum, destul cât să mă facă să ies un pic mai devreme la pensie, când mi s-a sugerat asta.

Bea îndelung din bere. Eu sorb din berea mea de ghimbir. Pentru mine, băutura răcoritoare e un semn clar de „Sunt însărcinată", dar, chiar dacă a observat, inspectorul Clarke nu zice nimic despre asta.

– Privind în urmă, au fost câteva lucruri pe care ar fi trebuit să le observ. L-a identificat pe Nelson în VIPER mult prea sigură pe ea, având în vedere că declarase că el purtase o cagulă în timpul atacului. Cât despre acuzația împotriva fostului iubit...

Ridică din umeri.

– Nu mai credeți nici asta, privind retrospectiv?

– N-am crezut-o nici atunci. Era doar modalitatea avocatului de a o face scăpată. „Mi-a fost frică, nu pot fi făcută responsabilă pentru ce am făcut." Și a funcționat. În plus, procuratura nu era prea dornică să recunoască deschis în fața instanței că fata ne prostise pe toți. Emma a fost nevoită să accepte un avertisment formal pentru că irosise timpul poliției, dar asta n-a fost decât o simplă dojană, nimic mai mult.

– Dar tot l-ați arestat pe Simon Wakefield după ce a murit Emma.

– Da. Ei, asta a fost mai mult ca să ne acoperim noi spatele. Brusc, era posibil să fi privit totul greșit. O tânără zice că a fost violată, apoi recunoaște că a mințit, dar pretinde că iubitul ei e un fel de personaj gen doctor Jekyll și domnul Hyde, care e violent cu ea. La scurt timp după aceea, e găsită moartă. Dacă se dovedește că el *chiar* a omorât-o, ne-am ars. Și dacă se dovedește că a fost o sinucidere, nu pare că poliția s-a purtat prea bine cu ea, nu-i așa? Oricum, e mai bine să se vadă că am arestat pe cineva.

– Deci a fost doar o chestiune de rutină?

– A, nu mă înțelege greșit. Poate că ăsta a fost motivul pentru care superiorii mei au vrut să facem arestarea, dar eu și echipa mea ne-am făcut treaba bine când l-am interogat. Nu exista nici o dovadă că Simon Wakefield ar fi avut vreo legătură cu moartea Emmei. Singura lui greșeală a fost că s-a încurcat cu ea. Și nu prea pot să-l învinuiesc pentru asta. Așa cum am spus, oameni mai bătrâni și mai înțelepți au căzut pradă farmecelor ei. Se încruntă. Dar să-ți zic ceva care *a fost* neobișnuit, totuși. Cei mai mulți oameni, când sunt prinși cu minciuna de către poliție, cedează destul de ușor. În schimb, Emma a mai spus o minciună. Poate că i-a fost plantată în minte de declarația ei, dar chiar și așa, nu este o reacție obișnuită.

– *Dumneavoastră* cum credeți că a murit?

– Sunt două posibilități. Unu, s-a sinucis. Din depresie? Clatină din cap. Nu cred. Mai degrabă, au ajuns-o din urmă minciunile cumva.

– Și a doua?

– E cea mai evidentă.

Mă încrunt.

– Care anume?

– Nu cred că ai luat în calcul posibilitatea să o fi omorât-o Deon Nelson.

E adevărat. Am fost așa de concentrată asupra lui Edward și a lui Simon, încât nu prea mi-a trecut prin cap posibilitatea să fi fost cu totul altcineva.

– Nelson era și, din câte știu eu, probabil încă este un individ periculos, continuă el. A avut condamnări pentru fapte violente încă de când avea doisprezece ani. Când Emma aproape că i-a adus o nouă condamnare cu o poveste inventată, probabil a vrut să se răzbune. Tace un moment. De fapt, Emma a zis asta. Ne-a zis că Nelson o amenința.

– Ați investigat amenințările?

– Le-am înregistrat.

– E același lucru?

– Emma fusese arestată pentru denunț fals. Credeți că era o prioritate să investigăm fiecare afirmație pe care o făcea ulterior? Deja părea că ne grăbiserăm să îl acuzăm pe Nelson de viol prima dată. Cum avocata lui invoca hărțuirea pe motive rasiale, nu aveam cum să îl acuzăm din nou fără dovezi clare.

Mă gândesc.

– Spuneți-mi despre videoclipul de pe telefonul Emmei. Cum de l-ați confundat cu un viol, dacă nu era deloc vorba despre așa ceva?

– Pentru că era brutal, zice el fără ezitare. Poate sunt eu de modă veche, dar nu înțeleg cum unora poate să le placă așa ceva. Numai că, dacă am învățat ceva în douăzeci și cinci de ani în poliție, asta e că nu poți niciodată să înțelegi viața sexuală a altora. Tinerii de acum văd chestiile astea urâte, agresive, de pe internet și cred că ar fi amuzant să facă și ei un videoclip pe telefon. Bărbați care le tratează pe femei ca pe niște obiecte și femei care acceptă asta. De ce? Asta chiar nu înțeleg. Și în cazul Emmei, asta s-a întâmplat. Și chiar cu cel mai bun prieten al iubitului ei.

– Cine era?

– Un tip pe care-l chema Saul Aksoy și care lucra în aceeași firmă cu Emma. Avocata lui Nelson a angajat un detectiv particular să îl găsească și l-a convins să dea o declarație. Sigur, Aksoy nu încălcase nici o lege, dar chiar și așa... Ce mizerie!

– Dar dacă a omorât-o Deon Nelson – mintea mea încă funcționează după teoria lui Clarke –, cum a intrat în casă?

– Asta nu știu. Clarke își pune paharul gol pe masă. Am autobuz peste zece minute. Ar trebui să plec.

– În One Folgate Street este un sistem de securitate de ultimă generație. Asta era unul dintre lucrurile pentru care Emmei îi plăcea acolo.

– De ultimă generație? pufnește Clarke. Poate acum cinci-sprezece ani. Astăzi, nimic legat de internet nu mai este considerat sigur. E prea ușor de spart.

Deodată aud vocea lui Edward în cap. *Dușul era pornit când au găsit-o. Probabil a coborât în fugă cu picioarele ude...*

– Și de ce era dușul pornit? întreb eu.

Clarke pare nedumerit.

– Poftim?

– Dușul. Funcționează în baza unei brățări, îi arăt eu propria încheietură. Te recunoaște când intri și ajustează apa la setările personale. Apoi, când ieși, se oprește singur.

Ridică din umeri.

– Cum spui tu.

– Dar celelalte date din One Folgate Street? Înregistrările video de la interfon și așa mai departe? Pe astea le-ați examinat?

Clatină din cap.

– Trecuseră deja patruzeci și opt de ore când a fost găsită. Hard diskul se ștersese automat. Multe sisteme de securitate fac asta, ca să salveze spațiu pe disc. E păcat, dar asta e.

– S-a întâmplat ceva cu casa. Trebuie să aibă și asta o legătură. Sunt sigură.

– Poate. E un mister pe care nu-l vom mai rezolva niciodată, bănuiesc. Se ridică și întinde mâna după plasă. Mă ridic și eu. Mă pregătesc să dau mâna cu el, când mă surprinde aplecându-se în față ca să mă sărute pe obraz. Hainele îi miros ușor a bere.

– Mi-a părut bine să te cunosc, Jane. Și noroc! Mă îndoiesc că o să găsești ceva ce noi n-am găsit, dar dacă se întâmplă, mă anunți? Încă mă sâcâie ce s-a întâmplat cu Emma. Și nu multe cazuri au efectul ăsta asupra mea.

ATUNCI: **EMMA**

A fost o vreme când One Folgate Street părea un refugiu calm, senin. Acum nu e așa. Pare claustrofobic și rău. Ca și cum casa ar fi supărată pe mine.

Dar sigur, pereții aceștia albi nu fac decât să reflecte sentimentele mele. Nu casa e supărată pe mine, ci oamenii.

Asta îmi aduce aminte de Edward și încep să intru în panică din cauza scrisorii pe care i-am dat-o. Oare ce a fost în mintea mea? Îi trimit un SMS. *Te rog să n-o citești. Arunc-o la gunoi.* Pentru cei mai mulți oameni, asta ar fi suficient ca să-i facă să vrea s-o citească, însă Edward nu este precum cei mai mulți oameni.

Asta tot nu rezolvă problema că, mai devreme sau mai târziu, va trebui să-i spun despre Simon și Saul și Nelson și despre poliție. Și n-am cum să fac asta fără să recunosc că l-am mințit. Numai când mă gândesc la asta îmi vine să plâng.

Aud vocea mamei, cuvintele pe care mi le spunea mereu în copilărie când mă prindea mințind.

„Mincinoșii nu ar trebui să plângă.“

Mai obișnuia și să recite o poezioară despre o fetiță pe care o chema Matilda, care suna pompierii așa de des încât, atunci când într-adevăr a avut loc un incendiu, nu au mai crezut-o.

„Foc!“ striga ea mai mereu.
„Mincinoaso!“ ziceau ei.

Când mătuşa a venit acasă
Matilda, ca şi casa, era arsă.

Totuşi, m-am răzbunat pe mama mea. La paisprezece ani, nu am mai vrut să mănânc. Medicii m-au diagnosticat cu anorexie, dar eu ştiam că nu avusesem niciodată o tulburare de genul ăsta. Doar dovedeam că voinţa mea era mai puternică decât a ei. În curând, toată casa îşi făcea griji pentru regimul *meu*, greutatea *mea*, aportul *meu* de calorii, dacă *eu* aveam o zi bună sau rea, dacă mi se oprise menstruaţia sau dacă mă simţeam slăbită sau dacă îmi creştea puf pe braţe şi obraji. Mesele se întindeau la nesfârşit, fiindcă părinţii mei încercau să mă păcălească sau să mă mituiască sau să mă forţeze să înghit măcar încă o gură de mâncare. Aveam voie să inventez regimuri tot mai ciudate, în ideea că, dacă găseam ceva care-mi plăcea, creşteau şansele să mănânc. Timp de o săptămână, toţi am mâncat numai felii de măr copt presărat peste supa de avocado. Altădată, salată de pere şi cardama, de trei ori pe zi. Înainte, tata fusese un părinte distant, detaşat, dar odată ce m-am îmbolnăvit, eu am devenit prioritatea lui numărul unu. Am fost trimisă la diverse clinici private, unde se vorbea despre o părere de sine proastă şi despre nevoia de succes. Dar sigur că *aveam* succes la ceva: la nemâncat. Am învăţat să zâmbesc şters, însă angelic, şi să spun că eram sigură că aveau dreptate şi că de atunci înainte aveam să încerc, să încerc cu adevărat, să am gânduri mai pozitive despre mine.

M-am oprit când o psiholoagă dură m-a privit în ochi şi mi-a zis că (a) ştie foarte bine că doar manipulez oamenii şi că (b) dacă nu încep să mănânc în curând, va fi prea târziu. Se pare că anorexia schimbă felul în care îţi funcţionează creierul. Intri în nişte tipare de gândire, care ies la suprafaţă atunci când te aştepţi mai puţin. Dacă rămâi aşa prea mult timp, vei duce aceste tipare cu tine tot restul vieţii. La fel ca superstiţia aceea că se schimbă vremea când îmbraci tricoul pe dos.

N-am mai fost anorexică, dar am rămas slabă. Am descoperit că oamenilor le place asta. În special, bărbaţii simţeau nevoia să fie protectori cu mine. Mă credeau fragilă, când, de fapt, eu sunt o persoană cu o hotărâre de fier.

Numai că, uneori, când lucrurile scapă de sub control, ca acum, îmi amintesc sentimentul minunat, satisfăcător, pe care îl aveam când refuzam să mănânc. Când știam că, la urma urmei, eu îmi controlam destinul.

Deocamdată, reușesc să rezist tentației, însă am o senzație bolnăvicioasă, de gol în stomac, de fiecare dată când mă gândesc la ce s-a întâmplat. „Acestea sunt declarații date sub prestare de jurământ de câțiva dintre colegii tăi." Câți? Cine în afară de Saul? Bănuiesc că nu mai contează acum. Vestea se va răspândi în toată clădirea.

Și Amanda, una dintre cele mai bune prietene ale mele, va afla că soțul ei a făcut sex cu mine.

Trimit un e-mail la resurse umane ca să anunț că sunt bolnavă. Trebuie să stau departe de serviciu până când îmi dau seama ce am de făcut.

Ca să-mi găsesc o ocupație, fac o foarte necesară curățenie în toată casa. Fără să mă gândesc, las ușa din față deschisă cât timp duc gunoiul. Abia când aud un zgomot în spatele meu, mă răsucesc brusc, cu inima cât un purice.

O față mică, scheletică, cu ochi mari ca ai unei maimuțici, mă privește fix. E un pisoi, o mică siameză. Când mă vede, se așază pe podeaua de piatră așteptând ceva, de parcă acum aș fi responsabilă să-i găsesc stăpânul.

– Cine ești tu? întreb.

Ea doar miaună. Indiferentă, mă lasă să o ridic în brațe. E toată piele și os și are o blană moale, ca de catifea. De îndată ce o iau în brațe, începe să toarcă zgomotos.

– Ce mă fac eu cu tine acum? zic eu.

Mă duc din casă în casă, luând pisoiul cu mine. E genul de stradă unde ambii parteneri trebuie să muncească pentru a-și permite ipoteca sau chiria. Dar la ușa de la numărul trei, iese o femeie roșcată, cu părul cârlionțat și pistrui, care-și șterge pe șorț mâinile pline de făină. În spatele ei, văd o bucătărie și doi copii roșcați, un băiat și o fată, fiecare purtând câte un șorț.

– Bună, zice ea. Apoi vede pisoiul, care încă toarce voluptuos în brațele mele. Ei, ce drăguț ești! îi zice ea.

– Nu știi cumva al cui e? întreb eu. Tocmai a intrat în casă.

Ea clatină din cap.

– N-am auzit pe nimeni pe aici să aibă pisică. Unde locuieşti?

– La numărul unu, zic eu arătând spre casa de alături.

– În buncărul führerului? Ei, bănuiesc că trebuie să locuiască cineva şi acolo. Eu sunt Maggie Evans, apropo. Vrei să intri? O să sun la celelalte mame.

Copiii se adună deja în jurul meu, cerând zgomotos să mângâie pisica. Mama lor îi pune să se spele pe mâini mai întâi. Aştept în timp ce ea sună la câţiva vecini. Trei muncitori cu căşti pe cap urcă din subsol şi mărşăluiesc prin bucătărie, lăsând politicos nişte căni goale în chiuvetă.

– Bine ai venit la casa de nebuni! zice Maggie Evans după ce închide telefonul, deşi nu pare să fie nici o nebunie acolo. Şi copiii, şi muncitorii sunt incredibil de manieraţi. Din păcate, n-am aflat nimic, adaugă ea. Chloe, Tim, vreţi voi să faceţi nişte afişe cu pisica găsită?

Copiii sunt foarte entuziasmaţi. Chloe întreabă dacă pot să păstreze ei pisica, în caz că nu o revendică nimeni. Maggie zice hotărât că, în curând, pisoiul se va transforma într-o pisică foarte mare şi atunci îl va mânca pe Hector. Nu aflu cine este Hector. În timp ce copiii desenează afişele, Maggie face ceai şi mă întreabă de cât timp stau în One Folgate Street.

– La început, nu ne-a convenit că se construieşte, îmi mărturiseşte ea. E aşa de neobişnuită! Iar arhitectul a fost aşa de nepoliticos! A avut loc o şedinţă, unde noi i-am spus ce ne îngrijora, iar el doar a stat acolo, fără să spună un cuvânt. Pe urmă, a plecat şi nu a schimbat nimic. Absolut nimic! Pun pariu că e un coşmar să locuieşti acolo.

– De fapt, e minunat! zic eu.

– Am cunoscut o chiriaşă mai veche care nu suporta casa aia. Nu a rezistat decât câteva săptămâni. A zis că locul ăla parcă se întorsese împotriva ei. Are tot felul de reguli ciudate, nu-i aşa?

– Câteva. Sunt foarte rezonabile, de fapt, zic eu.

– Ei, eu n-aş putea să locuiesc acolo. Timmy! strigă ea. Nu folosi farfuriile de porţelan pentru pictat! Cu ce te ocupi, apropo? mă întreabă ea.

– Lucrez în marketing, dar deocamdată sunt în concediu medical.

– A, zice ea.

Mă privește strâmb, nedumerită. Evident, nu prea arăt bolnavă. Apoi, aruncă o privire îngrijorată spre copii.

– Nu-ți face griji, nu e nimic contagios. Doar o cură de chimioterapie, spun eu în șoaptă. Mă cam epuizează, asta-i tot.

Imediat, ochii i se umplu de grijă.

– Vai, ce rău îmi pare!

– N-ai de ce, sunt bine, serios. Sănătoasă și voioasă, zic eu vitejește.

Când plec, împreună cu un teanc de afișe desenate de mână pe care scrie „ĂSTA E PISOIUL TĂU?", dar și cu pisoiul, sunt prietenă la cataramă cu Maggie Evans.

Înapoi în One Folgate Street, pisoiul explorează din ce în ce mai încrezător, făcând salturi mici, ca un tigrișor, pe treptele către dormitor. Când mă duc să-l caut, îl găsesc întins pe spate, în pat, dormind adânc, cu o lăbuță întinsă în aer.

Îmi dau seama că am luat o hotărâre cu privire la muncă. Scot telefonul și formez numărul centralei.

– Flow Water Supplies. Cu ce pot să vă ajut? se aude o voce.

– Puteți să-mi faceți legătura cu Helen de la resurse umane, vă rog?

După o pauză, se aude șefa de la resurse umane.

– Alo?

– Helen, sunt Emma, zic eu. Emma Matthews. Trebuie să fac o plângere formală împotriva lui Saul Aksoy.

ACUM: JANE

Dacă să-l găsesc pe inspectorul Clarke a fost uşor, să aflu adresa de e-mail a lui Saul Aksoy e şi mai uşor. Când scriu numele lui şi Flow Water Supplies pe Google, descopăr că a părăsit firma în urmă cu trei ani. Acum este fondatorul şi directorul general al Volcayneau, o marcă nouă de apă minerală captată de sub un vulcan inactiv din Fiji, după cum mă informează un website modern. Găsesc o poză cu un bărbat atrăgător, brunet, cu capul ras, dinţi foarte albi şi un cercel cu diamant într-o ureche. Îi trimit e-mailul devenit standard de acum.

Dragă Saul, sper că nu te deranjează că-ţi scriu aşa, din senin. Fac nişte cercetări legate de o fostă chiriaşă a casei în care locuiesc, One Folgate Street...

Acum suntem cu toţii conectaţi, mă gândesc în timp ce îl trimit în cyberspaţiu. Toţi şi toate. Dar, pentru prima dată de când am început povestea asta, sunt refuzată. Răspunsul vine rapid, dar este un „nu".

Mulţumesc pentru e-mail. Nu discut despre Emma Matthews. Cu nimeni. Saul.

Încerc din nou.

De fapt, o să fiu în zona biroului tău mâine seară. Poate ne-am putea întâlni să bem ceva rapid?

De data asta, anexez ID-ul de Messenger. Din puţinul pe care îl ştiu despre Saul Aksoy, pot să fiu destul de sigură că mă va verifica pe Facebook. Și poate, fără modestie, bănuiesc că nu i-ar displăcea să bea ceva cu mine.

Acum, răspunsul e mai favorabil.

OK. Pot să-ți acord jumătate de oră. Ne vedem la barul Zebra de pe Dutton Street la 8.

Ajung devreme și comand sifon cu lămâie. Am sânii mai mari acum și trebuie să fac pipi mai des. Altfel, cu greu și-ar da cineva seama că sunt însărcinată, deși Mia susține că arăt neobișnuit de bine. Strălucitoare, zice ea. Nu prea mă simt așa când vomit dimineața.

La Saul Aksoy, prima dată îmi atrag atenția bijuteriile. Pe lângă cercelul din ureche, poartă un lanț subțire de aur băgat sub cămașa deschisă la gât. De sub mânecile costumului se văd butonii, pe mâna dreaptă are un inel cu sigiliu, iar pe stânga un ceas care pare scump. Pare supărat că am deja o băutură, în special una fără alcool, și insistă să-mi ofere un pahar de șampanie, înainte să se resemneze și să-și comande unul pentru el.

Saul este cât se poate de diferit de Simon Wakefield, constat eu. Iar Edward Monkford este complet diferit de amândoi. Pare incredibil că Emma a putut să aibă relații cu toți cei trei bărbați. În timp ce Simon este dornic să facă altora pe plac, dar și sensibil și nesigur, Edward este calm și extrem de încrezător în sine, iar Saul este insistent, băgăreț și zgomotos. În plus, are obiceiul de a-și încheia propozițiile cu un „bine?" agresiv, de parcă ar încerca să mă oblige să fiu de acord cu el.

– Mulțumesc că ai fost de acord să te întâlnești cu mine, zic eu după sporovăiala de început. Știu că trebuie să ți se pară ciudat, mai ales că nici n-am cunoscut-o pe Emma, dar am impresia că aproape nimeni nu a cunoscut-o cu adevărat. Toți cei cu care stau de vorbă au o versiune diferită despre cum era ea.

Ridică din umeri.

– De fapt, nu m-am întâlnit cu tine pentru asta, bine? Încă nu suport să vorbesc despre ea.

– De ce?

– Pentru că era o obsedată posesivă, zice el fără menajamente. Și m-a făcut să-mi pierd jobul. Nu că mi-ar lipsi, era o porcărie, dar ea a mințit despre mine și nu permit nimănui rahaturi de-astea.

– Ce a făcut?

– A depus plângere la resurse umane că am îmbătat-o și că am forțat-o să facem sex. Printre altele, a zis că m-am oferit s-o ajut să intre la marketing dacă se culcă cu mine. A pretins că ea a zis nu, dar că eu nu am reacționat bine la refuz. Adevărul e că *chiar* am stat de vorbă cu directorul de marketing, ca o favoare pentru ea, dar asta a fost după ce ne-am culcat împreună, nu înainte. Numai că ea a făcut toate afirmațiile astea înainte să se afle că fusese arestată pentru că mințise în legătură cu violul, bine? Și faza a fost că mai multe fete din firmă au fost supărate când au aflat una despre alta, plus nevastă-mea – acum *fosta* nevastă –, care voia să mă prindă în cursă, așa că am fost mâncat. Până la urmă, ăsta a fost cel mai bun lucru care mi s-a întâmplat vreodată, dar ea n-avea de unde să știe asta atunci.

– Deci tu și Emma ați avut... ce? Un flirt? O aventură?

În fața noastră, pe bar, e un castron cu alune sărate și cu greu mă abțin să nu le mănânc pe toate în timp ce el vorbește. Le împing mai încolo.

– Am făcut sex de câteva ori, asta a fost tot. Am avut un training în deplasare și am petrecut noaptea la un hotel. Cu băutura gratuită, lucrurile au cam scăpat de sub control. Face o grimasă. Uite ce-i, nu sunt mândru de asta. Simon e prietenul meu sau, mă rog, era înainte de toate astea. Dar niciodată nu m-am priceput să zic „nu" și ea era aia care se tot dădea la mine, crede-mă. De fapt, a vrut să continuăm chiar și când am hotărât că ne-am distrat, dar venise momentul să punem capăt. Bănuiesc că cel mai tare o atrăgea riscul. Clar îi plăcea că o făceam fără să știe Simon. Sau Amanda. Dacă mă întrebi pe mine, până la urmă i-am făcut o favoare lui Simon, deși el n-a văzut niciodată lucrurile așa.

– Mai ții legătura cu Simon?

Clatină din cap.

– N-am mai vorbit de câțiva ani.

– Trebuie să te întreb... cineva care a văzut filmulețul cu Emma de pe telefonul ei mi-a zis că era foarte dur.

Nu pare stânjenit.

– Da. Păi aşa îi plăcea, nu? Până la urmă, cam aşa sunt toate femeile. Îmi aruncă o privire directă. Şi îmi place o femeie care ştie ce vrea.

Simt cum mi se face pielea de găină, deşi încerc să nu las să se vadă asta.

– Dar de ce să faci un videoclip cu asta?

– Ne prosteam şi noi. Toată lumea a făcut asta, bine? Mi-a zis pe urmă că l-a şters, dar probabil l-a păstrat. Aşa era Emma, i-ar fi plăcut să ştie că are ceva de genul ăsta, ceva care putea să-i arunce dracului viaţa în aer, şi pe a mea la fel. Asta era puterea ei. Probabil ar fi trebuit să verific, dar atunci trecusem deja peste moment.

– Ai observat vreodată dacă minţea în legătură cu alte lucruri? Ăsta pare să fie încă un lucru pe care îl zic oamenii despre ea, că nu spunea mereu adevărul.

– Păi cine-l spune, bine? Se lasă pe spate, mai relaxat acum. Deşi... am observat că zicea nişte prostii câteodată. De exemplu, Simon mi-a zis că Emma aproape că fusese model – nu ştiu ce agenţie de top era disperată să semneze un contract cu ea, dar ea hotărâse că modellingul nu era pentru ea. Da, sigur, de parcă se păstra pentru o carieră de secretară pentru un furnizor de apă. Oricum, *mie* mi-a povestit că un fotograf local o abordase odată pe stradă, dar părea un pic pervers, aşa că ea nu a acceptat nimic. Şi am ajuns să mă întreb: care era versiunea adevărată? Adică, uneori doar exagera un pic pentru efect, iar alteori mergea până departe şi îşi crea o întreagă fantezie. Să ştii, adaugă el, că dacă m-ai auzi vorbind cu distribuitorii, ai crede că am deja o cifră de afaceri de un milion de lire. Te prefaci până îţi iese, nu-i aşa? Îşi termină şampania. Hai să nu mai vorbim despre ea, bine? Hai să luăm o sticlă întreagă şi să vorbim despre tine. Ţi-a spus vreodată cineva că ai ochi tare frumoşi?

– Mulţumesc, zic eu ridicându-mă deja de pe scaun, dar trebuie să ajung în altă parte. Mulţumesc totuşi că te-ai întâlnit cu mine.

– Ce?! se preface el şocat. Pleci deja? Cu cine te întâlneşti? Cu iubitul? Abia am început. Hai, stai jos. Luăm cocteiluri, bine?

– Nu, serios...

– Măcar atât să faci şi tu. Mi-am făcut timp pentru tine, acum îmi eşti datoare. Hai să bem ceva ca lumea.

Zâmbeşte, dar din spatele ochilor răzbat duritatea şi disperarea. Un crai care îmbătrâneşte şi încearcă să-şi îmbunătăţească ce-a mai rămas din stima de sine cu noi cuceriri sexuale.

– Nu, serios, repet eu cu hotărâre.

În timp ce ies din bar, deja scanează camera, căutând o altă femeie pe care s-o agaţe.

ATUNCI: **EMMA**

Despre alcoolici, se spune că există un moment în care, în cele din urmă, ajung pe fundul prăpastiei. Nimeni nu le poate spune când e momentul să se lase, nimeni nu îi poate convinge. Trebuie să ajungă acolo singuri, să recunoască ce li se întâmplă și abia atunci au șansa de a schimba situația.

Eu am ajuns pe fundul prăpastiei. Să dau vina pe Saul a fost în cel mai bun caz o măsură provizorie. Nu e nici o îndoială că a meritat-o, fiindcă de o veșnicie își face de cap cu fetele din firmă pe la spatele Amandei. Toată lumea știe ce fel de om e și venise momentul să-l oprească cineva, dar, pe de altă parte, trebuie să recunosc că *eu* l-am lăsat să mă îmbete și să facă ce a făcut. După dependența și adorarea constantă, enervantă, a lui Simon, chiar a fost înviorător să fiu dorită doar pentru sex egoist și fără complicații. Totuși, asta nu schimbă cu nimic faptul că ce am făcut a fost o prostie.

Trebuie să mă schimb. Trebuie să încep să fiu genul de persoană care vede lucrurile clar. Nu o victimă.

Carol mi-a zis odată că cei mai mulți oameni își consumă toată energia încercând să-i schimbe pe alții când, de fapt, singura persoană pe care o poți schimba cu adevărat ești tu. Acum înțeleg ce voia să spună. Cred că sunt pregătită să fiu altcineva. Nu persoana care a permis să i se întâmple toată porcăria asta.

Caut cartea de vizită cu numărul de telefon al lui Carol, ca s-o sun, dar nu o găsesc. N-am idee cum poate să dispară ceva în One Folgate Street, dar se pare că asta se întâmplă tot timpul, cu diverse lucruri, de la haine la sticla de parfum care puteam să jur că era în baie. Nu mai am energia să le caut.

Pisoiul totuși nu pot să-l ignor. În ciuda afişelor făcute de copii, nimeni nu a sunat să întrebe de el – am stabilit că e băiat –, așa că tot cutreieră prin casă de parcă ar fi a lui. Îi trebuie un nume. Sigur că mă gândesc să-i spun Pisică, după pisica vagabondă din *Mic dejun la Tiffany*, dar apoi îmi vine o idee mai bună. *Sunt ca pisica asta, un nătărău fără nume. Nu aparținem nimănui şi nimeni nu ne aparține.*[1] Nătărău să-i rămână numele atunci. Mă duc la magazinul din colţ şi cumpăr nişte mâncare pentru pisici şi alte lucruri.

Când mă întorc, în faţa casei e cineva. Un puşti pe bicicletă. Preţ de o clipă, mă gândesc că trebuie să fie aici pentru Nătărău. Apoi îmi dau seama că e acelaşi puşti care m-a înjurat după audierea pentru cauţiune. Când mă vede, rânjeşte şi scoate o găleată de pe ghidon. Nu, nu o găleată, o cutie cu vopsea, deja deschisă. Îşi înfige ambele picioare în pământ, de o parte şi de alta a bicicletei, şi aruncă conţinutul direct spre casă, spre piatra imaculată, ratându-mă la milimetru. Pe faţada casei din One Folgate Street apare un şanţ roşu, ca o tăietură însângerată uriaşă. Cutia cade pe jos cu un zdrăngănit şi se rostogoleşte, lăsând urme roşii în urma sa.

– Acum ştiu unde stai, ştoarfo! îmi strigă el în faţă în timp ce se îndepărtează pe bicicletă.

Scot telefonul cu mâini tremurânde şi caut numărul pe care mi l-a dat inspectorul Clarke.

– Sunt Emma, turui eu. Aţi zis să vă sun dacă se întâmplă iar şi s-a întâmplat. Tocmai a aruncat cu vopsea pe toată faţada casei...

– Emma Matthews, zice el.

E ca şi cum mi-ar repeta numele ca să audă şi alte persoane din aceeaşi cameră.

– De ce sunaţi la numărul acesta, domnişoară Matthews?

---

[1] Citat aproximativ din *Mic dejun la Tiffany*

– Dumneavoastră mi l-ați dat, nu mai țineți minte? Ați spus să vă sun dacă mai are loc vreo încercare de intimidare...

– Acesta este numărul meu de telefon personal. Dacă doriți să raportați ceva, ar trebui să sunați la dispecerat. Vă dau numărul. Aveți cu ce scrie?

– Ați spus că o să mă apărați, zic eu rar.

– Evident, circumstanțele s-au schimbat. O să vă trimit un SMS cu numărul la care să sunați, zice el.

Apelul se întrerupe.

– Nenorocitul! șuier eu.

Plâng din nou cu hohote, lacrimi de neputință și de rușine. Mă duc și privesc îndelung la pata roșie imensă. Nu am absolut nici o idee cum s-o curăț. Știu că asta înseamnă că acum va trebui să vorbesc cu Edward.

10. O prietenă nouă vă mărturiseşte că a fost în
    închisoare pentru că a furat dintr-un magazin.
    Asta s-a întâmplat cu ceva timp în urmă
    şi de atunci şi-a schimbat viaţa.

    ○ Consideraţi întâmplarea nerelevantă; oricine
      merită o a doua şansă.
    ○ Apreciaţi sinceritatea cu care v-a povestit
      acest lucru.
    ○ Îi răspundeţi făcându-i confidenţe despre
      o greşeală pe care aţi făcut-o dumneavoastră.
    ○ Vă pare rău că s-a aflat în această situaţie.
    ○ Hotărâţi că nu e genul de persoană pe care
      v-o doriţi ca prietenă.

ACUM: JANE

Mă întorc cu metroul de la întâlnirea cu Saul Aksoy, regretând că nu-mi permit un taxi: murdăria, mirosul de la sfârșitul zilei al corpurilor umede și murdare devin din ce în ce mai greu de suportat. Nimeni nu-mi oferă locul; nu că m-aș aștepta deja la asta, dar altă femeie cu o burtă de opt luni și o insignă cu „BEBE LA BORD" se urcă la Kings Cross și cineva se ridică să-i facă loc. Femeia se adâncește în scaun cu un icnet sesizabil. „Peste câteva luni", mă gândesc, „la fel o să fiu și eu."

Totuși, One Folgate Street este refugiul, coconul meu. Mi-am dat seama că unul dintre motivele pentru care tot amân să-i spun lui Edward despre sarcină este că o parte din mine este speriată că Mia are dreptate și că el pur și simplu o să mă dea afară. Îmi spun că, fiind vorba de propriul lui copil, va fi altfel; că relația noastră este mai puternică decât regulile lui dragi, că o să se descurce cu monitoarele pentru bebeluși și cărucioarele și decorațiunile pentru camera copilului și saltelele de joacă și toate celelalte nimicuri pe care le cumpără părinții. Chiar am căutat online fazele de dezvoltare. Având în vedere personalitățile disciplinate, de tip A, ale părinților lui, copilul nostru ar putea să doarmă toată noaptea la trei luni, să meargă la un an, să facă singur la oliță la optsprezece luni. Cu siguranță, nu e așa de mult timp de suportat un pic de haos!

Totuși, nu am fost destul de încrezătoare ca să-l sun.

Şi, bineînțeles, indiferent cât de senină este ambianța, tot am nişte spaime cu care mă confrunt. Isabel s-a născut moartă. Copilul acesta – Doamne, ajută! – va fi diferit. Îmi imaginez momentul acela la nesfârşit: aşteptarea, prima răsuflare, scâncetul victorios. Ce voi simți? Triumf? Sau ceva mai complicat? Uneori, mă trezesc că-i cer iertare lui Isabel în minte. „Îți promit că n-o să te uit. Îți promit că nimeni nu te poate înlocui. Vei rămâne mereu prima mea născută, fetița mea iubită şi dragă. O să te plâng mereu." Însă acum va exista un alt copil pe care să-l iubesc. Chiar poate fi o resursă inepuizabilă de dragoste în mine astfel încât sentimentele mele pentru Isabel să rămână la fel de puternice?

Încerc să mă concentrez pe prezent: Edward. Cu cât îmi spun mai mult că trebuie să vorbesc cu el, cu atât mai mult o voce îmi aminteşte că nu îl cunosc cu adevărat pe omul ăsta, tatăl copilului meu. Tot ce ştiu este că e remarcabil, adică un alt fel de a spune că este neobişnuit şi obsesiv. Tot nu ştiu ce s-a întâmplat cu adevărat între el şi Emma: ce responsabilitate, morală sau de alt fel, ar putea să poarte pentru moartea ei, sau dacă şi Simon, şi Carol s-au înşelat în privința asta, în feluri diferite.

Sunt la fel de metodică şi de eficientă ca întotdeauna. Cumpăr trei pachete de post-ituri de culori diferite şi transform unul dintre pereții refectoriului într-o hartă mentală uriaşă. Într-o parte, lipesc un post-it pe care am scris ACCIDENT, apoi la rând SINUCIDERE, OMORÂTĂ – SIMON WAKEFIELD, OMORÂTĂ – DEON NELSON şi OMORÂTĂ – PERSOANĂ NECUNOSCUTĂ. În cele din urmă, fără prea multă tragere de inimă, scriu OMORÂTĂ – EDWARD MONKFORD. Sub fiecare, adaug alte bilețele cu dovezile corespondente. Unde nu am dovezi, pun semne de întrebare.

Mă bucur să văd că sunt doar vreo două bilețele sub numele lui Edward. Şi Simon are mai puține decât celelalte variante, deşi după conversația cu Saul trebuie să mai adaug unul pe care scrie RĂZBUNARE PENTRU SEX CU CEL MAI BUN PRIETEN???

După ce mă gândesc puțin, mai adaug un bilețel în şir: OMORÂTĂ – INSPECTORUL CLARKE. Pentru că până şi polițistul a avut motiv. Faptul că Emma îl păcălise l-a costat serviciul. Sigur, în realitate nu cred că el e vinovatul, la fel cum nu cred că Edward e vinovat. Însă e clar că fusese puțin îndrăgostit de Emma și nu vreau să elimin prematur nici o posibilitate.

Gândindu-mă la inspectorul Clarke, îmi dau seama că am uitat să-l întreb dacă poliția știa despre hărțuitorul lui Edward. Jorgen nu-știu-cum. Mai adaug un post-it: OMORÂTĂ – HĂRȚUITORUL LUI EDWARD. Opt posibilități în total.

În timp ce mă uit fix la perete, îmi trece prin cap că nu am ajuns absolut nicăieri. După cum a spus și inspectorul Clarke, una e să emiți teorii și cu totul altceva să găsești dovezi. Tot ce am aici este o listă de presupuneri. Nu-i de mirare că verdictul coronerului a fost deschis.

Culorile aprinse ale bilețelelor sunt ca o operă de artă modernă, vibrantă, pe piatra austeră din One Folgate Street. Oftând, le dau jos și le arunc la gunoi.

Coșul este plin acum, așa că îl duc afară. Containerele de reciclare pentru One Folgate Street sunt într-o laterală a casei, în vecinătatea locuinței de la numărul trei. Când arunc gunoiul, totul iese în ordine inversă, de la cel mai recent până la cel mai vechi. Văd ambalajul mâncării de ieri, un exemplar din revista *Sunday Times* de weekendul trecut, o sticlă goală de șampon de săptămâna trecută. Și un desen.

Îl ridic. Este portretul pe care mi l-a făcut Edward înainte să plece, cel despre care a zis că era bun, dar nu voia să-l păstreze. E ca și cum m-ar fi desenat nu o dată, ci de două ori. În desenul principal, am capul întors spre dreapta. Este atât de detaliat încât poți să vezi încordarea mușchilor gâtului și arcuirea claviculei. Sub el, însă, sau deasupra, este un al doilea desen, doar câteva linii zimțate, sugestive, făcute cu o energie și o violență surprinzătoare: capul meu e întors în partea cealaltă, iar gura mi-e deschisă într-un fel de rânjet. Cele două capete întoarse în direcții opuse îi dau desenului impresia tulburătoare de mișcare.

Care este *pentimento* și care este versiunea finală? Și de ce a spus Edward că nu era nimic în neregulă cu desenul? A avut vreun motiv pentru care nu a vrut să-mi arate această imagine dublă?

– Bună!

Tresar. O femeie de vreo patruzeci de ani, cu păr roşcat şi creţ, stă chiar dincolo de limita dintre cele două case şi-şi aruncă şi ea gunoiul.

– Scuze, m-ai speriat, zic eu. Bună!

Arată spre One Folgate Street.

– Eşti ultima chiriaşă, nu? Eu sunt Maggie.

Dau mâna cu ea peste gard.

– Jane Cavendish.

– De fapt, mărturiseşte ea, şi tu m-ai speriat pe mine. La început, am crezut că eşti cealaltă fată. Săraca!

Mă trec fiorii.

– Ai cunoscut-o pe Emma?

– Doar am stat de vorbă o dată, nimic mai mult. Era drăguţă, totuşi. Aşa de dulce. A venit într-o zi cu o pisică pe care o găsise şi am ajuns să pălăvrăgim.

– Când s-a întâmplat asta?

Maggie se strâmbă.

– Cu doar câteva săptămâni înainte să... ştii tu.

Maggie Evans... îmi aduc aminte acum. Apăruse în ziarul local, după moartea Emmei, spunând cât urau vecinii One Folgate Street.

– Mi-a părut aşa de rău pentru ea, zice Maggie. A menţionat că era în concediu medical din cauza tratamentului împotriva cancerului. Când au găsit-o, m-am întrebat dacă nu avea şi asta o legătură, dacă nu cumva chimioterapia nu funcţionase şi atunci Emma îşi luase singură viaţa. Bineînţeles că ea mi-a zis asta confidenţial, dar am simţit că e de datoria mea să spun şi poliţiei. Numai că ei au zis că se făcuse o autopsie completă şi că nu se găsise cancer. Mi-aduc aminte că m-am gândit atunci ce îngrozitor e să învingi o boală aşa cumplită şi totuşi să mori aşa.

– Da, zic eu, dar mă gândesc: „Cancer?"

Sunt sigură că a fost încă o minciună, dar oare de ce?

– Să ştii, adaugă ea, că i-am spus să ţină pisica aia ascunsă bine de proprietar. Cine construieşte aşa o casă... Încearcă să lase cuvintele în suspensie, dar nu rezistă să tacă mai mult

de câteva secunde, așa că în curând revine la subiectul ei pre-
ferat, casa. În ciuda a ceea ce spune, e evident că-i face plăcere
să locuiască lângă o clădire așa faimoasă. Ei, trebuie să plec,
zice ea în cele din urmă. Trebuie să le fac ceai copiilor.

Mă întreb cum o să fac față acestui aspect al maternității,
necesității de a-mi pune viața în stand-by pentru a face
ceaiuri copiilor și a bârfi cu vecinii. Bănuiesc că sunt și lucruri
mai rele.

Îmi cobor privirea la desenul pe care îl țin în mână. În
minte îmi vine o altă referință din zilele în care studiam arta.
Ianus, zeul cu două fețe. Zeul vicleniei.

A doua imagine mă reprezintă pe mine măcar? Sau – mă
gândesc brusc – pe Emma Matthews?

Aștept până când pleacă Maggie și apoi, discret, scotocesc
prin straturile de obiecte reciclate până când găsesc post-iturile
din nou. Acum sunt toate lipite între ele, un foietaj de bilețele
în culori aprinse: verde, roșu și galben. Le iau înapoi în casă.
Până la urmă, nu am terminat cu ele.

ATUNCI: **EMMA**

Amân cât pot să mă întorc la muncă, dar vineri hotărăsc că trebuie s-o fac odată și pe asta. Îi las lui Nătărău niște mâncare pentru pisici și o tăviță de nisip, apoi plec.

Odată ajunsă la serviciu, simt cum mă urmăresc privirile tuturor în timp ce mă îndrept spre biroul meu. Brian este singurul care vorbește cu mine.

– A, Emma, zice el, te simți mai bine? În regulă! Poți să participi la ședința lunară de recapitulare, de la ora zece.

Din felul în care vorbește, deduc că nu i-a spus nimeni, dar cu femeile e altă poveste. Nici una nu mă privește în ochi. Oriunde m-aș uita, capetele se apleacă spre ecranele computerelor.

Apoi o văd pe Amanda venind spre mine. Mă ridic repede și mă îndrept spre toaletă. Știu că urmează o confruntare, dar e mai bine să aibă loc între patru ochi, nu aici, unde toată lumea cască gura. Abia reușesc. Nici nu se închide bine ușa în spatele meu că se deschide cu atâta putere încât ricoșează de pe mica piedică din cauciuc.

– Ce dracu'? țipă ea.

– Amanda, încep eu, așteaptă!

– Să nu te pună dracu' să zici ceva! țipă ea. Să nu-mi zici că-ți pare rău sau vreun căcat din ăsta. Erai prietena mea și ți-ai tras-o cu bărbatul meu. Ba ai păstrat pe telefon și un film cu tine când i-o sugi. Şi acum ai tupeul extraordinar să faci reclamaţie împotriva *lui. Curvă* mincinoasă şi nenorocită!

Tot dă din mâini în faţa mea şi, preţ de o clipă, mă gândesc că o să mă lovească.

– Şi Simon, continuă ea. L-ai minţit pe el, m-ai minţit pe mine, ai minţit poliţia...

– N-am minţit în legătură cu Saul, zic eu.

– A, ştiu că nu-i un înger, dar când femeile ca tine se aruncă pe el...

– Saul m-a violat, zic eu.

Asta o opreşte.

– *Ce?* zice.

– Asta o să ţi se pară tare ciudat, spun eu repede, dar îţi jur că de data asta spun adevărul. Şi ştiu că, în parte, e şi vina mea. Saul m-a îmbătat, m-a îmbătat aşa de tare că abia mă mai ţineam pe picioare. N-ar fi trebuit să-l las, ştiam de ce face asta, dar nu mi-am dat seama cât de departe avea să meargă. Cred că e posibil chiar să-mi fi pus ceva în băutură. După aceea, a zis că mă conduce în camera mea. Şi, brusc, m-am trezit cu el peste mine. Am încercat să-i zic nu, dar n-a vrut s-asculte...

Amanda mă fixează cu privirea.

– Minţi, zice.

– Nu mint. Am spus minciuni, recunosc, dar jur că acum nu mint.

– N-ar face aşa ceva, spune ea. M-a înşelat, dar în nici un caz nu e un violator.

Totuşi, nu pare prea convinsă.

– El nici nu se gândea că *era* viol, zic eu. Pe urmă, îmi tot spunea cât de mişto fusese. Iar eu eram aşa de confuză încât m-am întrebat dacă nu cumva îmi aminteam eu greşit. Numai că apoi mi-a trimis filmuleţul. Eu nici nu-mi dădusem seama că mă înregistrase, aşa de dusă fusesem. Mi-a zis cât de mult i-a plăcut să se uite la el. Era un fel de atenţionare că putea să-i spună lui Simon oricând avea el chef. N-am ştiut ce să fac. M-am panicat.

– De ce n-ai zis nimănui? m-a întrebat ea suspicioasă.

– Cui puteam să-i spun? Tu păreai aşa de fericită atunci! N-am vrut să fiu eu aia care-ţi strică mariajul. Şi ştii cât îl admiră Simon pe Saul. Nu eram sigură că o să mă creadă, cu atât mai puţin cum avea să reacţioneze la vestea că cel mai bun prieten al lui îmi făcuse aşa ceva.

– Dar ai păstrat filmul. De ce ai face asta?

– Ca *dovadă*, zic eu. Încercam să-mi fac curaj să mă duc la poliţie. Sau măcar la resurse umane. Dar cu cât trecea timpul, cu atât îmi era mai greu. Când m-am uitat la film, până şi eu am văzut că era ambiguu. Şi mi-a fost ruşine să las pe altcineva să-l vadă. Am crezut că poate fusese numai vina mea. Pe urmă, poliţia l-a găsit pe telefonul meu şi a presupus de faţă cu Simon că bărbatul din film era Deon Nelson şi totul a devenit aşa de complicat.

– Doamne! zice ea neîncrezătoare. Doamne! Emma, inventezi toate astea.

– Nu inventez. Îţi jur că nu! Apoi adaug: Saul e un nenorocit, Amanda. Cred că în sinea ta ştii asta. Ştii că au mai fost şi alte fete – de la birou, din cluburi, orice fete pe care putea să pună mâna. Dacă mă sprijini, o să primească ce merită, poate nu tot, dar măcar o să-şi piardă slujba.

– Dar cum rămâne cu poliţia? zice ea şi ştiu că începe să mă creadă.

– Poliţia nu o să se implice decât dacă există dovezi concrete că s-a comis o infracţiune. Aici vorbim doar despre pierderea jobului, nu despre băgat la închisoare. După ce ţi-a făcut, nu crezi că aşa e corect?

În sfârşit, încuviinţează.

– Sunt cel puţin două fete în firma asta cu care ştiu că s-a culcat, zice ea. Michelle de la contabilitate şi Leona de la marketing. O să dau numele lor la resurse umane.

– Mulţumesc, zic eu.

– I-ai spus lui Simon despre toate astea?

Clatin din cap.

– Ar trebui să-i spui.

Când mă gândesc la Simon cel blând, iubitor, încrezător, se întâmplă ceva ciudat. Nu mai simt atâta dispreţ faţă de el. Înainte, îl uram pentru că era prietenul lui Saul, pentru că îi dădea întruna cu ce tip mișto e Sauly când, de fapt, Sauly nu era decât un nenorocit egoist și agresiv. Acum, însă, nu mai gândesc așa. Acum, o parte din mine își amintește cât de plăcut a fost să fiu iertată.

Spre surprinderea mea, mă bufnește plânsul. Îmi șterg lacrimile cu un prosop de hârtie.

– Nu pot să mă întorc la el, zic eu. S-a terminat cu Simon. Când o relație se strică așa de tare, nu mai ai cum s-o repari.

ACUM: JANE

– Doar puţin gel, care s-ar putea să fie cam rece, zice blând doctoriţa la examenul cu ultrasunete.

Aud plescăitul ca de ketchup al gelului, care apoi îmi este întins pe tot abdomenul cu ajutorul sondei. Senzaţia îmi aminteşte prima ecografie a lui Isabel: pielea care mi-a rămas lipicioasă toată ziua, ca un secret ascuns sub haine; sulul negativ din poşetă, care înfăţişa silueta fantomatică, îndoită ca o ferigă, a unui făt.

Inspir adânc, asaltată de un val brusc de emoţii.

– Relaxaţi-vă, murmură doctoriţa, înţelegând greşit. Mă apasă tare cu sonda pe abdomen, orientând-o în toate părţile. Ia uitaţi!

Mă uit la monitor. În obscuritate, se distinge un contur şi nu-mi pot stăpâni un sunet de surpriză. Doctoriţa zâmbeşte la reacţia mea.

– Câţi copii aveţi? întreabă ea de dragul conversaţiei. Probabil îmi ia mai mult decât celor mai mulţi oameni să dau un răspuns, pentru că îşi aruncă ochii pe fişa mea. Îmi cer scuze, adaugă ea încet. Văd că aţi avut un copil care s-a născut mort.

Încuviinţez din cap. Nu pare să mai fie nimic de spus.

– Vreţi să ştiţi sexul copilului? adaugă ea.

– Da, vă rog.

– O să aveţi un băieţel.

O să aveţi un băieţel. La simpla încredere din această afir-
maţie, la convingerea că totul va fi în regulă de data aceasta,
emoţia mă copleşeşte şi izbucnesc în lacrimi şi de bucurie, şi
de durere.

– Poftim!

Îmi întinde cutia de şerveţele pe care le foloseşte ca să şterg-
gă abdomenul. Îmi suflu nasul într-unul, în timp ce ea îşi
vede mai departe de treabă. După câteva minute, zice:

– O să-l chem pe domnul doctor, să se uite şi el.

– De ce? E vreo problemă?

– Vreau doar să vă explice rezultatele, zice ea liniştitor.

Apoi iese. Nu sunt foarte îngrijorată. Asta se întâmplă pen-
tru că, teoretic, sunt o pacientă cu risc mare. Având în vedere
că problemele lui Isabel au început abia în ultima săptămână
de sarcină, nu sunt motive să cred că ar fi ceva în neregulă acum.

Mi se pare că trece o veşnicie până se deschide uşa din nou
şi de după ea se iţeşte faţa doctorului Gifford.

– Bună, Jane.

– Bună.

Îl salut ca pe un vechi prieten de-acum.

– Jane, voiam numai să-ţi explic că unul dintre principalele
motive pentru care facem ecografia asta în jurul vârstei de
douăsprezece săptămâni este ca să detectăm din timp câteva
dintre anomaliile fetale cele mai comune.

„O, nu", mă gândesc eu. „Nu se poate..."

– Ecografia nu ne arată cu exactitate, dar subliniază zonele
în care ar putea apărea un risc mai mare. În cazul tău, evident,
căutăm probleme legate de placentă sau de cordonul ombi-
lical. Îmi face plăcere să te anunţ că ambele par să funcţioneze
normal.

Mă agăţ de cuvintele lui. „Slavă Domnului! Slavă Dom-
nului!"

– Dar măsurăm şi translucenţa nucală, adică densitatea
lichidului din ceafa bebeluşului. În cazul tău, acest indicator
indică un risc uşor mărit de sindrom Down. Orice valoare mai
mare de unu la sută intră în categoria de risc sporit. Pentru
tine, valoarea actuală este de aproximativ unu la sută. Asta

înseamnă că la fiecare o sută de mame cu acest profil de risc, una va da naștere unui copil cu sindrom Down. Înțelegi?

– Da, zic eu.

Și chiar înțeleg, adică pot să urmăresc mintal tot ce zice. Sunt bună la cifre. Însă sentimentele mă chinui să le procesez. Atât de multe emoții, așa de copleșitoare, încât aproape că se anulează reciproc, lăsându-mă cu mintea limpede, dar incapabilă de reacții.

„Toate planurile mele, toate planurile atât de atent făcute, mi s-au destrămat...“

– Singura modalitate de a afla sigur este să facem o analiză care constă în introducerea unui ac în uterul tău și extragerea de fluid, zice doctorul Gifford. Din păcate, analiza aceasta comportă un mic risc de declanșare a unei pierderi de sarcină.

– Cât de mic?

– Cam unu la sută.

Zâmbește ca și cum s-ar scuza, ca și cum ar vrea să spună că știe că sunt suficient de deșteaptă încât să sesizez ironia situației. Riscul să pierd sarcina din cauza analizei este exact același ca riscul să nasc un copil cu sindrom Down, dacă nu fac analiza.

– Există o procedură nouă, neinvazivă, care poate da un rezultat rezonabil de exact, adaugă el. Măsoară fragmente minuscule din ADN-ul bebelușului, aflat în sângele tău. Din păcate, deocamdată nu este disponibilă în cadrul sistemului național de sănătate.

Tresar la ce-mi spune.

– Adică pot să fac analiza asta la o clinică particulară?

Încuviințează din cap.

– Costă în jur de patru sute de lire.

– Vreau, zic eu repede. Fac eu rost de bani cumva.

– Îți scriu acum o trimitere. Și putem să-ți dăm niște pliante să le citești. În vremea de azi, mulți copii cu sindrom Down au vieți lungi și relativ normale, dar nu există garanții. E o decizie pe care părinții trebuie să o ia singuri.

Prin *decizie*, înțeleg că se referă la a face sau nu avort.

*

Încă sunt amorțită când ies din spital. O să am un copil. Un băiețel. Încă o șansă să fiu mamă.

Sau nu.

Oare m-aș descurca cu un copil cu dizabilități? Pentru că nu-mi fac iluzii, un copil cu sindrom Down exact asta este. Da, se poate ca acum să aibă perspective mai bune decât înainte, dar aceștia sunt copii care au nevoie de mai multă grijă, mai mult ajutor, mai multă dăruire, mai multă dragoste și sprijin din partea părinților. Am văzut pe stradă mame cu copii cu dizabilități, veșnic răbdătoare, evident epuizate, și m-am gândit că sunt uimitoare. Oare sunt eu una dintre ele?

Abia când ajung înapoi în One Folgate Street înțeleg că acum nu mai pot să amân discuția cu Edward. Una e să-mi aleg momentul în care să-i spun că va fi tată și alta să-i ascund așa ceva. Toate pliantele subliniază cât de important e să discuți situația cu partenerul.

Totuși, inevitabil, primul lucru pe care îl fac este să caut pe internet informații despre sindromul Down. În doar câteva minute, mi se face rău.

... Trisomia 21, așa cum mai este cunoscut sindromul Down, este asociată cu problemele de tiroidă, afecțiuni ale somnului, complicații gastrointestinale, probleme de vedere, defecte cardiace, instabilitate a coloanei vertebrale și a bazinului, tonus muscular scăzut, dificultăți de învățare...

... Ce precauții puteți lua ca să reduceți rătăcirile copiilor cu sindrom Down? Instalați niște încuietori solide la toate ușile de interior, puneți indicatoare stop pe ușile exterioare și luați în considerare împrejmuirea completă a curții cu un gard...

... Să înveți un copil cu tonus muscular redus să facă la oliță este cu siguranță extrem de dificil! Noi am avut trei ani de accidente, dar mă bucur că, în sfârșit, ajungem și acolo...

... Am mâncat iaurt în fața oglinzii ca fiica noastră să vadă de ce îl varsă. A funcționat de minune! Coordonarea dintre mână și ochi rămâne o provocare...

Apoi, şi mai vinovată, caut pe Google „sindrom Down + avort".

Dintre cuplurile britanice care primesc un diagnostic prenatal de sindrom Down, 92% aleg avortul. Conform legii privind avortul, întreruperea unei sarcini când fătul are sindrom Down este legală până în momentul naşterii.

...Ne-am dat seama că era mai bine ca eu şi partenerul meu să suferim de vină şi durere din cauza avortului decât să ne lăsăm fiica să sufere toată viaţa...

Of, Doamne! Of, Doamne! Of, Doamne!

Acum, Isabel ar fi deja la vârsta la care ar dormi toată noaptea fără întrerupere. Ar sta în fund, ar apuca diverse lucruri şi le-ar băga în gură. Ar merge de-a buşilea, poate chiar ar merge. Ar fi isteaţă şi atletică şi ambiţioasă, exact ca mama ei. În loc de asta, eu trebuie să hotărăsc dacă să mă înham sau nu la...

Mă opresc. Nu aşa trebuie să mă gândesc la asta. Doctorul Gifford mi-a făcut o programare la centrul de analize mâine dimineaţă la prima oră. Îmi vor comunica rezultatele telefonic peste vreo două zile, a promis el. Între timp, trebuie să încerc să nu las ameninţarea asta să planeze asupra mea. La urma urmei, sunt încă mari şanse ca totul să fie bine. Mii de femei însărcinate trec prin sperietura asta doar ca să descopere că doar atât a fost: o sperietură.

O sun pe Mia şi mă plâng la ea parcă ore în şir.

ATUNCI: **EMMA**

Stau în tren şi mă întreb ce o să-i spun. Trecem în viteză pe lângă centrale electrice şi câmpuri. Ne apropiem de oraşe şi sate de navetişti, pe care apoi le lăsăm în urmă.

Toate discursurile pe care mi le pregătesc în minte sună aiurea. Ştiu, cu cât repet mai mult, cu atât mai fals va suna. E mai bine să vorbesc din suflet şi să sper că va asculta.

Nu-i trimit mesaj decât după ce cobor din tren şi aştept un taxi.

Vin să te văd. Trebuie să vorbim.

Şoferul de taxi nici nu vrea să creadă că destinaţia mea chiar există – Nu-i nimic aici, doamnă dragă, cea mai apropiată casă ar fi în Tregerry, la opt kilometri – până când intrăm pe un drum de ţară şi descoperim o tabără cu barăci din prefabricate şi toalete ecologice înconjurate de noroi. De jur împrejur sunt câmpuri şi păduri, dar dincolo de vale, pe o şosea din depărtare, trec camioane şi înţeleg că, într-o zi, aici ar putea fi un oraş cu totul nou.

Edward iese dintr-o baracă, negru de îngrijorare.

– Emma, zice el. Ce s-a întâmplat? De ce ai venit?

Inspir adânc.

– Trebuie să-ţi explic ceva, zic eu. E foarte complicat. Trebuie să-ţi spun faţă în faţă.

Barăcile sunt pline de geodezi şi proiectanţi, aşa că mergem la marginea pădurii. Îi spun ce i-am spus Amandei – că am fost

drogată și obligată să fac sex de unul dintre prietenii lui Si-
mon, că el mi-a trimis înregistrarea video ca amenințare și că
poliția a presupus că era vorba despre Deon Nelson, că a trebuit
să accept un avertisment formal pentru că am irosit timpul
poliției, dar că, serios, nimic din toate astea nu a fost din vina
mea. El ascultă cu atenție, fără ca fața sa să trădeze ceva.

Apoi, foarte calm, îmi spune că s-a terminat totul între noi.

Nu contează dacă acum îi spun adevărul sau nu, l-am min-
țit în trecut.

Îmi amintește că am fost de acord ca relația noastră să
continue atât timp cât e perfectă.

Spune că o astfel de relație e ca o clădire, că trebuie să-ți
iasă bine fundația, altfel totul se dărâmă. A crezut că relația
noastră se baza pe sinceritate și, de fapt, aceasta se baza pe
înșelăciune.

Spune că *toate* astea – și arată spre terenuri – s-au întâm-
plat numai pentru că i-am spus că am fost atacată de Deon
Nelson în casa în care locuiam. Spune că acum și orașul ăsta
este construit pe o minciună. Că încercase să creeze o co-
munitate în care oamenii să-și poarte de grijă și să se respecte
și să se ajute unii pe alții. Numai că o astfel de comunitate nu
poate funcționa decât dacă există încredere, iar acum încre-
derea este pătată pentru el.

Spune la revedere, fără vreo urmă de emoție în glas.

Dar eu știu că mă iubește. Știu că are nevoie de jocurile
noastre, că acestea răspund unei nevoi adânc îngropate în el.

– Am greșit, zic eu disperată. Dar gândește-te la ce ai făcut
tu. Nu a fost mai grav?

Se încruntă.

– Ce vrei să spui?

– Ți-ai omorât soția, zic eu. Și fiul. I-ai omorât pentru că
nu ai vrut să faci un compromis în privința clădirii.

Se holbează la mine. Neagă.

– Am vorbit cu Tom Ellis, insist eu.

Dă din mână ca și cum asta n-ar avea nici o importanță.

– Omul ăla e un ratat înverșunat și invidios.

– Dar nu înțelegi? zic eu. Nu-mi pasă! Nu-mi pasă ce ai fă-
cut sau cât de rău ești. Edward, nouă ne e scris să fim împreună.

Amândoi ştim asta. Acum eu îţi cunosc cel mai întunecat secret şi tu îl cunoşti pe al meu. Nu asta ai vrut mereu? Să fim complet sinceri unul cu altul?

Simt că are dubii, că îşi cântăreşte decizia în minte, că nu vrea să piardă ce are.

– Eşti chiar nebună, Emma, zice el în cele din urmă. Astea sunt fanteziile tale. Nu s-a întâmplat nimic din toate astea. Ar trebui să te întorci la Londra acum.

ACUM: JANE

Sunt câteva motive pentru care mă duc din nou la Carol Younson.

– În primul rând, îi spun, dumneavoastră și Simon sunteți singurii oameni cu care se pare că Emma a vorbit despre temerile ei legate de Edward Monkford. Cu toate acestea, acum am dovezi că v-a mințit pe dumneavoastră, propria ei terapeută, cel puțin o dată. În al doilea rând, sunteți singura persoană cu care a vorbit care are studii de psihologie. Sper că puteți să mă lămuriți în privința personalității ei.

Încă nu-i spun și al treilea motiv.

Se încruntă.

– Cum m-a mințit?

Îi povestesc ce am aflat, despre Saul și cum Emma i-a făcut sex oral după ce s-a îmbătat.

– Dacă acceptați că a mințit în legătură cu Deon Nelson, zic eu, sunteți de acord că e posibil să fi mințit și despre Edward?

Se gândește o clipă.

– Este adevărat că uneori oamenii își mint terapeuții. Fie pentru că sunt în faza de negare, fie pentru că pur și simplu sunt stânjeniți, se întâmplă. Însă, dacă ce spui e corect, Emma nu a spus doar o minciună, ci a construit o întreagă lume de fantezie, o realitate alternativă.

– Asta ce înseamnă?

– Păi, nu e chiar domeniul meu, dar termenul clinic pentru genul acesta de minciuni patologice este *pseudologie fantastică*. Este o afecțiune asociată cu o părere proastă despre propria persoană, cu căutarea atenției și cu o dorință adâncă de a te prezenta într-o lumină mai favorabilă.

– Când zici că ai fost violată nu prea te pui într-o lumină favorabilă.

– Nu, dar asta te face specială. De obicei, mincinoșii patologici se prefac că sunt membri ai familiei regale sau foști membri ai forțelor speciale. Mincinoasele patologice se prefac mai degrabă că au supraviețuit unor boli îngrozitoare sau unor dezastre. A fost un exemplu notoriu acum câțiva ani: o femeie care pretindea că supraviețuise atacului de la 11 septembrie și care era atât de convingătoare încât a ajuns să coordoneze grupul de susținere pentru supraviețuitori. S-a dovedit că nici măcar nu fusese în New York în momentul atacului. Se gândește o vreme. Ciudat, îmi amintesc că o dată Emma a zis ceva de genul „Cum ați reacționa dacă v-aș spune că am inventat totul?" Aproape ca și cum s-ar fi jucat cu ideea de mărturisire.

– E posibil să se fi sinucis atunci când au ajuns-o din urmă toate minciunile?

– Bănuiesc că e posibil. Dacă nu a putut să construiască o nouă poveste și s-o folosească pentru a se înfățișa ca victimă, măcar în ochii ei, se poate să fi trecut prin ceea ce se numește spaimă narcisistă. Cu alte cuvinte, se poate să se fi simțit atât de rușinată încât a preferat să moară decât să înfrunte situația.

– În cazul ăsta, zic eu, Edward ar scăpa de răspundere.

– Poate, zice ea precaut.

– De ce doar poate?

– Nu pot s-o diagnostichez pe Emma ca mincinoasă patologică postum, doar ca să fac faptele să se potrivească cu o teorie care convine. Este la fel de posibil să fi spus o singură minciună perfect logică, apoi o alta ca s-o acopere pe prima și tot așa. Același lucru e valabil și pentru Edward Monkford. Da, din ce mi-ai spus, se pare că Emma era adevărata narcisistă, nu el. Totuși, nu există nici o îndoială că dorința lui de a deține controlul este extremă. Ce se întâmplă când cineva care vrea să dețină controlul se întâlnește cu cineva care și-a pierdut controlul? Combinația ar putea fi explozivă.

– Dar sunt alți oameni care aveau motive mult mai bune decât Edward să fie furioși pe Emma, subliniez eu. Deon Nelson a fost cât pe ce să fie băgat la închisoare. Saul Aksoy și-a pierdut jobul. Inspectorul Clarke a fost obligat să iasă la pensie anticipat.

– Se poate, zice ea, dar tot nu pare pe deplin convinsă. Acum că mă gândesc la asta, mai e un motiv pentru care e posibil ca Emma să mă fi mințit.

– Care anume?

– E posibil să mă fi folosit ca un fel de placă de rezonanță. Dacă vrei, un fel de repetiție generală înainte să-și încerce povestea pe altcineva.

– Pe cine?

Însă apoi îmi dau seama cine ar fi putut fi. Singura persoană căreia i-a mai zis povestea aceea despre Edward a fost Simon.

– De ce ar face asta, dacă chiar voia să fie cu Edward?

– Pentru că Edward o respinsese.

Simt un val de mulțumire, nu numai pentru că am impresia că, în sfârșit, am lămurit ce se afla în spatele ciudatelor acuzații ale Emmei împotriva lui Edward, ci și pentru că simt că o prind din urmă, că-i suflu în ceafă, că sunt foarte aproape de schimbările ei de direcție. E singurul răspuns logic. Simon era singurul care-i mai rămăsese. Atunci, sigur că i-a spus că ea se despărțise de Edward, când, de fapt, fusese invers.

– Pot să merg la baie?

Carol pare surprinsă, dar îmi arată unde e toaleta.

– Mai e un motiv pentru care am venit azi, zic eu când mă întorc. Cel mai important motiv. Sunt însărcinată. E copilul lui Edward. Carol se holbează la mine. Și există riscul, unul foarte mic, e adevărat, să aibă sindrom Down, adaug eu. Aștept rezultatele unei analize.

Își revine repede.

– Și asta cum te face să te simți, Jane?

– Dezorientată, recunosc eu. Pe de o parte, sunt bucuroasă că sunt însărcinată, dar pe de altă parte, sunt îngrozită. În plus, nu sunt sigură când și ce ar trebui să-i spun lui Edward.

– Păi, să le luăm pe rând. Ești doar bucuroasă că ești însărcinată? Sau simți și durere din nou pentru pierderea lui Isabel?

– Ambele. Să am un alt copil pare așa de... definitiv. Ca și cum aș lăsa-o în urmă, cumva.

– Ești îngrijorată că noul copil o va înlocui în gândurile tale, zice ea blând. Și, cum Isabel trăiește acum doar în gândurile tale, te simți de parcă ai omorî-o din nou.

Mă holbez la ea.

– Da, exact!

Brusc îmi dau seama că, într-adevăr, Carol Younson este o terapeută foarte bună.

– Ultima dată când ne-am întâlnit, am vorbit despre compulsia la repetiție, adică felul în care unii oameni rămân blocați în trecut și traduc în act la nesfârșit aceeași psihodramă. Însă, ni se dau oportunități de a ieși din acele cercuri și de a merge mai departe. Carol zâmbește. Oamenilor le place să spună că șterg totul cu buretele. Însă singura șansă este să scrie pe o tablă nouă, pentru că cea veche poartă urmele celor scrise înainte. Poate că asta va fi șansa ta să începi să scrii pe o tablă complet nouă, Jane.

– Îmi fac griji că nu o să-l iubesc la fel de mult ca pe Isabel, mărturisesc eu.

– E de înțeles. Morții ni se pot părea imposibil de perfecți, un ideal pe care nici o persoană vie nu-l poate atinge. Nu e ușor să treci peste asta. Dar e posibil.

Mă gândesc la vorbele ei. Nu mi se aplică numai mie, îmi dau seama, ci și lui Edward. Elizabeth a fost Isabel a lui Edward: predecesoarea perfectă, pierdută, de care nu se poate elibera niciodată.

Vorbesc cu Carol încă o oră despre sarcină, despre sindromul Down, despre subiectul îngrozitor și dificil al avortului. La sfârșit, mi-e clar ce voi face.

Dacă analiza iese pozitivă, voi face avort. Nu este o decizie ușoară și voi trăi tot restul vieții cu vina asta, dar m-am hotărât.

Şi dacă fac asta, nu-i voi spune lui Edward. Nici nu va şti vreodată că am fost însărcinată. Unii ar putea considera că asta este o laşitate din punct de vedere moral. Pur şi simplu, nu văd ce rost ar avea să-i spun că a fost un copil, dacă acel copil nu mai este.

Dacă analiza iese negativă, însă, şi copilul e bine – ceea ce şi doctorul Gifford, şi Carol s-au străduit să sublinieze că este cel mai probabil rezultat –, mă duc imediat în Cornwall şi îi spun lui Edward personal că va fi tată.

Tocmai îmi iau rămas-bun de la Carol când îmi sună telefonul.

– Jane Cavendish?

– Da, eu sunt.

– Sunt Karen Powers de la Centrul de Analize Fetale.

Reuşesc să răspund, dar capul mi se învârte deja.

– Am rezultatul analizei ADN in vitro, continuă ea. Aveţi timp acum să discutăm despre asta?

Eram în picioare, însă acum mă aşez din nou.

– Da, vă rog, spuneţi.

– Puteţi să-mi spuneţi primul rând din adresa dumneavoastră?

Nerăbdătoare, răspund la toate întrebările legate de confidenţialitate. Carol şi-a dat seama deja cine e la telefon şi s-a aşezat şi ea.

– Îmi face plăcere să vă anunţ..., începe să spună Karen Powers, iar mie-mi sare inima din piept. „Veşti bune! Sunt veşti bune!"

Încep să plâng din nou şi ea este nevoită să repete rezultatul. E negativ. Deşi numai amniocenteza poate garanta diagnosticul, ADN-ul in vitro este în proporţie de peste 99 la sută exact. Nu există nici un motiv pentru care s-ar putea crede că bebeluşul meu nu va fi sănătos. Sunt iar în grafic. Acum mai trebuie doar să-i spun veştile lui Edward.

ATUNCI: EMMA

Ce urmează seamănă cu senzația de după moartea cuiva. Sunt uimită și paralizată. Nu e doar faptul că l-am pierdut pe Edward, ci și modul rece, aproape clinic, în care s-a despărțit de mine. Cu numai o săptămână în urmă eram femeia lui perfectă, acum totul s-a terminat. De la adorare la dispreț într-o clipită. O parte din mine crede că el refuză să recunoască ce simte pentru mine, că o să sune dintr-un moment în altul și o să spună că a făcut o greșeală îngrozitoare. Pe urmă, însă, îmi amintesc că Edward nu e Simon. Mă uit la pereții puri, imaculați, la suprafețele intransigente ale casei din One Folgate Street, și în fiecare centimetru pătrat văd voința lui puternică, hotărârea lui încăpățânată.

Nu mai mănânc. Asta mă face să mă simt mai bine, foamea e ca un bun venit spus unui vechi prieten, amețeala – ca un anestezic ca să nu mai simt pierderea.

Îl strâng în brațe pe Nătărău și îl folosesc ca șervețel, ca jucărie, ca păturică. Deranjat de nevoia mea de afecțiune, se zbate să se elibereze și se furișează la etaj, în patul meu, de unde îl aduc înapoi când vreau să simt căldura blăniței lui moi.

Când dispare, înnebunesc de grijă. Apoi văd că ușa de la dulapul femeii de serviciu este întredeschisă. Îl găsesc acolo, făcut ghemotoc în jurul unei cutii cu ceară de lustruit, ascunzându-se de mine.

Seara, în timp ce fac duș, luminile se sting brusc și apa devine rece. Durează numai câteva secunde, dar destul încât să țip panicată. Primul meu gând e că probabil Nătărău a mișcat vreun cablu prin dulap. Al doilea: casa face asta. One Folgate Street se răcește față de mine la fel ca Edward, arătând neplăcerea stăpânului ei.

Apoi apa curge fierbinte din nou. E numai o pană, o defecțiune temporară. Nimic pentru care să mă îngrijorez.

Îmi sprijin capul de peretele neted al dușului, cu lacrimile curgându-mi odată cu apa spre scurgere.

ACUM: JANE

Mă întorc de la Carol plină de energie şi fericită. Am depăşit un prag. Viitorul nu va fi uşor, dar măcar e clar.

Intru în One Folgate Street şi mă opresc brusc. Lângă scară, e o geantă din piele Swaine Adeney.

– Edward? zic eu nesigură.

Stă în refectoriu, cu privirea încremenită la harta mea mentală, cu nenumărate post-ituri lipite pe perete. În mijloc, am pus schiţa lui cu viziunea dublă asupra mea/a Emmei, pe care am recuperat-o de la gunoi.

Îşi întoarce capul spre mine şi tresar la furia glacială din ochii lui.

– Pot să explic, zic eu repede. Trebuia să mă lămuresc...

– *Omorâtă – Edward Monkford*, zice el încet. Mă bucur să văd că sunt doar unul dintre suspecţi, Jane.

– Ştiu că nu tu ai omorât-o. Tocmai vin de la terapeuta Emmei. Emma a minţit-o şi cred că acum înţeleg de ce. Şi cred că ştiu de ce Emma s-a sinucis. Ezit. A făcut-o ca să te pedepsească pe tine. Un ultim gest dramatic ca să te facă pe tine să te simţi prost că te-ai despărţit de ea. Şi, având în vedere prin ce ai trecut, îmi închipui că a reuşit.

– Am iubit-o pe Emma. Cuvintele, atât de directe şi definitive, explodează în aer. Dar m-a minţit. Am crezut că pot să am dragoste fără minciuni. Cu tine, adică. Îţi aminteşti scrisoarea ta de intenţie? Cum vorbeai despre integritate şi onestitate şi încredere? De asta am crezut că ar putea să meargă, că de data asta ar putea să fie mai bine. Dar pe tine nu te-am iubit niciodată cum am iubit-o pe ea.

Îl privesc şocată.

– De ce ai venit? reuşesc să întreb.

Ştiu că nu prea e relevant, dar am nevoie de timp ca să procesez ce tocmai mi-a spus.

– A trebuit să vin la Londra să mă întâlnesc cu avocaţii. Primii locatari s-au mutat la New Austell, dar sunt dificili. Au impresia că, dacă fac front comun împotriva mea, mă pot obliga să schimb regulile. O să le trimit ordine de evacuare. Tuturor. Ridică din umeri. Am adus cina pentru amândoi.

Pe blat, sunt vreo şase pungi de hârtie de la o băcănie de modă veche, din cele care-i plac lui Edward.

– De fapt, e bine că eşti aici, zic eu moale. Trebuie să vorbim.

– Evident.

Privirea i se întoarce la harta de pe perete.

– Edward, sunt însărcinată. Spun cuvintele fără nici o urmă de emoţie, unui bărbat care tocmai mi-a zis că nu mă iubeşte. Nici în cele mai rele coşmaruri ale mele nu mi-am imaginat că o să fie aşa. Ai dreptul să ştii.

– Da, zice el în cele din urmă. De cât timp îmi ascunzi asta?

E tentant să mint, dar refuz să recurg la eschivare.

– Abia am împlinit douăsprezece săptămâni.

– Intenţionezi să îl păstrezi?

– Au crezut că e posibil să aibă sindrom Down.

Când aude asta, Edward îşi trece o mână peste faţă.

– Oricum, se pare că nu are. Da, o să-l păstrez. E băiat. O să-l păstrez. Ştiu că nu e ce ai alege tu, dar asta e.

Închide ochii pentru o fracţiune de secundă, ca şi cum l-ar durea.

– Având în vedere ce tocmai mi-ai spus, presupun că nu vrei să fii tatăl lui în nici o privinţă practică, continui eu. Nu contează. Nu vreau nimic de la tine, Edward. Dacă măcar mi-ai fi spus că încă eşti îndrăgostit de Emma...

– Nu înţelegi, mă întrerupe el. Era ca o boală. Mă uram în fiecare secundă în care eram cu ea.

Nu ştiu cum să răspund la asta.

– Terapeuta la care am fost azi... Mi-a spus cum putem rămâne blocați într-o poveste, încercând să transpunem în realitate relațiile noastre mai vechi. Cred că, într-un fel, tu încă ești blocat în povestea Emmei. Eu nu pot să te ajut să ieși din ea. Dar nici nu voi rămâne blocată acolo cu tine.

Își ridică privirea spre pereți, spre spațiile perfecte, sterile, pe care le-a creat. Se pare că-și găsește puterea în ele. Se ridică în picioare.

– La revedere, Jane, spune el.

Își ia geanta Swaine Adeney și pleacă.

11. *Ce problemă vă sperie cel mai mult în cadrul unei relații?*

O *Plictiseala*
O *Gândul că ați putea găsi pe cineva mai bun*
O *Înstrăinarea*
O *Dependența partenerului de dumneavoastră*
O *Posibilitatea de a fi înșelată cu bună știință*

ATUNCI: **EMMA**

Uneori, e ca și cum aș putea să mă micșorez atât de tare încât să dispar. Uneori, mă simt la fel de pură și de perfectă ca o fantomă. Foamea, durerile de cap, amețelile, acestea sunt singurele lucruri reale.

Faptul că reușesc să nu mănânc e dovada că încă sunt puternică. Sunt dăți când nu prea pot să mă abțin și înfulec o pâine întreagă sau o caserolă de salată de varză, dar apoi îmi vâr degetele pe gât și le dau afară. Pot s-o iau de la capăt. Să reduc caloriile la zero.

Nu dorm. La fel s-a întâmplat și ultima dată când tulburarea mea de alimentație a fost atât de rea. Numai că acum e mai grav. Mă trezesc brusc în toiul nopții, convinsă că luminile din casă s-au aprins și s-au stins la loc sau că am auzit pe cineva mișcându-se pe aici. După aceea, mi-e imposibil să adorm la loc.

Mă duc la Carol și îi spun că Edward este un egocentric agresiv și obsedat de control. Îi spun că mă brutalizează, că vrea să mă controleze și e obsesiv și că de asta l-am părăsit. Totuși, deși vreau să cred ceea ce-i spun, mi-e dor de el cu fiecare celulă din corp.

Când mă întorc de la ea, observ ceva în grădină, ceva care seamănă cu o cârpă sau cu o jucărie aruncată la gunoi. Creierul meu are nevoie de câteva clipe să înțeleagă ce este și alerg imediat afară, pe pietrișul imaculat.

Nătărău. Picioarele din faţă sunt la locul lor, dar jumătatea din spate zace în lateral. E mort. Partea stângă i-a fost zdrobită, o harababură de blană însângerată. Pare că s-a târât singur aici, departe de casă, înainte de a se prăbuşi. Mă uit în jur. Nu văd nimic care să explice cum a murit. Lovit de o maşină? Călcat şi apoi aruncat peste gard? Sau chiar prins în capcană şi bătut cu o cărămidă?

– Bietul de tine, zic tare, ghemuindu-mă lângă el ca să mângâi partea din el rămasă întreagă. Lacrimile îmi cad pe blana lui mătăsoasă, atât de calmă şi de inertă acum. Bietul de tine, bietul de tine, îi zic lui, dar, de fapt, mă gândesc la mine.

Apoi îmi trece prin cap că şi asta, la fel ca vopseaua aruncată pe zidul casei, este un mesaj. *Tu urmezi.* Cine face asta vrea să mă sperie, dar şi să mă vadă moartă. Iar acum sunt singură şi n-am nici un mijloc să-i opresc.

Doar Simon. Pot încă să încerc cu Simon. Nu mi-a mai rămas nimeni altcineva.

ACUM: JANE

Iată-mă așadar înapoi de unde am plecat. Cu burta la gură și fără bărbat. Mia nu zice „Ți-am spus eu", dar știu că asta gândește.

Mai trebuie să mă ocup de un lucru administrativ. Poate că pe Edward nu l-a interesat ce am aflat despre Emma, dar cred că Simon merită să știe. O invit și pe Mia, în caz că nu reacționează prea bine.

Ajunge la ora stabilită, cu o sticlă de vin și un dosar albastru, gros.

– N-am mai intrat în casa asta de când s-a întâmplat, zice el, încruntându-se la interiorul din One Folgate Street. Niciodată nu mi-a plăcut. I-am zis Emmei că-mi place, dar, de fapt, ea voia să locuiască aici. Până și chestiile tehnice s-au dovedit mai puțin impresionante decât au părut la început. Mereu se stricau.

– Serios? Sunt surprinsă, eu nu am avut deloc probleme.

Pune dosarul pe blatul din refectoriu.

– Ți-am adus ăsta. Sunt copii după cercetările mele legate de Edward Monkford.

– Mulțumesc, dar nu-mi trebuie acum.

Se încruntă.

– Credeam că vrei să știi cum a murit Emma.

– Simon...

Mă uit cu subînțeles la Mia, care, plină de tact, ia sticla de vin și se duce s-o deschidă.

– Emma a mințit în privința lui Edward. Nu sunt sigură de ce, la fel cum nu sunt sigură de circumstanțele exacte ale morții ei, dar nu e nici o îndoială că ce ți-a spus despre el era greșit. Fac o pauză. Fusese prinsă într-o altă minciună, mai mare. În filmulețul pe care poliția l-a găsit pe telefonul ei nu era hoțul. Era Saul Aksoy.

– Știu asta, zice el furios. N-are nici o legătură.

La început, nu-mi dau seama de unde știe.

– A, ți-a zis Amanda.

El clatină din cap.

– Emma mi-a zis. După ce s-a despărțit de Edward, mi-a spus tot.

– Ți-a spus cum s-a întâmplat?

– Da. Saul a drogat-o și a forțat-o. Îmi vede expresia. Ce? Te-ai jucat de-a detectivul și nu știai asta?

– Am vorbit cu Saul, zic eu rar. Mi-a spus că Emma a avut inițiativa.

Simon pufnește ironic.

– Păi normal că asta a spus! Îmi plăcea Saul, dar, chiar dinainte să-mi spună Emma ce a făcut, știam că mai are o față, complet diferită. După ce eu și Em ne-am despărțit, obișnuiam să mai ies cu el la băut. Îi spunea Amandei că eu aveam nevoie de companie, dar adevărul era că voia numai un pretext să iasă și să agațe femei. Folosea mereu aceeași tehnică. „Îmbată-le așa de tare încât să nu se mai țină pe picioare", așa zicea. „Pentru ce le vrei tu nu e nevoie să stea în picioare." Probabil arăt șocată, pentru că încuviințează din cap. Bună glumă, nu? Dar chiar și atunci, mi se părea ciudat cât de *tare* se îmbătau unele fete din doar vreo două pahare. El insistă să le cumpere șampanie. Așa pare generos, dar am citit că bulele pot să mascheze gustul drogurilor.

Mă holbez la el. Îmi aduc aminte că Saul Aksoy a încercat să mă oblige să accept un pahar de șampanie. Mi se păruse un nenorocit, dar chiar și așa tot îl crezusem pe cuvânt.

Când credeam că îmi e totul clar, iar îmi scapă printre degete. Dacă e adevărat că Saul a forțat-o pe Emma, înseamnă că nu inventa deloc lucruri. Sigur, a spus o minciună, poate chiar mai multe, dar povestea ei era, în esență, adevărată.

Doar schimbase numele actorilor, din motive pe care probabil le pot bănui.

Ca și cum mi-ar ghici gândurile, Simon spune:

– Încerca să mă protejeze pe mine. A crezut că nu o să fac față gândului că cel mai bun prieten al meu îi făcuse asta. Dar încă dinainte de jaf, mi-am dat seama că ceva nu era în regulă, începuse să se enerveze pe mine fără motiv, izbucnea de câte ori încercam să fiu drăguț cu ea. Și îi revenise și tulburarea de alimentație. De fapt, nici n-a mai scăpat de ea pe urmă, deși ei nu-i plăcea să vorbească despre asta.

– Ai vorbit cu ea aici?

Încuviințează din cap.

– Ți-am zis. Își dăduse seama ce greșeală stupidă făcuse și voia să îndrepte lucrurile. Era într-o formă foarte proastă deja. Avusese un pisoi, de pe stradă, pe care îl luase la ea. Cineva îl omorâse.

– A ținut un pisoi? repet eu uimită. Aici? În One Folgate Street?

Maggie Evans spusese ceva despre o pisică de pe stradă, dar nu și că Emma intenționase să o păstreze.

– Da. De ce?

„Pentru că asta încalcă regulile", mă gândesc eu. Nu e voie cu animale de companie. Nici cu copii, de altfel.

Simon deschide dosarul și scoate un document.

– Un avocat i-a dat ăsta. Conform planurilor, Monkford și-a îngropat soția și copilul aici, chiar sub casa asta. Uite!

Îmi arată un X și o notă de mână. *Locul de veci al doamnei Elizabeth Domenica Monkford și al lui Maximilian Monkford.*

– Ce ciudat face asta?

– Ai scăpat la limită, J.

Asta e Mia, care a venit tot mai aproape, trăgând cu urechea. Observ că Simon îmi aruncă o privire curioasă, dar aleg să nu-i explic.

– Emma avea teoria asta că îngroparea lor aici făcea parte dintr-un soi de ritual bazat pe superstiții, continuă el. Aproape ca un sacrificiu. Atunci nu prea am băgat-o în seamă, dar după ce a murit ea, am început să mă uit și la celelalte clădiri

ale lui. Se pare că avea dreptate. Cineva a murit în circum-
stanțe suspecte de fiecare dată când o clădire Monkford
Partnership se apropia de finalizare.

Pune pe masă niște tăieturi din ziare, ca să mă uit la ele.
Fiecare este însoțită de o hartă care marchează amplasarea
clădirii și locul morții. În Scoția, o tânără a fost omorâtă de
un șofer care a fugit de la locul accidentului, la un kilometru
și jumătate de casa pe care o construia Edward Monkford lân-
gă Inverness. În Menorca, un copil a fost răpit de lângă părin-
ții lui la trei kilometri de casa de pe plajă pe care a proiectat-o
Edward. În Bruges, o femeie s-a aruncat de pe un pod ce tre-
cea pe deasupra căii ferate, la câteva sute de metri de capela
lui. În timpul amenajării Stupului, un electrician ucenic a fost
găsit mort în casa liftului.

– Dar nimic din toate astea nu dovedește în vreun fel că el
a fost responsabil pentru morțile astea, zic eu blând. În fiecare
an au loc mii de accidente fatale și de dispariții. Faptul că
unele dintre ele s-au întâmplat la câțiva kilometri de clădirile
astea nu înseamnă nimic. Vezi tipare și legături care nu există.

– Sau *există* o legătură și tu refuzi să o vezi.

Chipul lui Simon s-a întunecat.

– Simon, singurul lucru pe care îl demonstrează chestia
asta e cât de mult ai iubit-o tu pe Emma. Și e de admirat, dar
îți întunecă judecata...

– Emma mi-a fost luată de două ori, mă întrerupe el. Prima
oară când Edward Monkford a intervenit cu forța în relația
noastră, atunci când era cel mai vulnerabilă, și a doua oară
când Emma a fost omorâtă. Sunt sigur că asta s-a întâmplat
ca să nu se întoarcă la mine. Vreau dreptate pentru Emma.
Și nu mă opresc până când nu o obțin.

Pleacă la scurt timp după aceea, lăsând-o pe Mia să-i bea
vinul.

– Pare simpatic, comentează ea.

– Și cam obsesiv?

– A iubit-o. Nu poate să pună punct până când nu află ce
s-a întâmplat cu ea. E aproape eroic, nu-i așa?

Toți bărbații ăştia care au iubit-o pe Emma, mă gândesc. În ciuda tuturor problemelor ei, bărbații făceau o obsesie pentru ea. Oare pentru mine va simți cineva aşa?

– Nu că iubirea asta ar fi ajutat-o prea mult până la urmă, adaugă Mia. Părerea mea e că ți-ar fi mult mai bine cu cineva ca el decât cu nebunul tău de arhitect.

– Eu cu Simon? pufnesc. Nu prea cred.

– E serios, de încredere şi fidel. Nu refuza până nu încerci.

Nu zic nimic. Sentimentele mele pentru Edward sunt încă prea complicate ca să le organizez frumos într-o frază sau două, care să fie examinate de Mia. Furia lui glacială m-a făcut să mă simt oarecum ruşinată că am făcut săpături în legătură cu moartea Emmei pe la spatele lui. Dar dacă ar putea găsi o modalitate de a se elibera de ea, oare ar putea să vadă mai clar situația cu mine?

Scutur din cap şi a dezaprobare, dar şi ca să-mi eliberez mintea de astfel de gânduri. „Aş vrea eu."

ATUNCI: EMMA

– Atunci pa, Em! zice el.
– Pa, Si! răspund.
Cu toate astea, Simon mai întârzie puțin la ușa din One
Folgate Street.
– Îmi pare tare bine că am vorbit, zice el.
– Și mie, spun.
Și sunt sinceră. Sunt prea multe lucruri pe care nu i le-am
spus niciodată, prea multe lucruri pe care le-am ținut închise
în mintea mea. Poate că, dacă stăteam mai mult de vorbă
când eram împreună, nu ne-am fi despărțit niciodată. Era o
parte din mine care voia mereu să-l lovească pe Simon sau
să-l îndepărteze și acum nu mai simt asta. Acum sunt doar
recunoscătoare că există cineva care nu mă judecă.
– Pot să rămân, dacă vrei, zice el încet. Dacă așa te-ai simți
mai în siguranță. Dacă apare nenorocitul ăla de Deon sau
oricine altcineva, pot să am eu grijă de el.
– Știu că poți, zic eu, dar, sincer, nu e nevoie. Casa asta e
ca o fortăreață. În plus, hai să o luăm încet, bine?
– Bine, zice el.
Se apleacă și mă sărută cam formal pe obraz. Apoi mă
strânge în brațe. Îmbrățișarea e plăcută.
După ce pleacă, e din nou liniște în casă. I-am promis că
o să mănânc ceva. Umplu o cratiță cu apă să-mi fierb un ou
și îmi trec mâna pe deasupra aragazului.

Nu se întâmplă nimic.

Dau iar din mână. Același rezultat. Mă uit sub blat, să văd dacă ceva împiedică funcționarea senzorilor de mișcare, dar nu e nimic.

Simon ar ști cum să îl repare și aproape că întind mâna după telefon să-l chem înapoi. Apoi mă opresc. Comportamentul ăsta de femeie fragilă care depinde de bărbați ca să-i rezolve problemele e unul dintre motivele pentru care am ajuns în încurcătura asta.

Am vreo două mere în frigider, așa că, în loc de asta, iau unul din ele. Tocmai mușc din el când simt miros de gaz. Chiar dacă aragazul nu s-a aprins, instalația de gaz clar funcționează, iar acum își revarsă vaporii explozivi în casă. Dau disperată din mâini deasupra blatului, în încercarea de a o opri. Deodată, se produce un *clic* și în aer izbucnește o minge de flăcări albastre și galbene, care îmi cuprind brațul. Scap mărul. Urmează un moment de șoc, fără durere, dar știu că va veni și aceasta. Îmi pun repede brațul sub robinetul de apă rece. Nu curge nimic. Fug sus în baie. Acolo, slavă Domnului, apa curge rece pe pielea mea încinsă. O las să curgă câteva minute, apoi îmi examinez brațul. Mă doare și e roșu, dar nu s-au format bășici pe piele.

Nu-mi imaginez asta. Nu se poate. E ca și cum casa nu voia ca Simon să vină pe aici să stăm de vorbă și acum mă pedepsește.

E o fortăreață, i-am spus lui Simon. Ce se întâmplă însă dacă chiar casa hotărăște să nu mă apere? Cât de sigură e, până la urmă?

Brusc, mi-e frică.

Mă duc în dulapul menajerei și închid ușa după mine. Aș putea să mă baricadez aici dacă e nevoie, cu mopurile și măturile proptite în ușă, ca să o țină închisă; din afară, nici nu ai ști că sunt aici. E înghesuit, plin de cutii și echipament, dar am nevoie de un loc sigur și ăsta o să fie.

12. Într-o societate bine condusă, trebuie să existe
consecințe pentru cei care încalcă regulile.

Sunt de acord ○ ○ ○ ○ ○ Nu sunt de acord

ACUM: JANE

Stau întinsă în pat, pe jumătate adormită, când o simt. La fel de nesigură şi ezitantă ca o bătaie în uşă; aproape la fel ca atunci când simţi fluturi în stomac. O recunosc de la Isabel. Prima lovitură a copilului. *Duhul dătător de viaţă.* O sintagmă atât de frumoasă, de biblică[1].

Stau acolo, savurând-o, aşteptând şi alte lovituri. Mai urmează câteva, după care o basculare, de parcă s-ar da peste cap. Sunt aşa copleşită de dragoste maternă şi de mirare încât încep să plâng. Cum am putut vreodată să mă gândesc că aş putea să avortez copilul ăsta? Privind în urmă, mi se pare aproape de neconceput. Jocul de cuvinte mă face să zâmbesc printre lacrimi.

Trează de-a binelea acum, îmi cobor picioarele din pat şi îmi privesc corpul în schimbare. Încă nu am ajuns în etapa în care străinii fac comentarii spontane – conform unui grafic pe care l-am găsit la serviciu, copilul meu este acum aproximativ de mărimea unui avocado –, dar goală, se vede clar că sunt însărcinată. Sânii îmi atârnă plini, iar pântecul mi s-a rotunjit confortabil.

---

[1] Aluzie la concepţia potrivit căreia fătul este considerat fiinţă umană, „cu suflet“, odată cu prima mişcare din pântecul mamei. Expresia este luată din Biblie, Epistola întâia către Corinteni a Apostolului Pavel, versetul 15:45: „Precum şi este scris: Făcutu-s-a omul cel dintâi, Adam, cu suflet viu; iar Adam cel de pe urmă cu duh dătător de viaţă“.

Mă duc spre baie, amuzată să constat că merg uşor legănat, deşi cu siguranţă încă nu e nevoie să fac asta, amintirea maternităţii instalându-se în corpul meu ca o haină veche. Ceva nu funcţionează la duş – apa caldă se răceşte brusc, dar e revigorantă. Mă întreb leneş dacă nu cumva, acum că am o altă persoană în mine, casa nu mă mai recunoaşte. Nu cred că tehnologia funcţionează aşa, dar nu prea mă pricep la asta.

În timp ce mă şterg cu prosopul, simt o senzaţie de greaţă. Mă aşez pe toaletă, încercând să o alung prin respiraţii, dar revine de două ori mai gravă. Nu am timp decât să mă aplec în faţă şi să-mi îndrept gura în direcţia duşului. Deschid robinetele ca să spăl voma.

Sticla din jurul duşului este acum stropită cu urme de apă, aşa că mă aşez în genunchi ca s-o şterg, apoi trec la bazin. Stau ghemuită ca să şterg adâncitura care se întinde de-a lungul peretelui, cu faţa aproape de duşumea, când observ că ceva străluceşte acolo, reflectând lumina. E prea departe să ajung cu degetele, aşa că găsesc un beţişor de urechi şi, cu grijă, o scot de acolo.

La început, cred că tocmai am găsit o pietricică sau poate o bilă de rulment. Apoi văd găurica din ea. E o perlă; foarte mică, de o culoare neobişnuită, crem-deschis. Probabil s-a desprins din colierul meu.

Mă duc în dormitor şi găsesc colierul în cutia lui. Perla rătăcită arată la fel ca toate celelalte, cu siguranţă. Dar colierul nu este rupt.

Nu-mi dau seama cum a ieşit perla dacă şiragul nu e rupt. E imposibil, ca un puzzle logic, o ghicitoare.

Peste drum de sediul Still Hope, e un atelier de bijuterii. Hotărăsc să mă duc acolo cu ele şi să întreb.

ATUNCI: EMMA

Trimit un e-mail la Monkford Partnership să mă plâng de problemele cu casa. Nu primesc nici un răspuns. Încerc să-l sun pe Mark, agentul, dar el îmi spune că pentru orice chestiuni de ordin tehnic ar trebui să discut direct cu Monkford Partnership. Până la urmă, ajung să țip la el prin telefon, ceea ce bănuiesc că doar înrăutățește lucrurile. Îi trimit chiar și un SMS lui Edward. Bineînțeles, nu răspunde.

Ca și cum asta n-ar fi de ajuns, sunt convinsă că și iluminatul s-a schimbat. Când ne-am mutat aici, Mark a zis că iarna casa adaugă automat lumină suplimentară, ca să combată depresia. Dacă e așa, nu poate să facă și invers? Nu numai că nu dorm cum trebuie, dar, când mă trezesc, ochii îmi sunt uscați, mă mănâncă, și sunt epuizată.

Simon mă sună și se oferă din nou să vină pe aici. Ar fi ușor să zic da. Îi spun că o să mă gândesc la asta. Simt bucuria din vocea lui, chiar dacă încearcă s-o ascundă. Simon cel drăguț, sigur, de încredere. Mantaua mea de vreme rea.

Apoi, Edward Monkford îmi răspunde la SMS.

ACUM: JANE

– E extraordinar! exclamă bijutierul, răsucind perla între degetul mare şi cel arătător în timp ce o examinează printr-un ocular. Dacă e ce cred eu, atunci e într-adevăr foarte rară.

Scot colierul în cutia lui în formă de scoică.

– E posibil să fi provenit de aici?

Ia cutia şi încuviinţează din cap la vederea caracterelor japoneze.

– Kokichi Mikimoto. Rar vezi aşa ceva. Ridică în lumină colierul şi-l compară cu perla rătăcită. Da, se potriveşte perfect. Aşa cum am crezut, sunt perle keshi!

– Perle keshi? Ce înseamnă asta?

– Perlele keshi de apă sărată sunt cele mai rare, mai ales când sunt aproape rotunde, aşa cum sunt acestea. Provin de la scoici care au avut mai mult decât o perlă, cu alte cuvinte, au avut perle gemene. Pentru că nu au nucleu, formează un luciu neobişnuit. Aşa cum am spus, sunt extrem de rare. Îmi imaginez că, la un moment dat, colierul s-a rupt şi perlele s-au risipit. Proprietarul le-a dat la reparat, dar a ratat una.

– Înţeleg.

Adică, înţeleg ce spune omul, dar implicaţia, că Edward mi-a dat un colier pe care îl mai dăduse cuiva înainte, cere mai mult timp pentru procesare.

Când ies din magazin, scot telefonul.

– Simon, zic eu când răspunde. Ştii cumva dacă Edward Monkford i-a dat Emmei un colier? Şi, în cazul în care i-a dat, dacă s-a rupt vreodată?

ATUNCI: **EMMA**

Trebuie să te văd. Edward.
Mă gândesc înainte să răspund.
Mai eşti supărat pe mine, tati?
Răspunsul vine imediat.
Nu mai mult decât meriţi.
Bun! Asta înseamnă că mă vrei înapoi?
Mai vedem după seara asta.
Atunci ar fi bine să mă port frumos.
Deja mi s-au înmuiat genunchii.
La şapte diseară. Poartă perlele. Nu mare lucru în rest.
Bineînţeles.
Două ore ca să mă pregătesc, să anticipez, să suport. Mă dezbrac şi mă pun pe treabă.

ACUM: JANE

– Dar nu înțelegi? insistă Simon. Asta dovedește că era acolo când a murit Emma.

Stăm în cafeneaua de lângă Still Hope, unde Edward Monkford mi-a făcut prima oară avansuri. „Doi oameni care se unesc fără altceva în minte decât prezentul." Ce minciună monstruoasă s-a dovedit asta! Fără îndoială, el era sincer atunci, credea că poate regăsi părțile care îi plăcuseră din relația cu Emma, fără părțile care nu-i plăcuseră. Numai că, așa cum a subliniat Carol, nu poți să spui aceeași poveste de două ori și să te aștepți la un final diferit.

Simon încă vorbește.

– Scuze, ce spuneai?

– Spuneam că ea purta colierul ăla numai pentru el. Știa că eu nu pot să-l sufăr. Trebuia să se vadă cu mine în ziua aia. Aproape că stabiliserăm asta, dar pe urmă a anulat. A zis că nu se simte bine. Chiar și atunci m-am întrebat dacă nu cumva se întâlnea cu Monkford.

Mă încrunt.

– Nu se poate să deduci toate astea dintr-o singură perlă. Nu dovedește nimic.

– Gândește-te, continuă el răbdător. De unde a avut Monkford colierul ca să ți-l dea ție? Trebuie să fi fost acolo când s-a rupt. Știa că dacă lăsa perlele împrăștiate peste tot, ăsta ar fi fost semn că a avut loc o luptă, nu sinucidere sau accident.

Așa că le-a strâns pe toate înainte să plece, mai puțin pe asta pe care ai găsit-o tu.

– Dar ea n-a murit în baie, obiectez eu. A fost găsită la baza scării.

– Sunt doar câțiva pași de la baie la scară. Ar fi fost ușor s-o târască acolo și apoi s-o împingă jos.

Nu cred sugestia forțată a lui Simon nici măcar o clipă, dar până și eu mă văd nevoită să recunosc că perla ar putea fi considerată o dovadă.

– Bine. O să-l contactez pe James Clarke. Știu că vine în oraș miercurea. Ai putea să vii și tu. Atunci poți să-l auzi cu urechile tale cum îți desființează teoriile.

– Jane... vrei să vin să stau în One Folgate Street câteva zile?

Probabil arăt surprinsă, pentru că adaugă:

– M-am oferit să stau cu Emma. Ea a refuzat, iar eu n-am vrut s-o sâcâi. O să regret toată viața că nu am fost mai insistent. Dacă aș fi fost acolo...

Lasă fraza neterminată.

– Mulțumesc, Simon, dar încă nu putem fi siguri că Emma a fost omorâtă.

– Fiecare dovadă, oricât de mică, ne conduce la Monkford, nu la altcineva. Refuzi să recunoști asta din motive personale. Și cred că știm amândoi care sunt.

Privirea îi coboară spre burta mea. Mă înroșesc.

– *Tu* ai motive emoționale pentru care vrei să fie el vinovat, ripostez eu. Și, dacă vrei să știi, eu și Edward am avut o relație scurtă, asta e tot. Nu mai suntem împreună.

Zâmbește, cu o oarecare tristețe.

– Sigur că nu. Ai încălcat regula cea mai importantă. Adu-ți aminte ce s-a întâmplat cu pisica.

ATUNCI: EMMA

M-am pensat, m-am epilat şi mi-am făcut unghiile. În fine, mi-am pus colierul de perle, strâns în jurul gâtului ca mâna unui iubit. Inima îmi tresaltă de bucurie. Ard de nerăbdare.

Mai e o oră până ajunge aici. Îmi torn un pahar mare cu vin şi îl beau aproape pe tot. Apoi, cu colierul la gât, mă duc spre duş.

De la parter, se aude un zgomot. E greu să-l identific, dar ar putea fi scârţâitul unui pantof. Mă opresc.

– Hei! Cine-i acolo?

Nici un răspuns. Înşfac un prosop şi mă duc în capul scărilor.

– Edward?

Liniştea se scurge încet, densă şi oarecum plină de înţelesuri. Simt cum mi se ridică părul pe ceafă.

– Hei! strig eu din nou.

Cobor în vârful picioarelor până la jumătatea scării. De acolo, pot să văd în fiecare colţişor al casei. Nu e nimeni.

Doar dacă nu e chiar sub mine, ascuns de dalele de piatră. Fac cale întoarsă, încet, privind prin spaţiul dintre trepte.

Nimeni.

Apoi aud alt sunet, un fel de pufnit. De data asta, pare să vină de deasupra mea. Când mă întorc spre sursa sunetului însă, percep un fel de scâncet ascuţit, o frecvenţă chiar la limita auzului uman. Devine din ce în ce mai tare, ca bâzâitul unui țânțar. Îmi acopăr urechile cu mâinile, dar zgomotul îmi sfredelește auzul.

Un bec din tavan explodează, iar sticla cade cu zdrăngănit pe podea. Zgomotul se oprește. O defecțiune în sistemul tehnic al casei. În camera de zi, laptopul meu se restartează. Luminile din casă se diminuează treptat, după care se intensifică la loc. Pe ecranul laptopului se afișează pagina de pornire a Menajerei. E ca și cum toată casa s-ar fi resetat.

Oricare a fost problema, acum s-a terminat. Și nu e nimeni aici. Urc din nou spre duș.

ACUM: JANE

– E fascinant! zice James Clarke uitându-se de la colier la perlă şi înapoi. Fascinant!

– Nu ne putem da seama ce înseamnă asta, zic eu. Simon îmi aruncă o privire, aşa că adaug: Adică, nu suntem de acord. Simon crede că ar putea fi dovada că Edward a omorât-o. Eu nu văd cum ar schimba lucrurile, indiferent de caz.

– Îţi zic eu cum schimbă lucrurile, îmi spune gânditor poliţistul pensionat. Schimbă cazul împotriva lui Deon Nelson. Dacă pe jos zăcea un colier de perle, chiar şi rupt, nu l-ar fi lăsat acolo. L-ar fi furat, caz în care domnul Monkford nu ar mai fi putut să-l dea la reparat şi să ţi-l ofere ţie. Şi aşa se duce pe apa sâmbetei teoria *mea* preferată.

– Ultima dată când ne-am văzut, spune Simon, după anchetă, mi-aţi spus că Monkford avea un alibi.

– Da. Mă rog, un fel de alibi. Ca să fiu sincer, era evident că n-o să renunţi prea uşor şi, cu o investigaţie de şase luni a poliţiei în sfârşit încheiată, ultimul lucru de care aveam nevoie era un fost iubit cu inima frântă, care să încerce să schimbe verdictul coronerului. Aşa că, se poate să fi părut mai sigur decât eram, de fapt. Domnul Monkford a zis că era pe şantier în Cornwall când a murit Emma. A fost văzut la hotel dimineaţa şi apoi din nou la începutul serii. Nu exista nici un indiciu că s-ar fi întors la Londra în intervalul ăsta, aşa că am fost dispuşi să-l credem.

Simon face ochii mari de uimire.

– Dar spuneți că ar fi putut s-o facă.

– Un milion de oameni *ar fi putut* s-o facă, răspunde Clarke cu blândețe. Nu așa lucrăm noi. Căutăm indicii că cineva *chiar* a făcut-o.

– Monkford e nebun, insistă Simon. Dumnezeule, uitați-vă numai la casele pe care le construiește! E un perfecționist dement și, dacă i se pare lui că ceva nu e chiar cum trebuie, nu lasă lucrurile așa. Distruge tot și o ia de la capăt. I-a zis Emmei: „Relația asta va continua numai atât timp cât e absolut perfectă". Ce scrântit spune una ca asta?

Clarke răspunde, explicându-i răbdător lui Simon că psihologia făcută de amatori și munca polițienească sunt două lucruri foarte diferite. Numai că eu abia dacă-i aud.

Îmi dau seama că Edward mi-a spus același lucru și mie. „E perfect... Unele dintre relațiile perfecte pe care le-am avut n-au durat mai mult de o săptămână... Apreciezi mai mult cealaltă persoană, știind că nu o să dureze..."

Copilul întinde un picior și mă lovește chiar deasupra buricului. Mă cutremur. *Suntem oare în pericol?*

– Jane?

Mă privesc amândoi cu curiozitate. Îmi dau seama că m-au întrebat ceva.

– Scuze, ce ați spus?

James Clarke arată colierul.

– Ai putea să ți-l pui la gât?

Mi-e greu să manevrez încheietoarea mică fără să văd și Simon sare să mă ajute. Îmi ridic părul de pe ceafă, ca să-i fie mai ușor. Degetele lui sunt neîndemânatice când mă atinge și simt, spre surprinderea mea, că e din cauză că este atras de mine.

Când colierul e prins la gât, Clarke îl cercetează cu atenție.

– Îmi dai voie? mă întreabă el politicos.

Încuviințez și el încearcă să-și strecoare un deget între perle și pielea mea. Nu are loc.

– Hm, zice el, lăsându-se pe spate în scaun. Păi, nu vreau să mai pun gaz pe foc, ca să zic așa, dar e ceva ce ar putea fi relevant.

– Ce? întreabă Simon nerăbdător.

– Când a fost găsită Emma, primul polițist ajuns la locul crimei a văzut o urmă fină în jurul gâtului ei. Și-a notat lucrul ăsta, dar până când a ajuns medicul legist, urma dispăruse. Erau doar câteva zgârieturi mici, aici.

Arată spre locul unde încercase el să-și strecoare degetul sub colier. Nu erau deloc grave, cu siguranță nu suficiente ca s-o omoare. Și, având în vedere amploarea celorlalte răni, am hotărât că probabil doar s-a lovit când a căzut.

– Numai că, de fapt, erau urmele lăsate de cel care i-a smuls colierul, intervine imediat Simon.

– Ei, asta bănuim noi, zice Clarke.

– Mai e o posibilitate, mă trezesc spunând.

– Da? zice Clarke.

– Edward... Roșesc. Am motive să cred că lui și Emmei le plăcea să facă sex într-un mod mai dur.

Simon se holbează la mine. Clarke doar încuviințează din cap.

– Așa e.

– Deci, dacă Edward *a fost* cu ea în ziua aia, ceea ce nu accept neapărat, apropo, e posibil să fi rupt colierul din greșeală.

– Poate. Cred că acum nici n-o să mai aflăm, zice Clarke.

Mă mai gândesc la ceva.

– Ultima dată când ne-am văzut, ai spus că nu aveai cum să afli cine a intrat în casă chiar înainte de moartea Emmei.

– Așa e. De ce?

– Mi se pare ciudat, atât. Casa e setată să înregistreze toate datele, tocmai asta e și ideea.

– Ați putea să faceți o percheziție la birourile lor, sugerează Simon. Să le confiscați computerele și să vedeți ce găsiți în ele.

Clarke ridică o mână îndatoritor.

– Stai așa! *Eu* nu pot să fac nimic. Am ieșit la pensie. Și ce descrii tu e o operațiune care costă zeci de mii de lire. Nu prea sunt șanse să se dea un mandat de percheziție după atâta timp. Nu fără niște dovezi foarte solide care să confirme asta.

Simon bate cu pumnul în masă.

– Nu mai e nici o speranță!

– Sfatul meu e să laşi povestea asta în urmă, îl sfătuieşte Clarke cu bunătate. Mă priveşte şi pe mine. Iar sfatul meu pentru *tine* este să-ţi găseşti altă locuinţă cât mai repede. Un loc cu încuietori bune şi cu un sistem de alarmă. În caz că e nevoie.

ATUNCI: **EMMA**

Intru la duş. O vreme, nu se întâmplă nimic. Apa curge în cascadă din capul de duş imens. Îmi ridic faţa spre ea, plină de încântare.

Totul o să fie bine.

Mă spăl cu grijă pentru el, săpunindu-mi toate colţişoarele intime din corp pe care el ar putea să le exploreze. Apoi, fără vreun avertisment, apa se întrerupe şi devine rece ca gheaţa. Ţip şi mă retrag.

– Emma! se aude o voce în spatele meu.

Mă răsucesc brusc.

– Ce cauţi aici? zic eu. Înşfac prosopul de pe suport şi mă înfăşor cu el. Şi cum ai intrat?

ACUM: JANE

– Ce buget zici că ai? Camilla nu-mi râde în față, dar evident crede că trăiesc pe altă lume. Cât timp ai stat tu în One Folgate Street, piața închirierilor a luat-o razna. Nu sunt destule case, plus că investitorii străini folosesc proprietățile din Londra ca să-și plaseze profitabil banii. Ca să găsești ceva cu două dormitoare, ar trebui să dublezi suma. Arată spre anunțurile de pe ferestrele agenției. Uită-te și tu!

Când mă întorceam în One Folgate Street, m-am hotărât să urmez sfatul lui James Clarke și să încep să-mi caut un apartament. Acum, îmi doresc să nu fi făcut asta.

– Ar fi bun și un apartament cu un dormitor mare. Cel puțin, pentru moment.

– Nu-ți ajunge bugetul nici măcar pentru *asta*. Doar dacă nu vrei să iei în calcul o casă plutitoare?

– O să am un copil. Peste scurt timp, o să se târască în patru labe peste tot. Nu cred că o casă plutitoare e o soluție prea bună, nu? Ezit. Mai sunt și alți proprietari care procedează ca Edward? Să închirieze case ieftin unor persoane care să aibă grijă de ele?

Camilla clatină din cap.

– Aranjamentul cu Edward Monkford e singurul.

– Păi, nu poate să mă dea afară cât timp plătesc chiria. Și nu plec până nu găsesc altceva.

Ceva din expresia ei mă face să mă opresc.

– Ce e?

– Sunt peste două sute de reguli în contractul pe care l-ai semnat, îmi amintește ea. Sper numai că n-ai încălcat nici una. Altfel, ar însemna că ai încălcat contractul.

Simt cum mă cuprinde o furie irațională.

– Să le ia dracu' de reguli! Și să-l ia dracu' pe Edward Monkford!

Sunt așa de furioasă încât chiar bat din picior. Hormonii ăștia de sarcină.

Totuși, în ciuda cuvintelor mele curajoase, știu că nu o să mă lupt cu Edward în privința asta. De la discuția cu Simon și James Clarke, One Folgate Street a început să-mi inspire ceva ce n-am mai simțit până acum. A început să-mi fie frică.

ATUNCI: **EMMA**

– Am păstrat codul, zice el. Face un pas spre mine. Are ochii roșii și oarecum sălbatici. A plâns. I-am spus lui Mark că l-am șters când m-am mutat de aici, spune el. Dar nu l-am șters. Apoi l-am folosit ca să sparg sistemul ăsta. A fost ușor. Și un copil putea să facă asta.

– Ia te uită! exclam eu.

Nu știu ce altceva să zic.

– Am fost sus, spune el. În mansardă. Uneori, vin după ce adormi tu și dorm acolo. Ca să fiu lângă tine.

Deodată, arată spre gâtul meu și fac un pas în spate, înspăimântată.

– Asta e colierul pe care ți l-a dat *el*, nu-i așa? *Edward*.

– Da. Simon, trebuie să pleci, aștept pe cineva.

– Știu. Simon scoate un telefon pe care nu l-am mai văzut. Pe Edward Monkford. Numai că nu pe el îl aștepți. *Eu* am trimis mesajul ăla.

– Cum?

– Ți-am luat telefonul într-o seară săptămâna trecută și ți-am salvat numărul ăsta în agendă, cu numele lui, îmi explică el, aproape mândru. Așa că atunci când îți trimit SMS, apare că e de la el. Acum am șters mesajele, bineînțeles. Și telefonul ăsta e cu cartelă, așa că nu poate fi detectat.

– Dar – *de ce?* întreb eu uimită.

– De ce? repetă el. De ce? Asta mă tot întreb şi eu, Em. De ce Monkford? De ce Saul? De ce oricare dintre ei? Când nici unul nu te-a iubit aşa cum te-am iubit eu. Şi tu mă iubeai. Ştiu asta. Eram *fericiţi*.

– Nu. Nu, Simon! îl contrazic eu cât de hotărât pot. Ai înţeles totul greşit. Noi doi nu am fi fost fericiţi, nu pe termen lung. Eu nu sunt bună pentru tine. Tu ai nevoie de o femeie bună şi drăguţă. Nu de cineva ca mine.

– Nu spune asta, Em! Lacrimile îi curg pe obraji acum. Nu, repetă el. N-o să te las.

Încerc să controlez situaţia.

– Trebuie să pleci, Simon. Acum. Dacă nu, chem poliţia.

El clatină din cap.

– Nu pot, Em. Nu pot.

– Ce nu poţi?

– Nu pot să renunţ la noi, şopteşte el. Nu pot să te las să-i vrei pe ei, dar nu pe mine.

Se uită la mine cu o expresie ciudată, disperată, şi-mi dau seama că îşi face curaj pentru ceva îngrozitor. O iau brusc la fugă, încercând să mă strecor pe lângă el. Mă prinde de încheietură, dar mâna i se încleştează în jurul brăţării, care îmi alunecă, şi mă eliberez. Atunci mă blochează cu propriul corp şi bâjbâie cu degetele în jurul gâtului meu, al colierului. Simt cum pocneşte, şi perlele sar ca nişte bucăţi de grindină pe podeaua din baie. Îmi trece un braţ pe după gât şi mă smuceşte spre el, trăgându-mă cu spatele afară din baie, ca un salvamar în piscină. Sunt amorţită de frică, dar nu am de ales, aşa că îl las să mă tragă după el.

– Simon, încerc să spun, dar braţul lui e strâns prea tare în jurul gâtului meu.

Atunci ajungem în capul scărilor şi el se răsuceşte astfel încât eu mă uit în jos spre gol.

– Te iubesc, Em, îmi zice el în ureche. Te iubesc!

Dar o zice cu un fel de furie, de parcă prin *iubire* ar înţelege, de fapt, *ură* şi, în timp ce mă sărută şi mă împinge pe scări simultan, ştiu că vrea să se întâmple asta, vrea să mor. Pe urmă mă rostogolesc, capul mi se loveşte de piatră, treaptă după treaptă, şi fiecare bucăţică din mine este cuprinsă de durere şi de panică în vreme ce corpul meu prinde viteză. Când ajung la jumătatea distanţei, cad de pe scară şi, pentru o clipă, senzaţia de uşurare se îmbină cu groaza, înainte să mă prăbuşesc pe podeaua de piatră şi capul să mi se facă bucăţi.

ACUM: JANE

Îl sun pe Simon.

– Nu obișnuiesc să invit la cină bărbați pe care nu prea îi cunosc, zic eu, dar dacă ai vorbit serios, atunci chiar aș aprecia compania.

– Sigur că da. Vrei să aduc ceva?

– Păi, nu am deloc vin în casă. Eu nu o să beau, dar poate vrei tu. Am însă fripturi, și nu prostii de la supermarket. Pe astea le-am luat de la Smart Butcher[1] de pe High Street. Totuși, te previn, dacă întârzii, mănânc și porția ta. Am un apetit feroce zilele astea.

– Bun! Pare amuzat. Vin la șapte. Și, de data asta, promit că nu mai trăncănesc despre cum mi-a omorât Monkford iubita, bine?

– Mulțumesc.

Voiam să sugerez să nu discutăm despre Emma și Edward în seara asta – sunt deja suficient de speriată –, dar nu am găsit nici o modalitate politicoasă de a-i spune asta. Încep să-mi dau seama că Simon este o persoană foarte atentă. Îmi amintesc ce spunea Mia. „Părerea mea e că ți-ar fi mult mai bine cu cineva ca el decât cu nebunul tău de arhitect."

Îmi alung gândul din minte. Chiar dacă n-aș fi grasă și însărcinată cu copilul altui bărbat, tot nu s-ar întâmpla.

---

[1] Automat de la care se poate cumpăra carne proaspătă la prețuri rezonabile

*

Peste câteva ore, când îi deschid ușa, văd că a adus flori și o sticlă cu vin.

– Pentru tine, zice el întinzându-mi buchetul. M-am simțit destul de prost pentru că am fost atât de bădăran când ne-am văzut prima dată. Nu era vina ta că nu știai pentru cine erau florile.

Mă sărută pe obraz și zăbovește doar un pic mai mult decât ar trebui. *Chiar* e atras de mine, sunt destul de sigură de asta. Totuși, nu cred că eu aș putea vreodată să fiu atrasă de el. Indiferent de ce zice Mia.

– Sunt superbi, spun eu în timp ce duc trandafirii la chiuvetă. O să-i pun în apă.

– Iar eu o să deschid sticla asta. E un Pinot Grigio – preferatul Emmei. Sigur nu vrei și tu? Am verificat online. Majoritatea oamenilor cred că o cantitate mică de alcool e permisă în jurul vârstei de cincisprezece săptămâni.

– Poate mai târziu. Dar tu poți să-ți torni.

Aranjez trandafirii într-o vază și îi pun pe masă.

– Em, unde ai pus tirbușonul? strigă el.

– E în dulap. Cel din dreapta. Mă întorc spre el. M-ai strigat *Em*?

– Așa am făcut? Râde. Scuze. Cred că mi se pare ceva așa de obișnuit să fiu aici cu tine și să deschid o sticlă. Adică, nu cu *tine*, evident. Cu ea. Nu mai fac. Promit. Așa, unde ții paharele?

ATUNCI: EMMA

ACUM: JANE

Pare ciudat să fac friptură pentru un bărbat, orice bărbat, în One Folgate Street. Edward nu m-ar fi lăsat niciodată – ar fi trebuit să preia controlul, să-şi lege un şorţ, să găsească cratiţele, uleiurile şi ustensilele potrivite, în tot timpul ăsta explicându-mi felurile diferite în care se găteşte friptura în Toscana sau în Tokyo. Simon însă se mulţumeşte doar să se uite la mine şi să vorbească despre piaţa imobiliară, unde să caut apartamente ieftine, locul unde stă el acum cu chirie.

– Unul dintre lucrurile bune când pleci de aici este că nu mai trebuie să-ţi faci griji despre regulile alea stupide, îmi spune el în timp ce eu şterg automat tigaia şi o pun la locul ei înainte să mâncăm. După o vreme, nici nu-ţi mai vine să crezi că ai trăit vreodată aşa.

– Hm, zic eu. Ştiu că în curând o să fiu înconjurată de toată harababura care apare când ai un copil, dar o parte din mine o să se gândească mereu cu drag la frumuseţea austeră, disciplinată, din One Folgate Street.

Iau câteva guri de vin, dar constat că nu-mi mai place.

– Cum merge sarcina? se interesează el.

Mă apuc să-i povestesc despre sperietura cu sindromul Down, ceea ce duce la explicaţii despre Isabel, apoi încep să plâng şi nu pot să-mi termin friptura.

– Îmi pare rău, zice el încet când termin. Ţi-a fost tare greu.

Ridic din umeri şi mă şterg la ochi.

– Toată lumea are probleme, nu? E din cauza hormonilor, mă fac să plâng din orice acum.

– Eu mi-am dorit o familie cu Emma. Tace o vreme. Voiam s-o cer de nevastă. N-am mai spus nimănui asta. Ironic, m-am hotărât când ne-am mutat aici, pentru că, în sfârşit, ne stabiliserăm undeva. Ştiam că trecuse printr-o perioadă proastă, dar dădusem vina pe spargere.

– De ce n-ai cerut-o?

– Ah! ridică el din umeri. Voiam să fac cea mai tare propunere din lume. Ca în filmuleţele alea virale în care bărbatul face un *flash mob* în care lumea cântă cântecul preferat al fetei sau scrie „Te măriţi cu mine“ cu artificii sau ceva. Încercam să găsesc o idee, ceva care s-o dea pe spate. Şi pe urmă, aşa, din senin, s-a despărţit de mine.

Mie filmuleţele alea cu cereri exagerate în căsătorie mi s-au părut întotdeauna puţin ciudate, chiar îmi dădeau fiori, dar decid că nu e momentul să spun asta.

– O să găseşti pe altcineva, Simon. Sunt sigură.

– Oare? Îmi aruncă o privire plină de înţeles. De fapt, mi se întâmplă foarte rar să întâlnesc pe cineva cu care să simt că am o conexiune adevărată.

Hotărăsc că e momentul să clarific lucrurile.

– Simon... sper să nu mă crezi îngâmfată, dar dacă tot vorbim aşa deschis, aş vrea să lămuresc ceva. Îmi placi, dar eu nu caut o relaţie în momentul ăsta. Am destule pe cap.

– Sigur, se grăbeşte să-mi răspundă. Nu m-am gândit nici o clipă... Dar ne înţelegem bine, nu? Ca prieteni.

– Da.

Îi zâmbesc, ca să-i arăt că îi apreciez tactul.

– Deşi, probabil o să te răzgândeşti în privinţa relaţiilor dacă Monkford pocneşte din degete, adaugă el.

Mă încrunt.

– Chiar nu!

– Glumeam. De fapt, e o fată cu care m-am văzut puţin. Trăieşte în Paris. Mă gândesc să mă mut acolo ca să ne vedem mai des.

Conversaţia se mută la alte lucruri, plăcute şi uşoare. Mi-a fost dor de asta, mă gândesc, de oameni drăguţi, civilizaţi, care știu și să ofere, și să primească, atât de diferiți de Edward, cu prezența lui dominantă.

– Vrei să rămân peste noapte aici, Jane? mă întreabă mai târziu. Pe canapea, bineînțeles. Dacă te simți mai în siguranță așa...

– E frumos din partea ta, dar o să ne descurcăm. Mă mângâi pe abdomen. Eu și burta mea.

– Sigur. Atunci poate altă dată.

13. *Adesea există o mare discrepanţă între obiectivele mele şi rezultate.*

Sunt de acord O O O O O *Nu sunt de acord*

ACUM: **JANE**

Mă trezesc obosită şi slăbită. Probabil cantitatea infimă de alcool de seara trecută, mă gândesc eu, acum că nu mai sunt obişnuită să beau. Greaţa de dimineaţă îmi întoarce stomacul pe dos şi mă duc la baie să vomit. Apoi, chiar când îmi doresc cu disperare un duş, Menajera îşi alege cel mai bun moment să oprească totul.

Jane, te rog să notezi următoarele afirmaţii cu puncte de la 1 la 5, unde 1 înseamnă „Sunt complet de acord" şi 5 înseamnă „Nu sunt deloc de acord".

Unele dotări ale casei au fost dezactivate până la finalizarea evaluării.

– Rahat! zic plictisită.

Chiar nu am energie pentru aşa ceva. Dar am nevoie să fac un duş. Mă uit la prima afirmaţie din listă.

Dacă copiii mei nu ar avea succes la şcoală, aş fi etichetată în mod corect drept un părinte prost.
Sunt de acord O O O O O *Nu sunt de acord*

Aleg „Sunt oarecum de acord", apoi mă opresc brusc. Sunt destul de sigură că până acum nu am mai avut evaluări despre creşterea copiilor.

Întrebările astea sunt aleatorii? Sau e ceva mai mult: vreo aluzie răutăcioasă subtilă, codată, din partea Menajerei?

Pe măsură ce avansez cu chestionarul, mai observ un lucru. Mă *simt* altfel. Simplul fapt că răspund la întrebările astea îmi aminteşte că traiul aici e un privilegiu rezervat unui număr redus de persoane selecte; că plecarea va fi o nenorocire aproape la fel de mare ca pierderea lui Isabel...

Mă opresc îngrozită. Cum pot să gândesc aşa ceva, chiar şi o clipă?

Îmi amintesc ce spunea ghidul când a venit în vizită cu grupul de studenţi. „Probabil nu vă daţi seama, dar acum înotaţi într-o supă complexă de ultrasonice – forme de unde care potenţează stările...“

Oare întrebările Menajerei fac parte din modul în care funcţionează One Folgate Street?

Mă conectez la reţeaua Wi-Fi a vecinului şi introduc câteva întrebări pe Google. Răspunsul se afişează imediat. E o lucrare ştiinţifică publicată într-o revistă medicală cu un nume cam obscur, *Jurnalul de psihologie clinică*.

„Întrebările din Aplicaţia de evaluare a perfecţionismului măsoară o varietate de tipuri de perfecţionism neadaptat, inclusiv perfecţionismul personal; standardele înalte pentru ceilalţi; nevoia de aprobare; tendinţa de planificare (curăţenie şi organizare obsesive); reflectarea exagerată (analizarea excesivă, obsesivă); comportamentul compulsiv; inflexibilitatea morală...“

Răsfoiesc tot, încercând să mă descurc printre termenii de specialitate. Se pare că, la început, întrebările au fost concepute de psihologi pentru a diagnostica perfecţionismul nesănătos, patologic, ca să-l poată trata. O clipă doar mă întreb dacă nu cumva asta se întâmplă aici: dacă nu cumva casa îmi monitorizează starea psihologică, la fel cum îmi verifică tiparele de somn, greutatea şi aşa mai departe.

Însă apoi îmi dau seama că mai există o explicaţie.

Edward nu folosește chestionarul pentru a trata perfecțio-
nismul chiriașelor lui, ci pentru a-l potența. Încearcă să con-
troleze nu numai mediul nostru sau chiar felul în care trăim
în el, ci și gândurile și sentimentele noastre cele mai intime.

„Relația aceasta va continua numai atât timp cât este
absolut perfectă...“

Tremur. Oare soarta Emmei a fost hotărâtă de un punctaj
slab la un test psihometric?

Termin de răspuns la întrebări, marcând răspunsurile la
care cred că Menajera îmi va acorda cele mai multe puncte. Când
termin, laptopul se restartează. Luminile se aprind din nou.

Mă ridic, ușurată că, în sfârșit, pot să mă duc la duș, dar
în timp ce urc scările, are loc o defecțiune. Luminile pâlpâie.
Laptopul se blochează în mijlocul procesului de restartare.
Totul rămâne suspendat o vreme. Și apoi...

Privind în jos, văd că apare ceva pe ecranul laptopului. Ca
un film, numai că nu e un film.

Nedumerită, mă întorc, ca să mă uit mai bine. E o imagine
cu mine, în direct, chiar aici, în camera asta. Pe măsură ce mă
apropii, figura de pe ecran se îndepărtează.

Camera de luat vederi este *în spatele* meu.

Ridic laptopul și mă răsucesc. Acum, pe ecran apare fața
mea, nu spatele. Cercetez peretele din față până când ecranul
îmi spune că mă uit direct în camera de luat vederi.

Nu e nimic acolo. Poate că doar o înțepătură în piatră,
nimic mai mult.

Pun laptopul jos și dau clic pe fereastră ca s-o închid. În
spatele ei este o altă fereastră, o altă imagine. Și încă una, și
încă una. Toate afișează diferite zone din One Folgate Street.
Le închid pe toate, dar nu înainte de a reține unde sunt mon-
tate camerele de luat vederi. Una arată masa de piatră din-
tr-un unghi diferit. A doua este orientată spre ușa de la intrare.
Următoarea arată baia...

Baia. Plan deschis, dușul expus complet. Dacă aceștia sunt
senzorii din One Folgate Street, cine mai are acces la ei?

Dau clic din nou. Ultima cameră de luat vederi este mon-
tată direct deasupra patului.

Mi se face rău. Toate dățile acelea când avusesem impresia că sunt privită... chiar eram.

Și nu numai în pat. Când Edward mi-a tras-o pe blatul din refectoriu, eram chiar în vizorul camerelor de luat vederi.

Mă cutremur revoltată. Și apoi, într-o cascadă bruscă, nestăvilită, amplificată de hormoni, repulsia mea se transformă în furie.

Edward a făcut asta. A încastrat camerele în materialele din One Folgate Street. De ce? E voyeur? Sau e doar o altă modalitate de a-mi controla fiecare moment din viață? Sunt sigură că nici măcar nu e legal. Nu a fost cineva băgat la închisoare pentru așa ceva?

Apoi însă îmi dau seama că Edward nu ar fi lăsat un astfel de detaliu la voia întâmplării. Caut prin e-mailurile mai vechi până găsesc unul de la Camilla la care sunt anexați termenii și condițiile pentru One Folgate Street. În cele din urmă, îngropată adânc în textul cu caractere mici, găsesc clauza pe care o căutam.

... inclusiv, dar fără a se limita la imagini fotografice și video...

Altceva mă surprinde. Edward a construit casa asta, dar persoana care a conceput tehnologia a fost partenerul lui, David Thiel. Și, deși mi-e greu să mi-l imaginez pe Edward trăgând cu ochiul cu ajutorul înaltei tehnologii, altfel stă treaba cu Thiel.

Nu vreau să las furia să mi se domolească. Mă duc și-mi iau haina.

ACUM: **JANE**

Nu mă deranjez să sun înainte. Pur şi simplu aştept la parterul Stupului până când un grup de angajaţi ai Monkford Partnership, ţinând în mâini pahare de latte şi sendvişuri, se adună la unul dintre lifturi. Intru odată cu ei şi, la etajul paisprezece, cobor şi eu.

– Edward nu este aici, îmi zice bruneta impecabilă de la recepţie când îşi revine din şoc.

– Cu David Thiel vreau să vorbesc.

Acum arată şi mai surprinsă.

– Să văd dacă e liber.

Trebuie să-i caute numărul de interior pe iPad. Am impresia că tehnologul nu primeşte prea multe vizite.

Ţip la David Thiel mult timp şi cu înjurături din belşug. Abia dacă îmi trag răsuflarea, dar el pur şi simplu aşteaptă calm să termin. Îmi aduc aminte cum îl asculta Edward pe clientul acela, prima dată când am venit aici, lăsând furia omului să treacă pe deasupra lui.

– E ridicol, spune Thiel când, în cele din urmă, mă opresc. Cred că din cauza situaţiei tale, reacţionezi exagerat.

Cu greu ar fi putut să spună ceva mai calculat care să mă stârnească din nou.

– În primul rând, nu sunt *bolnavă*, cretinule! Iar în al doilea rând, să nu îndrăzneşti să-mi vorbeşti de sus! Ştiu ce am văzut. M-ai spionat și nu poți să negi asta. E trecut chiar și-n nenorocitele alea de condiții.

El clatină din cap.

– Îți cerem să semnezi o declinare a răspunderii, dar asta e doar o acoperire pentru noi. Nimeni nu accesează camerele alea de luat vederi în afară de software-ul de recunoaștere facială. E pentru ca mișcările tale să poată fi urmărite de casă, atâta tot.

– Și dușul? întreb eu. Ba fierbinte, ba rece, ca să mă sperie pe mine? Doar nu vrei să spui că și asta e tot pentru recunoaș-terea facială?

Se încruntă.

– Nu știam că sunt probleme cu dușul.

– Și mai e o chestie, cea mai importantă. Ce făceau came-rele alea când a fost omorâtă Emma? Trebuie să fi înregistrat ce s-a întâmplat.

Ezită.

– Fluxurile au fost offline în ziua respectivă. O problemă tehnică. Sincronizare proastă, din păcate, atâta tot.

– Doar nu te aștepți să cred... încep eu, când ușa se des-chide, împinsă cu putere de Edward Monkford, care intră în încăpere.

– Ce cauți aici? mă ia el la rost.

Nu l-am văzut niciodată așa de furios.

– Vrea datele din One Folgate Street legate de femeia aia Matthews, zice Thiel.

Edward se face roșu de furie.

– Destul cu asta! Vreau să pleci, înțelegi?

La început, nu înțeleg dacă se referă la birou sau la One Folgate Street, dar apoi adaugă:

– Invocăm notificarea de penalitate. Ai la dispoziție cinci zile ca să pleci din casă.

– Nu poți să faci asta!

– Ai încălcat cel puțin douăsprezece clauze restrictive. O să vezi că pot.

– Edward... de ce ți-e așa frică? Ce încerci să ascunzi?

– Nu mi-e *frică* de nimic. Sunt *enervat* că tot timpul îmi ignori dorințele. Sincer, mi se pare amuzant că mă acuzi pe *mine* că sunt obsedat de Emma Matthews, când e evident că tu ești cea care a făcut o fixație pentru ea. De ce n-ai renunțat la toată povestea asta? De ce-ți pasă așa de mult?

– Mi-ai dat colierul ei, zic la fel de furioasă. Dacă ești așa de nevinovat, de ce i-ai dat colierul la reparat și apoi mi l-ai dat mie?

Se uită la mine de parcă aș fi nebună.

– V-am dat coliere asemănătoare pentru că îmi place culoarea perlelor, asta-i tot.

– Tu ai omorât-o, Edward? mă trezesc întrebând. Pentru că, adevărul e că așa pare.

– De unde *scoți* toate astea? mă întreabă el uluit. Cine îți bagă în cap toate ideile astea?

– Vreau un răspuns!

Încerc să par calmă, dar vocea îmi tremură.

– Ei bine, nu o să primești unul. Acum ieși dracului de aici!

Thiel nu zice nimic. Edward se uită cu furie la burta mea când mă ridic să plec.

ACUM: **JANE**

Nu am unde să mă duc în altă parte decât One Folgate Street. Numai că acum intru acolo agitată, ca un luptător însângerat care intră din nou în ring, pentru încă o rundă.

Senzația că sunt privită este permanentă acum. La fel și cea că cineva se joacă cu mine. Prin casă, se defectează tot felul de lucruri. Prizele când funcționează, când nu. Luminile se diminuează sau se intensifică. Când introduc „apartamente cu un dormitor" în motorul de căutare al Menajerei, mă direcționează către un site despre femeile care își mint partenerii. Când pornesc combina audio, selectează singură marșul funebru al lui Chopin. Alarma împotriva hoților se declanșează singură, speriindu-mă.

– Nu mai fi așa copilăros, ce dracu'! strig eu la tavan.

Liniștea din camerele goale este singurul răspuns, batjocoritor.

Îmi iau telefonul.

– Simon, spun eu când răspunde. Dacă mai e valabilă oferta, până la urmă aș vrea să vii diseară.

– Jane, ce s-a întâmplat? întreabă el alarmat. Pari speriată.

– Nu chiar speriată, mint eu. Doar că locul ăsta mă cam face s-o iau razna. Sunt sigură că nu e nici un motiv de îngrijorare. Oricum, mi-ar face plăcere să te văd.

ACUM: JANE

– Am venit cât de repede am putut, zice Simon lăsând o geantă pe jos, lângă ușă. Ăsta e avantajul de a lucra pe cont propriu, bănuiesc. Pot să lucrez de aici sau, la fel de ușor, de la Starbucks. Se uită la fața mea și se oprește. Jane, ești sigură că te simți bine? Arăți îngrozitor!

– Simon... trebuie să-ți cer scuze. Tot timpul mi-ai zis că Edward a omorât-o pe Emma, iar eu nu te-am crezut. Dar acum încep să cred... Ezit, nu-mi vine să spun asta cu voce tare. Încep să cred că s-ar putea să ai dreptate.

– Nu-i nevoie să te scuzi, Jane. Poți să-mi spui de ce te-ai răzgândit?

Îi povestesc despre camerele de luat vederi și despre confruntarea mea cu Thiel.

– Apoi, l-am acuzat direct pe Edward că mi-a dat același colier ca Emmei, adaug eu.

Simon se holbează la mine, brusc încordat.

– Cum a reacționat la asta?

– A spus că au fost două coliere diferite.

– Poate s-o dovedească?

– Nici măcar nu a încercat. Pur și simplu m-a dat afară. Ridic din umeri resemnată. Am cinci zile să-mi găsesc altă casă.

– Dacă vrei, poți să stai cu mine o vreme.

– Mulțumesc, dar te-am deranjat destul.

– Dar vom rămâne prieteni, Jane, nu-i așa? Dacă pleci de aici, nu mă uiți de tot?

– Sigur că nu, îi răspund eu, puțin jenată de dependența lui. În fine, acum am o dilemă morală. Arăt spre masă, unde colierul meu stă frumos în cutia lui în formă de scoică. Toată povestea asta cu colierele m-a făcut să vreau să aflu cât valorează. Se pare că vreo trei mii de lire.

Ridică din sprâncene.

– Ceea ce ar fi un avans frumos pentru un apartament.

– Așa e, dar cred că ar trebui să i-l dau înapoi lui Edward.

– De ce? Dacă vrea să-ți dea ceva de valoare, asta e problema lui.

– Da, dar... încerc eu să explic. Nu vreau să creadă că îmi pasă numai de valoarea lui financiară. Problema e că eu chiar am nevoie de banii ăștia.

„Și nu vreau să mă disprețuiască și mai mult decât o face deja", mă gândesc, însă n-o spun cu voce tare.

– Faptul că pentru tine asta este o dilemă spune multe despre ce fel de om ești, Jane. Cei mai mulți oameni n-ar ezita nici o secundă.

Simon zâmbește. Tensiunea de adineauri, când am povestit despre Edward și perle, s-a risipit. De ce o fi fost așa de încordat? Ce o fi crezut că o să spun?

Apoi, îmi trece ceva prin minte. Ceva mic, dar atât de evident.

Dacă Simon are dreptate și colierul meu e același pe care Edward i l-a dat Emmei înainte, atunci unul dintre șiraguri ar avea o perlă în minus. Uitându-mă acum la el, mi se pare că toate șiragurile sunt exact la fel.

Îmi trec degetele peste șiragul de sus, numărând repede. Douăzeci și patru de perle.

Și al doilea șirag are tot douăzeci și patru de perle.

La fel și al treilea.

Edward spunea adevărul. Până la urmă, colierul pe care mi l-a dat mie nu era același cu colierul pe care i-l dăduse Emmei. Scenariul descris de Simon, în care Edward a omorât-o pe Emma, apoi a adunat toate perlele răspândite pe jos, nu a avut loc niciodată.

„Doar dacă nu cumva Simon e vinovatul."

Gândul îmi plutește prin minte, complet alcătuit. Dar dacă totul s-a întâmplat exact așa cum a descris Simon... numai că lui, nu lui Edward?

„Nu ai nici o dovadă", îmi spun.

Brusc, mă simt mult mai puțin fericită că omul ăsta o să-și petreacă noaptea aici.

Mă mai gândesc la ceva. Nu mai au loc defecțiuni tehnice în One Folgate Street de când Simon e aici. Apa de la robinete curge, aragazul funcționează, până și Menajera rămâne neblocată. Oare de ce?

Oare el le provoca pe toate?

Thiel păruse rușinat când l-am întrebat despre asta. Însă păruse și nedumerit. Și spusese ceva despre o problemă. A fost stânjenit doar pentru că știa că altcineva accesase sistemele din One Folgate Street?

Am înțeles eu totul greșit până acum?

14. Încerc să nu arăt oamenilor ce gândesc cu adevărat.

Sunt de acord ○ ○ ○ ○ ○ Nu sunt de acord

ACUM: **JANE**

– Jane? Te simți bine?

Simon mă urmărește cu atenție.

– Da. Mă dezmeticesc și schițez un zâmbet. A fost drăguț din partea ta că ai venit. Totuși, nu era nevoie să-ți aduci o geantă. Prietena mea Mia tocmai mi-a trimis un mesaj. O să stea cu mine în noaptea asta.

– Dar Mia nu are copii? Și soț?

Tonul lui este îngrijorat.

– Ba da, dar...

– Ei, păi vezi! Ei au nevoie de ea. Iar eu sunt deja aici. În plus, o să fie ca-n vremurile vechi.

– Vremurile vechi? Cum așa? zic eu confuză.

Gesticulează.

– Tu și cu mine. Aici, împreună.

– Nu există vremuri vechi, Simon.

Zâmbetul nu i se șterge de pe chip.

– Dar nici prea îndepărtate. Pentru mine, oricum.

– Simon... Nu știu cum să spun asta. Eu nu sunt Emma. Nu semăn deloc cu ea.

– Sigur că nu. Ești un om mai bun decât ea, pentru început.

Îmi iau telefonul de pe masă.

– Ce faci? întreabă el.

– Ar trebui să duc colierul sus, la locul lui, mint eu.

– Lasă-mă pe mine! Întinde mâna. Tu ești însărcinată. Ar trebui să te menajezi.

– Nu sunt chiar aşa de însărcinată.

Deodată, îmi mai trece ceva prin minte. Simon a început să facă referiri la sarcina mea cu mult timp înainte ca alţii să o observe măcar. „Majoritatea oamenilor cred că o cantitate mică de alcool e permisă în jurul vârstei de cincisprezece săptămâni." De unde ştie în câte săptămâni sunt?

Încep să trec pe lângă el. Îşi ţine mâna întinsă, dar îl ignor.

– Ai grijă pe scări! strigă el, cu ochii după mine.

Mă forţez să încetinesc, făcând un semn cu mâna că am auzit.

În afară de hol, singurul loc din One Folgate Street care are uşă este debaraua menajerei. Mă strecor înăuntru şi o blochez cu mături şi mopuri.

Încerc să o sun pe Mia prima dată. „Apel nereuşit."

– Rahat! zic tare. Rahatul naibii!

Edward Monkford. „Apel nereuşit."

999.

„Apel nereuşit."

Mă uit la ecran şi văd că nu e semnal. Cu ceva dificultate, mă ridic în spaţiul de sub acoperiş şi ţin telefonul cât de sus pot. Nici aici nu e semnal.

– Jane? Vocea lui Simon se aude de la parter. Jane, ai păţit ceva?

– Vreau să pleci, Simon, îi strig eu. Nu mă simt bine.

– Îmi pare rău. O să chem doctorul.

– Nu, te rog. Trebuie doar să mă odihnesc.

Îi aud vocea din ce în ce mai tare pe măsură ce urcă scările.

– Jane? Unde eşti? Eşti în baie?

Nu răspund.

– Cioc-cioc... Nu, nu eşti în baie. Ne jucăm de-a v-aţi-as-cunselea?

Uşa dulapului scârţâie când o împinge dinafară.

– Te-am găsit, zice el fericit. Ieşi de aici acum, iubi!

ACUM: JANE

– Nu ies, îi zic prin uşă.

– Asta-i o prostie. Nu pot să vorbesc cu tine dacă stai acolo.

– Simon, vreau să pleci! Altfel, chem poliţia!

– Cum? Am un dispozitiv care blochează semnalele de telefonie. Şi reţeaua Wi-Fi.

Nu răspund. Încet, îmi dau seama că situaţia e mai gravă decât am crezut. A planificat totul.

– Nu am vrut decât să fiu cu tine, dar tu tot pe Monkford îl preferi, nu-i aşa?

– Ce legătură are Monkford cu asta?

– Nu te merită. La fel cum nici pe ea n-a meritat-o. Dar băieţii buni nu se aleg cu fete bune, nu? Le pierd în favoarea unor derbedei ca el.

– Simon, am semnal. Chem poliţia.

Ridic telefonul şi spun pe un ton apăsat:

– Poliţia, vă rog. Adresa este One Folgate Street, Hendon. În casa mea e un bărbat care mă ameninţă.

– Nu prea e adevărat, iubi! Nu am ameninţat pe nimeni.

– Da, în cinci minute e bine, dar vă rog să vă grăbiţi!

– Foarte convingător. Eşti o mincinoasă talentată, Jane. La fel ca toate nenorocitele de femei pe care le-am cunoscut până acum.

Tresar când dezlănţuie o ploaie de lovituri în uşă. Mopurile şi măturile se îndoaie, dar nu cedează. Mă ia cu ameţeală de groază.

– Nu mă deranjează, Jane, îmi spune el răsuflând greu. Am toată ziua la dispoziție.

Îl aud coborând la parter. Trec câteva minute bune. Simt miros de șuncă prăjită. Îmi lasă gura apă, ceea ce e absurd.

Mă uit prin dulap, întrebându-mă dacă pot să folosesc ceva de acolo. Îmi cad ochii pe cablurile aliniate de-a lungul peretelui, venele și arterele din One Folgate Street. Încep să trag de ele la întâmplare. Probabil că asta are ceva efect, pentru că în curând îl aud urcând din nou.

– Ești foarte isteață, Jane! Dar e și un pic enervant. Hai afară de acolo! Ți-am făcut ceva de mâncare.

– Pleacă, Simon! Nu înțelegi? Trebuie să pleci. Vorbesc serios.

– Vorbești la fel ca Emma când ești supărată. Se aude scârțâitul unui cuțit pe o farfurie. Mi-l imaginez stând cu picioarele încrucișate de partea cealaltă a ușii, mâncând ce a gătit. Ar fi trebuit să-i zic „nu" mai des. Ar fi trebuit să fiu mai ferm. Asta a fost mereu problema mea. Prea înțelegător. Prea *drăguț*. Aud cum destupă o sticlă. Am crezut că poate și tu ești drăguță și că de data asta o să fie diferit. Dar n-a fost.

– DAVID THIEL! strig eu. EDWARD! AJUTOR!

Strig până când mă doare în gât și răgușesc.

– Nu pot să te audă, zice el în cele din urmă.

– Ba pot, insist eu. Mă urmăresc.

– Asta ai crezut? Mă tem că nu. Eu eram. Vezi tu, îmi amintești așa mult de ea. Sunt îndrăgostit de tine de-o veșnicie.

– Asta nu e dragoste! protestez eu îngrozită. Dragostea nu poate fi complet unilaterală.

– Dragostea e mereu unilaterală, Jane, răspunde el trist.

Încerc să rămân calmă.

– Dacă m-ai iubi, ai vrea să fiu fericită. Nu speriată și blocată aici.

– Dar vreau să fii fericită. Cu mine! Și dacă eu nu pot să te am, cu siguranță n-o să-l las pe nenorocitul ăla să te aibă în locul meu.

– Ți-am zis deja! M-am despărțit de el.

–Aşa a zis şi *ea*. Vocea îi e obosită. Aşa că i-am dat un test. Unul simplu. Şi ea l-a vrut înapoi. Nu pe mine. Pe *el*. Nu am vrut să iasă aşa, Jane. Am vrut să te îndrăgosteşti de mine. Dar e bine şi aşa.

Aud un sunet de fermoar. Deschide geanta. Apoi, ca şi cum ar împroşca cu ceva. Pe sub uşa dulapului, se scurge o pată întunecată. Miroase a gaz lichefiat.

–Simon! ţip eu. Ce dracu' faci?

–Nu pot, Em. Vorbeşte înfundat, ca şi cum i-ar curge nasul, ca şi cum ar fi pe punctul de a plânge. Nu pot să renunţ.

–Te rog, Simon! Gândeşte-te la copil. Chiar dacă mă urăşti *pe mine*, gândeşte-te la copil!

–Ah, mă gândesc! Fiul nelegitim al unui fiu de căţea. Pula lui în pizda ta. *Copilul lui.* Nici nu vreau s-aud, la dracu'! Încă un sunet de ceva vărsat. O să dau foc la locul ăsta. Nu prea o să-i placă asta, nu? Şi dacă nu ieşi de acolo, o să-ţi dau foc şi ţie odată cu casa. Nu mă obliga să fac asta, Jane!

Toate produsele astea de curăţenie sunt inflamabile. Unul câte unul, le arunc sus, în mansardă. Apoi mă strecor şi eu după ele şi verific din nou dacă am semnal la telefon. Nimic.

–Jane! strigă Simon prin uşă. Ultima şansă. Ieşi de acolo şi fii drăguţă cu mine. Prefă-te că mă iubeşti, măcar puţin! Prefă-te doar, atât îţi cer!

Înaintez puţin câte puţin prin spaţiul îngust, folosindu-mi telefonul ca lanternă. Peste tot sunt bârne transversale şi grinzi din lemn. Dacă focul ajunge aici sus, nimic nu-l mai opreşte. Îmi amintesc că, în incendiile caselor, te ucide fumul, oricum.

Calc pe ceva moale. Vechiul sac de dormit. Îmi mai vine o idee. Nu Emma dormea aici, ci Simon. Avea câteva lucruri de-ale ei şi cartea de vizită a terapeutei. Poate că s-a gândit vreodată să ceară ajutor. Măcar de-ar fi cerut.

–Jane? strigă el din nou. Jane?

Atunci îmi văd valiza, cea pe care am pus-o aici, ca să nu mă împiedic de ea. Mă ghemuiesc şi scot din ea cutia de amintiri a lui Isabel. Cu mâinile tremurânde, îi ating lucrurile: pânza în care era înfăşată, mulajele din ghips făcute după mânuţele şi picioruşele ei.

Tot ce a mai rămas din ea.

„V-am dezamăgit. Pe amândoi copiii mei."

Cad în genunchi, cu mâinile pe burtă, și las lacrimile să-mi curgă pe obraji.

15. Copilul dumneavoastră întâmpină dificultăți în mare. Când mergeți să îl salvați, vă dați seama că e doar unul dintre cei vreo zece copii aflați în aceeași situație dificilă. Puteți fie să vă salvați copilul imediat, fie să mergeți după ajutor pentru tot grupul, ceea ce poate dura o vreme. Ce faceți?

○ Vă salvați propriul copil.
○ Salvați alți zece copii.

ACUM: JANE

Nu ştiu cât timp plâng, dar când termin, tot nu simt miros de foc. Numai duhoarea gazului lichefiat.

Mă gândesc la Simon, undeva sub mine, plângându-şi şi el de milă. La scâncetele lui jalnice, cerşetoare de atenţie.

Şi îmi spun: „Nu!"

Eu nu sunt Emma Matthews, dezorganizată şi vulnerabilă. Sunt o mamă care şi-a înmormântat un copil şi poartă un altul în pântec.

Ar fi aşa de uşor să rămân aici, în mansarda asta, complăcându-mă în pasivitatea dulce a durerii. Să mă întind şi să aştept ca fumul să pătrundă sus printre grinzi, să mă împresoare şi să mă tragă în jos.

Dar nu o să fac asta!

Mă ridic în picioare, impulsionată de cine ştie ce instinct primar. Aproape înainte să conştientizez, cobor din nou prin trapă. În linişte, dau mopurile şi măturile la o parte din uşa dulapului.

Colierul este încă în buzunarul meu. Îl scot, rup şiragul şi las perlele să-mi cadă în mână.

Uşor, încet, deschid uşa.

One Folgate Street este de nerecunoscut. Pereţii sunt mâzgăliţi cu graffiti. Pernele au fost sfâşiate. Pe podea zac vase sparte. Ferestrele par mânjite cu sânge. Pe lângă gazul lichefiat, simt şi miros de gaz natural.

– Simon? strig eu în liniștea din casă.

Apare de nicăieri la baza scărilor.

– Jane! Ce bine-mi pare!

– Pot să fiu ea, dacă vrei! Nu am plănuit asta, nu detaliat, dar acum mi se pare limpede ce trebuie să spun și cuvintele îmi ies din gură fără ezitare sau tremur. Emma. Acea Emma drăguță, pe care ai iubit-o. O să fiu Emma pentru tine și apoi mă lași să plec, da?

El se uită la mine uluit, fără să răspundă.

Încerc să-mi imaginez cum ar fi vorbit Emma, ritmurile vocii ei.

– Uau! zic eu uitându-mă în jur. Chiar ai aranjat bine locul ăsta, nu-i așa, iubi? Cred că mă iubești cu adevărat, Si, dacă ai făcut așa ceva. Nu mi-am dat seama până acum cât de pasional ești.

În ochii lui, suspiciunea se luptă cu altceva. Fericire? Dragoste? Îmi pun o mână pe burtă.

– Simon, trebuie să-ți spun ceva. Sunt însărcinată. O să fii tătic! Nu e minunat?

Tresare, iar eu tremur, simțind că am mers prea departe. „Fiul nelegitim al unui fiu de cățea.“

– Hai să mergem să ne întindem, Si! zic eu repede. Numai câteva minute. Te masez pe spate și tu poți să mă masezi pe mine. Ar fi drăguț, nu-i așa? Ar fi drăguț și să ne luăm în brațe pe urmă.

– Drăguț, repetă el, urcând scările. Are vocea gâtuită de dorință. Da.

– Vrei să faci un duș?

Încuviințează din cap, apoi privirea i se înăsprește.

– Și tu!

– Mă duc să-mi iau halatul.

Mă duc spre dormitor și simt cum mă urmărește cu privirea. Deschid dulapul de piatră și iau un halat de pe umeraș.

Aud apa curgând. Probabil a pornit dușul. Când mă întorc însă, e tot acolo, tot privindu-mă.

– Nu pot, Em, zice el brusc.

O clipă, cred că se referă la șarada asta.

– Ce nu poți, iubi?

– Nu pot să te pierd! Nu pot să te las să-i vrei pe ei, dar nu pe mine!

Rostește cuvintele ciudat, cântat, ca și cum ar fi versurile unui cântec pe care l-a tot fredonat în minte până când s-au golit de sens.

– Dar te vreau, iubi! Numai pe tine, pe nimeni altcineva. Vino, o să-ți arăt!

Cu un hohot brusc, își îngroapă fața în mâini, iar eu profit de ocazie ca să mă strecor pe lângă el, spre scări, scările înșelătoare unde a murit Emma. Aproape că alunec pe treapta de sus, dezechilibrându-mă din cauza burții mari, dar pun o mână pe perete și reușesc să mă stabilizez și să-mi înfig bine picioarele goale pe dalele atât de cunoscute. Urlând de furie, el se repede după mine. Cumva, reușește să mă prindă de păr și să mă tragă spre el. Arunc mâna de perle spre capul lui. Abia dacă se clintește. Numai că, atunci când vrea să coboare pe următoarea treaptă, calcă pe perle, letale ca niște bile de rulment, iar picioarele îi alunecă în toate direcțiile. Pe față i se văd surprinderea și șocul, și apoi cade, cade în gol. Corpul este primul care lovește podeaua, apoi și capul, cu o bufnitură dezgustătoare. Perlele se rostogolesc pe scări în cascadă și sar în jurul corpului lui sucit, răstignit. Preț de o clipă, sunt sigură că trăiește încă, pentru că ochii lui se uită în sus la mine, chinuiți, căutându-mă, nevrând să renunțe, apoi i se scurge sânge din ceafă și privirea i se golește.

ACUM: JANE

Încerc din nou să prind semnal la telefon, dar probabil că dispozitivul de blocare al lui Simon încă funcționează. Va trebui să mă duc la casa de alături să chem o ambulanță. Nu că ar mai fi mare grabă acum. Ochii lui sunt deschiși și nemișcați, iar pe lângă cap e o aureolă de sânge de un roșu-închis.

Cobor cu atenție scările și mă duc în camera de zi, evitând perlele împrăștiate periculos pe podea, ținându-mi protector o mână pe burtă. Ajung aproape de ferestrele mari. Aproape inconștient, mă opresc și șterg cu mâneca graffiti-ul sângeros. Se ia ușor, scoțând la iveală reflexia chipului meu în întunericul de afară.

O să se curețe tot, mă gândesc. Toată mizeria asta, dezordinea asta superficială. Sângele și cadavrul lui Simon vor dispărea în curând. Casa va fi din nou imaculată. Ca un organism viu care expulzează o așchie mică, One Folgate Street s-a vindecat singură.

Mă simt copleșită de seninătate, de pace. Îmi privesc reflexia în geamul întunecat, simțind cum casa mă recunoaște; suntem amândouă, fiecare în felul ei, pline de posibilități.

16. Un angajat al companiei de căi ferate, responsabil de schimbarea macazurilor la o intersecție îndepărtată, își ia fiul la serviciu, dar îi dă instrucțiuni stricte să nu se apropie de calea ferată. Mai târziu, vede un tren care se apropie, dar înainte să poată schimba macazul, observă băiatul care se joacă pe șine, prea departe ca să-l audă. Dacă nu schimbă macazul, trenul se va ciocni aproape cu siguranță și va produce numeroase victime, dar dacă îl schimbă, e aproape sigur că trenul îi va omorî fiul. Orice alege, are numai câteva secunde la dispoziție ca să fugă să avertizeze fie mecanicul de tren, fie pe fiul lui, înainte de impact. Dacă ați fi el, ce ați face?

○ Ați schimba macazul.
○ Nu ați schimba macazul.

ACUM: JANE

Nu mai apuc să nasc în apă, cu lumânări Diptyque care să parfumeze aerul şi cu muzica lui Jack Johnson pe iPad. În schimb, mi se face cezariană, după ce, la o ecografie de rutină, medicii au descoperit un mic blocaj în stomacul copilului. Din fericire, acesta poate fi reparat prin intervenţie chirurgicală imediat după naştere, dar e un argument în defavoarea naşterii naturale.

Doctorul Gifford îmi explică pe îndelete implicaţiile şi mi se mai fac câteva analize înainte să fie totul stabilit. După naştere, îl ţin în braţe pe Toby doar câteva minute dulci-amărui, minunate, înainte să-l ia de aici. Mai întâi însă, moaşa mi-l pune la sân şi îi simt gingiile tari în jurul sfârcului; senzaţia de supt se răspândeşte până în adâncul fiinţei mele, până în uterul dureros, urmată de euforia furnicătoare a relaxării. Dragostea pluteşte dinspre mine spre el, iar ochii lui albaştri se încreţesc, imenşi şi fericiţi. Un bebeluş aşa de zâmbitor. Moaşa zice că nu poate să fie un zâmbet adevărat, nu încă, doar gaze trecătoare sau un tremurat aleatoriu al buzei, dar eu ştiu că se înşală.

Edward vine să ne viziteze a doua zi. L-am văzut de câteva ori în ultimul trimestru de sarcină; parţial, din cauza birocraţiei juridice de după moartea lui Simon şi, parţial, pentru că Edward a avut gentileţea de a recunoaşte că ar fi trebuit să dea singur seama de cât de periculos era Simon. Acum, suntem implicați amândoi în povestea asta, pe termen lung, ca părinți; dacă, în cele din urmă, putem fi mai mult de atât, ei bine, e și asta o posibilitate, pe care uneori cred că Edward nu o mai respinge.

Sunt încă somnoroasă când ajunge, așa că asistenta vine mai întâi să mă întrebe dacă accept vizita, dar sigur că îi spun să-l invite în rezervă. Vreau să i-l arăt pe fiul nostru.

– Uite-l! Nu mă pot abține să nu zâmbesc. El e Toby.

Obiceiul de a fi judecată de Edward, de a căuta aprobarea lui, încă n-a dispărut cu totul.

Îl ridică pe Toby sus în brațe și îi privește cu atenție fața rotundă, voioasă.

– Când ai aflat? zice el încet.

– Că are sindrom Down? După ce au găsit blocajul. Aproape o treime dintre copiii cu atrezie duodenală au așa ceva.

Testul ADN, precis în proporție de peste 99 la sută, nu fusese infailibil până la urmă. Cu toate acestea, după șocul și durerea de după confirmarea inițială, o parte din mine aproape că se bucură că testul nu a fost corect. Dacă aș fi știut, cu siguranță aș fi făcut avort. Și, uitându-mă la Toby acum, la ochii lui migdalați, la nasul cârn și la gura minunat arcuită, cum aș putea vreodată să-mi doresc să nu se fi născut?

Sigur, există griji, însă fiecare copil cu sindrom Down este diferit și se pare că am fost norocoși. E aproape la fel de alert ca orice alt copil. Coordonarea lui orală, când îl pun la sân, pare bună. Nu are probleme la înghițit; nu are anomalii cardiace sau probleme cu rinichii. Iar nasul lui, deși cârn, seamănă destul de mult cu al lui Edward; ochii, deși migdalați, nu sunt foarte diferiți de ai mei.

E frumos.

– Jane, zice Edward, poate că nu ți-e ușor să auzi asta aici și acum, dar trebuie să-l dai. Sunt oameni care adoptă copii ͺ Oameni care aleg o astfel de viață. Nu oameni ca tine.

⸻tea, spun eu. Edward, pur și simplu n-aș putea!

⸻lipă, văd în ochii lui o licărire de furie. Și mai văd

⸻: cea mai mică urmă de frică.

– Am putea încerca din nou, continuă el de parcă eu nici n-am vorbit. Tu şi cu mine. S-o luăm de la zero! De data asta, ar putea să meargă. Ştiu că ar merge!

– Dacă ai fi fost mai sincer cu mine în legătură cu Emma, zic eu, poate că ar fi mers şi înainte.

Mă priveşte aspru. Îl văd întrebându-se dacă atitudinea asta nouă se datorează maternităţii; dacă deja m-a schimbat cumva, m-a făcut mai categorică.

– Cum puteam să vorbesc cu tine despre asta când nici eu nu înţelegeam? îmi spune el în cele din urmă. Sunt o persoană obsesivă. Iar ei îi plăcea să mă provoace. I se părea excitant când reuşea să mă facă să-mi pierd controlul, chiar dacă eu mă uram din cauza asta. Până la urmă, m-am despărţit de ea, dar a fost greu, foarte greu. Ezită. O dată mi-a dat o scrisoare. A zis că vrea să se explice. Pe urmă, m-a rugat să n-o citesc. Dar o citisem deja.

– Ai păstrat-o?

– Da. Vrei să o vezi?

– Nu! spun eu hotărât. Mă uit la faţa adormită a lui Toby. Acum trebuie să ne gândim la viitor.

Se resemnează.

– Deci *vrei* să te gândeşti serios la asta? Să-l dai pe ăsta? Cred că aş putea să fiu tată din nou, Jane. Cred că sunt pregătit pentru asta. Dar hai să avem copilul pe care vrem să-l avem! Un copil *planificat*.

Şi atunci, în sfârşit, îi spun lui Edward adevărul.

ATUNCI: **EMMA**

Am știut chiar dinainte de a te întâlni, de când agentul a început să-mi spună despre regulile tale. Unele femei, poate că majoritatea, vor să fie prețuite și respectate. Vor un bărbat care e blând și bun, care le șoptește cuvinte de tandrețe, de dragoste. Am încercat să fiu o astfel de femeie și să iubesc un astfel de bărbat, dar nu pot.

De îndată ce am vărsat cafeaua pe planurile tale, am fost sigură. Se întâmplase ceva ce nici nu puteam să exprim în cuvinte. Erai încăpățânat și puternic, dar m-ai iertat. Simon putea să ierte, dar o făcea pentru că era slab, nu pentru că era puternic. În clipa aceea, am devenit a ta.

Nu vreau să fiu prețuită. Vreau să mi se comande. Vreau un bărbat monstruos, un bărbat pe care alți bărbați îl urăsc și îl invidiază, dar căruia nu-i pasă. Un bărbat făcut din piatră.

O dată sau de două ori am crezut că l-am găsit. Și atunci n-am putut să mă rup eu de ei. Când m-au folosit și pe urmă m-au aruncat la gunoi, am acceptat asta drept dovadă că într-adevăr erau cine pretindeau că sunt.

Saul a fost unul dintre ei. La început, mi s-a părut dezgus-
~~tor~~. Un nenorocit arogant, abject. Pentru că era căsătorit cu
~~...~~am crezut că nu însemna nimic faptul că flirta cu
~~...~~-am răspuns și eu, asta a fost greșeala mea. M-a
~~...~~știut ce face, dar m-am gândit că o să se oprească
~~...~~ent dat. Nu s-a oprit și cred că nici eu. Parcă totul

i se întâmpla altcuiva. Știu că asta o să ți se pară ciudat, dar mă simțeam de parcă eram Audrey Hepburn care dansa cu Fred Astaire. Nu o secretară beată care îi făcea un amărât de sex oral unui manager senior după un training corporatist. Până când mi-am dat eu seama că nu-mi place ce-mi face sau cum face, era prea târziu. Cu cât încercam mai mult să-l opresc, cu atât mai dur devenea.

M-am urât după aceea. Am crezut că a fost vina mea că l-am lăsat să mă aducă în situația aia. Și l-am urât pe Simon pentru că tot timpul vedea doar ce era mai bun în mine, când, de fapt, nu sunt deloc cine crede el că sunt. Era mult mai ușor să mint pe toată lumea decât să spun adevărul.

Așa că, vezi tu, cu tine am crezut că, în sfârșit, am găsit pe cineva care e și bun, și puternic; și Simon, și Saul. Iar când am înțeles că și tu aveai secrete, m-am bucurat. Am crezut că putem să fim sinceri unul cu altul. Că, în sfârșit, putem să ne eliberăm de toate bagajele trecutului. Nu de bunurile noastre, ci de lucrurile pe care le cărăm în mintea noastră. Pentru că asta am înțeles de când locuiesc în One Folgate Street. Poți să-ți faci casa cât de ireproșabilă și de goală vrei tu. Dacă pe dinăuntru e haos, nu mai contează. Și asta căutăm, cu toții, nu? Pe cineva care să aibă grijă de haosul din capul nostru.

17. E mai bine să spuneți o minciună și să păstrați controlul asupra situației decât să spuneți adevărul, cu rezultate imprevizibile.

Sunt de acord ○ ○ ○ ○ ○ Nu sunt de acord

ACUM: JANE

– *A fost* planificat, zic eu.

Edward se încruntă.

– Asta e o glumă?

– Poate zece la sută glumă. Începe să se relaxeze, dar apoi adaug: Am vrut să spun că a fost planificat de *mine*. Doar că nu și de tine. Îl așez pe Toby mai strâns în îndoitura brațului meu. De fapt, am știut de prima dată când te-am văzut, atunci, în biroul tău. Am știut că ai putea să fii tatăl copilului meu. Arătos, inteligent, creativ, ambițios... Cu siguranță, erai cel mai bun pe care aveam să-l găsesc.

– M-ai *mințit?* mă întreabă mirat.

– Nu chiar. Doar că au fost niște lucruri pe care nu le-am explicat, atâta tot. În special când am răspuns la prima întrebare din chestionar, despre lista cu lucrurile esențiale din viața mea. Când ți-ai pierdut centrul universului, un singur lucru te poate face iar întreagă. N-aș fi putut să fac asta în altă parte decât în One Folgate Street. Răzgândirile, îndoielile, crizele morale m-ar fi paralizat în lumea reală. Dar în spațiile acelea austere, fără compromisuri, hotărârea mea n-a făcut decât să devină din ce în ce mai solidă. One Folgate Street s-a potrivit cu planurile mele, iar toate deciziile mele au avut simplitatea curată a pierderii.

– Am știut eu că se întâmpla ceva. Edward a devenit foarte palid. Menajera... Erau niște anomalii, date care nu aveau nici o logică. Am crezut că era din cauza obsesiei tale pentru moartea Emmei, pentru căutarea asta ridicolă a ta, pe care încercai s-o păstrezi secretă...

– Nu-mi păsa de Emma, nu personal. Dar trebuia să știu dacă puteai să fii un pericol pentru copilul nostru.

Ca o ironie, până la urmă, moartea lui Simon m-a ajutat să rezolv asta. În dosarul lui albastru, am găsit numele lui John Watts, șeful de șantier din One Folgate Street. Emma îl primise de la fostul partener de afaceri al lui Edward, Tom Ellis, dar, tipic pentru felul ei haotic de a fi, nu mai urmărise informația. Șeful de șantier a confirmat ceea ce bănuiam și eu: că moartea soției și a copilului lui Edward fusese doar un tragic accident.

– Nu te compătimesc, Edward, adaug eu. Ai avut exact ce ți-ai dorit – o aventură scurtă, intensă, perfectă. Orice bărbat care se culcă cu o femeie în condițiile astea ar trebui să știe că e posibil să existe consecințe.

Nu mă simt vinovată nici față de Simon. Când am închis capacul cutiei cu amintirile lui Isabel, am știut că, dacă puteam, aveam să-l omor. Până când a sosit poliția, am strâns toate perlele de pe jos, așa că nu a existat nimic care să sugereze că aș fi jucat vreun rol în moartea lui tristă, nefericită.

A fost acceptabil ce am făcut? Sau măcar de înțeles?

Poate orice femeie să spună că, în locul meu, nu ar fi procedat la fel?

– O, Jane! Edward clatină din cap. Cât de... magnific! Tot timpul ăsta am crezut că eu te controlez pe tine și, de fapt, tu mă controlai pe mine. Ar fi trebuit să știu că aveai propriile planuri.

– Poți să mă ierți?

– Cine știe mai bine decât mine cum e să pierzi un copil? zice el încet. Cum ai face orice, indiferent cât de distructiv sau de greșit, doar ca să mai atenuezi durerea? Poate că suntem mai asemănători decât credeam noi. Tace o vreme, pierdut în propriile gânduri. După ce au murit Max și Elizabeth, am luat-o razna un timp – bolnav de vină, și de durere, și de ură față de mine însumi, spune el în cele din urmă. Am plecat în Japonia, ca să încerc să fug de mine, dar nimic nu a ajutat.

Apoi, când m-am întors, am descoperit că Tom Ellis inten-
ționa să termine One Folgate Street și să-și pună numele pe
proiect. N-am suportat să văd casa pe care eu și Elizabeth o
plănuiserăm împreună ridicată așa. Prin urmare, am distrus
planurile și am început din nou. Ca să fiu sincer, nu prea-mi
păsa ce construiam în locul ei. Am construit ceva la fel de steril
și de gol ca un mausoleu, pentru că așa mă simțeam atunci.
Apoi, mi-am dat seama că, în nebunia mea, creasem, fără inten-
ție, ceva extraordinar. O casă care avea să ceară un sacrificiu
de la oricine locuia acolo, dar care avea să recompenseze
înmiit sacrificiul acela. Pe unii, ca Emma, îi distruge, desigur.
Pe alții, ca tine, îi face mai puternici. Mă fixează intens cu
privirea. Nu înțelegi, Jane? Ai dovedit că ești demnă de ea. Că
ești suficient de disciplinată și de neîndurătoare pentru a fi
stăpâna din One Folgate Street. Așa că îți fac o ofertă. Privirea
lui nu mă slăbește nici o clipă. Dacă dai copilul ăsta spre adop-
ție... îți dau casa. Să fie a ta și să faci ce vrei cu ea. Dar cu cât
aștepți mai mult, cu atât mai greu îți va fi să iei decizia asta.
Ce vrei cu adevărat? O șansă la perfecțiune? Sau o viață în-
treagă în care să încerci să faci față unui... unui... Arată spre
Toby, fără cuvinte. Viitorul pe care ai fost dintotdeauna
menită să-l ai, Jane? Sau asta?

18.

○ *Dați copilul.*
○ *Nu dați copilul.*

ACUM: JANE

– Şi dacă spun da, vom avea un alt copil?

– Îţi dau cuvântul meu! Profită de ezitarea mea. Nu ar fi bine pentru noi, Jane. Nu ar fi bine pentru Toby. E mai bine pentru un copil ca el să fie adoptat acum decât să crească fără tată.

– *Are* tată.

– Ştii ce vreau să spun. Are nevoie de părinţi care să-l accepte aşa cum e, nu care să plângă după copilul care ar fi putut să fie, de fiecare dată când se uită la el.

– Ai dreptate, zic eu încet. Chiar *are* nevoie de asta.

Mă gândesc la One Folgate Street, la senzaţia de apartenenţă şi de calm pe care o am acolo. Şi mă uit la Toby şi mă gândesc la ce urmează. Mamă singură cu un copil cu dizabilităţi, luptându-se cu sistemul, ca să primească terapiile de care are el nevoie. O viaţă de zbucium, de harababură şi de compromis.

Sau o şansă de a încerca din nou ceva mai bun şi mai frumos.

Pe umărul lui Toby e o pată de lapte regurgitat. O şterg cu grijă.

– Gata! S-a dus.

În aceeaşi clipă, mă hotărăsc.

O să iau ce pot de la Edward. Apoi, voi lăsa toate personajele din drama asta să se risipească în trecut. Emma Matthews şi bărbaţii care au iubit-o, care au devenit obsedaţi de ea. Nu sunt importanţi pentru noi acum. Dar într-o zi, când Toby va fi suficient de mare, o să scot la iveală o cutie de pantofi şi o să-i povestesc iar despre sora lui, Isabel Margaret Cavendish, fata dinainte.

ACUM: **ASTRID**

– E *extraordinar*! exclam eu, uitându-mă uluită la pereţii de
piatră, la spaţiu, la lumină. N-am mai văzut niciodată o casă
aşa uimitoare. Nici măcar în Danemarca.

– Chiar este specială, încuviinţează Camilla. Arhitectul este
celebru. Ţii minte ce scandal a fost anul trecut cu oraşul ăla
ecologic din Cornwall?

– Ceva despre chiriaşii care nu voiau să accepte termenii
din contracte, nu-i aşa? Nu i-a dat pe toţi afară?

– Şi contractul de aici e destul de complicat, spune Camilla.
Dacă vrei să mergi mai departe, probabil trebuie să ţi-l explic
pas cu pas.

Mă uit în jurul meu la pereţii ce se avântă spre culmi, la
scara ce pare că pluteşte, la seninătatea şi calmul incredibil.
Într-un astfel de loc, mă gândesc, aş putea să fiu din nou eu,
să las în urmă toată amărăciunea şi furia divorţului.

– În mod sigur mă interesează, mă pomenesc spunând.

– Bun! Ah, apropo. Camilla se uită în sus, spre acoperiş, de
parcă ar evita să mă privească în ochi... Sunt sigură că oricum
o să cauţi adresa pe Google, aşa că n-are rost să nu-ţi spun.
Casa are o istorie specială: un cuplu de tineri care a locuit
aici; mai întâi, ea a căzut pe scări şi a murit, apoi, după trei ani,
a murit şi el exact în acelaşi loc. Se crede că s-a aruncat inten-
ţionat, ca să fie cu ea.

– Mda, e tragic, sigur, zic eu, dar ca în orice tragedie, e şi romantic. În cazul în care mă întrebi dacă e o piedică... răspunsul e nu. Ar mai trebui să ştiu şi altceva?

– Doar că proprietarul poate fi cam tiran. Cred că am arătat casa câtorva zeci de doritori în ultimele câteva săptămâni, dar nici unul nu a fost acceptat.

– Crede-mă, ştiu cum să mă port cu tiranii! Am trăit şase ani cu unul.

Şi uite aşa, în aceeaşi seară încep să răsfoiesc nesfârşitele pagini ale formularului de cerere. Atâtea reguli pe care să le citesc! Şi atâtea întrebări la care să răspund! Mă tentează să beau ceva ca să mă ajute să trec prin toate astea, dar n-am mai băut de aproape trei săptămâni şi încerc să continui.

Vă rog să faceţi o listă cu toate bunurile pe care le consideraţi esenţiale pentru viaţa dumneavoastră.

Inspir adânc şi iau stiloul în mână.

MULȚUMIRI

Mulți, mulți oameni m-au ajutat în cei aproximativ zece ani cât mi-a luat să mă lămuresc cum să spun povestea asta. Aş vrea să-i mulțumesc în mod deosebit producătoarei Jill Green pentru încurajările de la început; Laurei Palmer pentru comentariile profunde pe marginea unei versiuni nefinalizate; Tinei Sederholm pentru perspectiva unei poete; şi doamnei doctor Emma Fergusson pentru sfaturile despre chestiunile medicale şi multe altele.

Le sunt profund recunoscător celor de la Penguin Random House: Kate Miciak, nu numai pentru că a cumpărat cartea şi i-a trimis aproape peste noapte o mostră de cincizeci de pagini colegei ei Denise Cronin şi extraordinarei echipe de la Târgul de carte din Frankfurt, ci şi pentru lunile de dezbateri stimulante, de meşteşug impecabil şi de pasiune editorială care au urmat.

Însă cel mai mult îi sunt îndatorat lui Caradoc King şi echipei lui de la United Agents: Mildred Yuan, Millie Hoskins, Yasmin McDonald şi Amy Mitchell, care au citit primele pagini, când romanul era doar o sugestie. Fără entuziasmul şi încrederea lor, mă îndoiesc că ar fi fost vreodată mai mult de atât.

Această carte îi este dedicată fiului meu încăpățânat şi veşnic vesel, Ollie, unul dintre puținii oameni din lume născuți cu sindromul Joubert de tip B, şi memoriei fratelui său mai mare, Nicholas, băiatul dinaintea lui.

Tiparul executat la:

office@tipografiaeurobusiness.ro
www.tipografiaeurobusiness.ro